PARLONS HINDI

ISBN : 2-7384-8135-3

Annie
Montaut

Sarasvati
Joshi

PARLONS HINDI

L'Harmattan
5-7, rue de l'École Polytechnique
75005 Paris - FRANCE

L'Harmattan Inc.
55, rue Saint-Jacques
Montréal (Qc) - CANADA H2Y 1K9

Collection Parlons ...
dirigée par Michel Malherbe

Dernières parutions

Parlons alsacien, 1998, R. MULLER, JP. SCHIMPF
Parlons islandais, 1998, S. BJARNASON
Parlons jola, 1998, C. S. DIATTA
Parlons francoprovençal, 1999, D. STICH
Parlons tibétain, 1999, G. BUÉSO
Parlons khowar, 1999, Érik LHOMME
Parlons provençal, 1999, Philippe BLANCHET
Parlons maltais, 1999, Joseph CUTAYAR
Parlons malinké, 1999, sous la direction de Mamadou CAMARA
Parlons tagalog, 1999, Marina POTTIER
Parlons bourouchaski, 1999, Étienne TIFFOU
*Parlons marathi,*1999, Aparna KSHIRSAGAR, Jean PACQUEMENT

SOMMAIRE

V

abréviations utilisées

+H (honorifique)
adj (adjectif)
adv (adverbe)
ar. (arabe)
conj (conjonction)
D (direct)
erg (ergatif)
f (féminin)
inf (infinitif)
intens (intensif)
interr (interrogatif)
inv (invariable)
M (morphologie)
m (masculin)
n (nom)
O (oblique)

p (pluriel)
per. (persan)
postp (postposition)
pr (pronom)
progr (progressif)
refl (réfléchi)
rel (relatif)
s (singulier)
S (syntaxe)
scr. (sanscrit)
v.i. (verbe intransitif)
v.t. (verbe transitif)

litt. (littéralement)
cf. (voir)
< (vient de, depuis)

Note liminaire sur la transcription

Voici les principaux signes de transcription utilisés qui ne correspondent pas à leur prononciation en français (les explications en sont données au chapitre 2 "Les sons et les lettres").

Les mots hindi transcrits dans le texte français sont en italiques. Dans les exemples disposés en retrait, la transcription est en standard.

L'accent circonflexe sur une voyelle marque sa longeur, le petit *n* (n) qui a suit marque sa nasalisation.

La lettre c se prononce comme le tch français [tʃ], la combinaison sh se prononce comme le ch du français [ʃ].

L'italique dans un mot en standard correspond à une consonne rétroflexe, et c'est l'inverse dans un mot en italique, où les rétroflexes sont transcrites en standard,

Le *g* italique dans un mot en standard (le g standard dans un mot en italique) se prononce un peu comme le r uvulaire du français, et transcrit un son ourdou. Le q transcrit une occlusive post vélaire (un k articulé très en arrière).

Les mots hindi couramment employés en francais sont orthographiés à la française (Goujarat, Vishnou, Krishna), les autres systematiquement transcrits. Certains peuvent se présenter dans une orthographe françisée ou transcrite, selon les contextes, notamment, si l'alphabet hindi est donné, c'est la transcription qui suit, Dans la partie culturelle relative aux fondements traditionnels et notamment textuels de la religion, les termes sanscrits sont transcrits selon la prononciation du sanscrit et non du hindi moderne, conformément aux habitudes des spécialistes passées dans le grand public : ainsi *dharma, karma, purusha, artha* et non *dharm, karm, purush, arth*. Nous avons conservé cette transcription dans tous les chapitres pour les plus courants de ces termes, comme *Veda* (et non *ved* en hindi) afin de ne pas choquer certaines habitudes.

LES PRINCIPALES LANGUES D'ASIE DU SUD

Les langues officielles de l'Inde sont le hindi, l'ourdou, le sanscrit, le kashmiri, le panjabi, le sindhi, le népalais, le manipouri, l'assamais, le bengali, l'oriya, le goujarati, le marathi, le konkani, le télougou, le kannada, le tamoul et le malayalam. Les langues indo-aryennes sont indiquées en caractères romains.

LE HINDI DANS L'HISTOIRE

L'histoire de la langue étant intimement liée à celle de la littérature, et à celle du pays, d'abord désigné par le nom d'Âryavar*sh*a (territoire des Aryas ou aryens), puis de Bhârat (du nom d'un roi mythique), puis d'Hindoustan (pays des hindous), nous n'en dissocions pas la présentation. Comme on dispose d'une bonne documentation en français sur l'histoire de l'Inde (Boivin, Markovits, et Jaffrelot, avec dans ce dernier un chapitre sur l'histoire de la littérature hindi), le lecteur pourra y trouver le complément de l'histoire que le cadre de notre présentation nous amène à limiter aux quelques faits directement en rapport avec l'évolution de la langue.

Sur la masse des 1652 langues indiennes dénombrées par le Census de 1961, presque les trois quarts sont des langues indo-aryennes (73,30 %), presque un quart des langues dravidiennes, les deux autres familles significatives, les langues austro-asiatiques et les langues tibéto-birmanes regroupant donc un très faible pourcentage de locuteurs, aujourd'hui encore inférieur. Dans cet océan de langues, la place du hindi est quantitativement très importante.

Langue indo-aryenne, dans la plus vaste famille indo-européenne, c'est la langue officielle de l'Union Indienne depuis 1950, langue maternelle d'environ 350 millions de personnes, dans la mesure où on peut se fier aux chiffres, soit en 1981 plus de 42% de la masse parlante, en augmentation par rapport à 1971 (38%). Parlé essentiellement en Inde, le hindi l'est aussi au Népal, dans les Îles Fidji, Maurice, de la Réunion, à Trinidad, en Guyane, et dans les diasporas d'Afrique orientale et méridionale, du Royaume Uni, des

Etats-Unis. Au Pakistan, la langue nationale, l'ourdou, est, au niveau courant, extrêmement proche du hindi. La zone hindiphone en Inde s'étend sur plusieurs états : Haryana, Uttar Pradesh, Madhya Pradesh, Himachal Pradesh, où le hindi a officiellement le statut de langue dominante. Au sud, la *dakkhinî* des communautés musulmanes de Hyderabad, Madras, Mysore, a longtemps été mentionnée comme *dakkhinî hindî*, avant de l'être maintenant comme *dakkhinî urdû*. Comme le hindi est là langue officielle de l'Union Indienne, le nombre des locuteurs qui le manipulent comme seconde langue (parfois dans un bilinguisme réel) est aussi considérable : l'*Anthropological Survey of India* en 1993 indique que c'est la langue la plus utilisée pour communiquer à l'extérieur du groupe, et ce en augmentation constante, notamment en Andhra Pradesh, Kerala et Karnataka.

S'il est légitime de distinguer hindi et ourdou dans leurs contextes littéraires, religieux et techniques, la réalité du parler courant n'impose pas une distinction radicale. En effet, le rapport de ces deux "langues" est paradoxal : l'ourdou est une langue "constitutionnelle", c'est-à-dire qu'il est enregistré dans l'article VIII de la constitution parmi les 18 langues majeures, et le hindi une langue officielle, ce qui leur confère le prestige de deux grandes langues distinctes, alors qu'elles sont au niveau courant intercompréhensibles à 100% et ne diffèrent que par la graphie et le vocabulaire spécialisé. On a pu parler de "one language in two scripts", de *hirdû*. Par ailleurs et paradoxalement, le hindi englobe une variété de "dialectes" extrêmement diversifiés et loin d'être totalement intercompréhensibles : entre le mârwârî parlé au Rajasthan, et le magahî ou le bhojpurî parlés au Bihar, les différences structurelles voire phonétiques sont plus importantes qu'entre hindi et ourdou. La distinction grammaticale des genres, par exemple, est dans les parlers orientaux très atténuée sinon effacée (comme elle l'est en bengali), et la structure ergative qui entraîne l'accord du verbe avec l'objet, si caractéristique des parlers occidentaux, n'existe pas (comme en bengali encore). Pronoms personnels et conjugaisons diffèrent. Et pourtant, ces divers parlers continuent à être enregistrés sous la rubrique hindi.

LES DIALECTES DU HINDI

(Rajasthani) et (Bihari) désignent non des parlers mais des
groupes de parlers dont le second, séparé par une frontière plus
épaisse, est plus distinct du hindi central que le premier.

1. LA PRÉHISTOIRE : SITUATION DE LA LANGUE DANS SA FAMILLE ET DANS SON AIRE GÉOGRAPHIQUE

A l'origine du hindi, le sanscrit est l'état ancien de l'indo-aryen, dont les quatre *Veda*, avec les hymnes du *Rig Veda*, marquent le premier stade (vers le second millénaire avant J.C.), et la grande littérature épique, *Mahâbhârata* et *Râmâyana*, le stade classique, entre le deuxième siècle avant J.C. et le quatrième après. La question de ce qui a précédé le premier stade de l'ancien indo-aryen, tant sur le plan linguistique que culturel, est encore controversée. C'est depuis la vallée de l'Indus, où se développa la culture harappéenne entre 2500 et 1800, que sont parties, vers le début du second millénaire, des tribus indo-européennes, pour gagner, en direction du sud-est, les régions correspondant à l'actuelle Inde. On ignore si la langue utilisée par les peuples de l'Indus, dont l'essentiel des témoignages consiste en caractères idéogrammatiques sur des sceaux, se rapprochait davantage du sanscrit ou du dravidien, car elle n'a pas encore été déchiffrée. Les enjeux idéologiques quant au rattachement du dravidien ou de l'indo-aryen à ce berceau originaire pèsent évidemment sur les hypothèses échafaudées jusqu'à présent, mais il semble exclu que le sanscrit dérive de la langue de l'Indus. Les tribus indo-aryennes, lorsqu'elles ont amorcé leur migration orientale, abordant l'actuelle Inde vraisemblablement par l'actuel Pakistan, le Sindh, le Rajasthan, continuant ensuite dans la direction de Delhi et du Goujarat plus au sud, constituaient déjà sans doute un groupe différencié, par rapport aux tribus "soeurs" qui se sont répandues dans les territoires occidentaux, correspondant à l'actuel Iran, s'il est vrai que la composition des tout premiers hymnes védiques est antérieure à l'installation dans le territoire indien.

La langue védique est en effet distincte de l'avestique, ou iranien ancien, langue de l'*Avesta*, tout en entretenant avec elle des parentés évidentes (*saptâh* et *haftâ*, venant de la base indo-iranienne *sapta* "sept", désignent aujourd'hui en indo-aryen et en iranien la "semaine"). C'est sur la base de telles parentés que se fonde l'idée d'un groupe homogène, appelé indo-iranien, une spécialisation en quelque sorte de l'indo-européen commun, mais antérieure à la scission des groupes iranien et indo-aryen, et reconstruit par les spécialistes, en l'absence de textes attestés. Les mots désignant le frère, la mère, le père, plusieurs chiffres, se retrouvent sous des formes proches en grec, latin, mais aussi dans les langues européennes modernes. On est bien dans la vaste famille indo-européenne, mais l'arbre généalogique est déjà complexe avant même qu'on arrive aux premières attestations linguistiques.

Un fait est cependant troublant, c'est la présence, dès l'indo-aryen le plus ancien, de consonnes rétroflexes (parfois dites cérébrales, ou cacuminales, parce que la pointe de la langue est recourbée contre le palais, au lieu d'aller toucher directement les dents quand on prononce les consonnes dentales). Ce fait distingue l'indo-aryen de ses autres "frères de sang" (langues iraniennes comme européennes) et le rapproche au contraire de ses "frères de terrain" si l'on peut dire, puisque la rétroflexion est un phénomène essentiel de la phonétique des langues dravidiennes. Comme on trouve aussi dans le *Veda* le plus ancien une vingtaine de mots incontestablement dravidiens, on a pu faire l'hypothèse d'un contact ancien, pré-védique, entre dravidien et indo-aryen. En tout cas, il est certain que les langues modernes indo-aryennes et dravidiennes présentent des analogies structurales très fortes (ordre des mots, participes conjonctifs, verbes sériels, objets marqués, etc.). Elles sont aujourd'hui typologiquement très proches, bien que génétiquement non apparentées, et la parenté "génétique" du hindi avec le sanscrit s'est progressivement estompée, sauf sur le plan du vocabulaire, d'origine ou réemprunté. D'une langue très fortement flexionnelle, c'est-à-dire où les fonctions grammaticales sont marquées par des désinences de cas, et où la conjugaison est synthétique, on est passé à une langue quasi agglutinante, où les fonctions sont marquées par des prépositions (en fait des postpositions), avec une morphologie très simplifiée, et, en ce qui concerne le verbe, hautement analytique. Comment s'est faite cette évolution ?

2. DU SANSCRIT AU HINDI : LE MOYEN INDO-ARYEN

2.1. Du sanscrit aux prakrits : de la dynastie Maurya à la dynastie Gupta

Le sanscrit classique se distingue assez fortement du védique, notamment par l'appauvrissement du système de conjugaisons. Standardisée et codifiée avec une grande rigueur (de *Pânini* premier grand grammairien, vers le sixième siècle avant JC, à ses commentateurs Patañjali, puis Bhartṛhari), la langue littéraire que nous connaissons respecte un standard dont il est impossible de dire s'il reflète un état de la langue parlée et lequel. Car dès son origine, le sanscrit, littéralement, "la bien faite, la justement formée", a commencé à évoluer et n'a jamais cessé de le faire. Les grammairiens anciens recensent déjà quantité d'écarts, jugés comme des corruptions ou incorrections par rapport à la "langue" (*bhâshâ* "langue", désigne le sanscrit codifié, tout le reste étant de la non langue, des patois). Puis ces faits dialectaux, simple reflet de l'évolution phonétique régulière, d'abord cités comme exemples d'erreur ou de corruption à éviter, prennent droit de cité dans les descriptions grammaticales, et acquièrent, sous le nom de prakrit (*prâkṛt,* litt. "dérivé de la "nature", *prakṛti,* qui a pour base le sanscrit, ou élément du sanscrit"), un statut de langue littéraire. Dans ses deux variétés occidentale (shaurasenî) et orientale (mâgadhî), cette langue, elle aussi, est à son tour codifiée par son usage littéraire. Elle se trouve dès lors dans la même situation que le sanscrit, qui continue par ailleurs à fonctionner comme langue de culture : par rapport au prakrit littéraire, les évolutions populaires sont enregistrées comme des corruptions.

La codification littéraire des divers prakrits remonte au plus ancien traité de l'art de la scène : au théâtre les héros parlent sanscrit, les héroïnes et leurs suivantes shaurasenî, les démons mâgadhî, les personnages de basse origine paishâcî (prakrit du nord-ouest, dans lequel beaucoup de consonnes sonores sont devenues sourdes, à l'inverse de l'évolution courante). Les apsarâ, nymphes célestes, ont le choix des langues, et les chants sont de préférence en mahârâs*h*trî (prakrit privilégié par la poésie lyrique à cause de sa fluidité, les consonnes s'y étant particulièrement affaiblies).

Les premiers textes attestés en prakrit sont les inscriptions d'Ashoka (environ troisième siècle avant notre ère, durant la première hégémonie indienne, sous la dynastie Maurya 325-185 avant J.C.). Gravées sur des piliers ou dans des grottes, d'où le nom de prakrit monumental, elles véhiculent un message adressé à la masse, de nature idéologique et politique distincte de l'orthodoxie brahmanique : le roi converti au bouddhisme utilise les divers parlers vernaculaires. De même, le premier canon bouddhiste ou petit véhicule (Hînayâna) est en pâlî, une variété particulière de prakrit, se démarquant ainsi de la langue de l'orthodoxie brahmanique, le sanscrit. C'est aussi le cas du jaïnisme, communauté "sectaire" ou hétérodoxe, dont le fondateur Mahâvîra, contemporain, pense-t-on, du Bouddha, au sixième siècle avant J.C., utilise dans ses prêches la langue vivante du peuple (l'ardha mâgadhî, litt. demi-magadhéen), et dont le canon est en prakrit mahârâs*h*trî.

Une fois acquis un statut littéraire et linguistique, la langue a tendance à se figer, l'évolution parlée produisant de son côté un nouveau "patois" corrompu, "sous-standard" : ce sont les apabhramsha, litt. "(langue) déchue", directement à l'origine des langues indo-aryennes modernes. On les date d'ordinaire de la fin de la seconde dynastie à prétentions hégémoniques, celle des Gupta (IVème-VIème siècle après J.C.).

2.2. Des apabhramsha au hindi ancien : de Harsha aux Moghols, les apports étrangers en hindi médiéval

Le sort des prakrits a aussi été celui des apabhramsha, à partir du moment où elles ont reçu un emploi littéraire, et une description, bien que les grammairiens leur aient moins consacré d'attention qu'aux prakrits, et qu'elles n'aient pas

connu pareille systématisation. L'apogée littéraire
apabhramsha est associée au *Satsaî* de Hala, contemporain de
Harsha (606-647). Le mot *satsaî* lui-même signifie en
apabhramsha "sept centaines" (du scr. *sapta* "sept" et *shatî*
"centaine").

Sur le plan linguistique, on peut noter essentiellement la
réduction des groupes de consonnes (par assimilation, puis
souvent simplification en une consonne simple avec un
allongement compensatoire de la voyelle précédente), et la
chute des finales, qui entraîne une érosion des désinences
casuelles. Ce phénomène, déjà bien avancé en prakrit (un peu
comme en français médiéval à partir du bas latin), a des
conséquences morphologiques et syntaxiques considérables.
Les désinences casuelles se réduisent à un cas direct
(nominatif masculin en -*u*), un cas oblique et un locatif, les
divers types de déclinaison du sanscrit sont ramenés à un, etc.
Cette simplification de la flexion nominale entraîne la
nécessité d'un autre dispositif pour marquer les fonctions
grammaticales, et le système des postpositions commence à
apparaître.

Mais la langue de cette époque ou haut hindi ne porte
pas seulement la trace de son évolution interne, avec les
marques, de plus en plus différenciées régionalement, de la
dialectisation du sanscrit. S'y inscrit aussi l'influence extérieure
de divers envahisseurs. Si les Scythes, les Grecs ou les Huns
n'ont guère laissé que quelques noms (comme Sikandar :
Alexandre ; Milinda : Ménandre), les agressions turko-afganes
ont exercé une influence linguistique, d'abord discrète avec les
raids de Mohammed de Ghazna (fin Xème-XIème siècles) et
Mohammed de Ghor (fin XIIème siècle), puis, catalysée par
l'influence des confréries soufies venues d'Iran ou
d'Afghanistan, de plus en plus déterminante. La domination
des Tughluq, puis des Sayyid sur Delhi (XVème siècle),
l'arrivée ensuite des Lodi (1489-1526), et enfin des Moghols,
ont eu un impact culturel et linguistique considérable.
L'empire moghol a duré jusqu'à l'arrivée des Occidentaux :
Akbar, Humayun, Aurangzeb sont autant de noms que fait

revivre la moindre promenade à Delhi. De cette époque date l'imprégnation durable de la langue par le vocabulaire persan, arabe par son intermédiaire, et à un moindre degré, turc.

Si l'on excepte les ballades épiques rajasthani (*râsau* ou *gâthâ*) du XIIème siècle, les premiers documents littéraires dont disposent les historiens de la langue et de la littérature hindi sont aussi ceux que revendique la littérature ourdou et panjabi à son origine. Amîr Khusrau, Kabîr (*Le cabaret de l'amour*), Nânak le fondateur du sikhisme, chez qui se retrouvent à divers degrés les influences du soufisme local, de diverses confréries mystiques islamiques comme les Chishtî, des sectes d'ascètes renonçants comme les Yogîs Nâth shivaïtes, prêchent en *sant bhâshâ* : c'est la langue des poètes mystiques errants, qui prêchent, entre le XII et le XVème siècle, la voie de la libération par le refus d'adhérer aux orthodoxies quelles qu'elles soient, hindouiste ou musulmane, et le refus d'une divinité incarnée sous une forme spécifique (d'où leur caractérisation comme *nirgu*n, litt. "sans qualité", car ils sont en quête du principe absolu hors de toute incarnation, de toute qualification). Langue composite, mêlant des termes orientaux et occidentaux, la *sant bhâshâ* est systématiquement présentée comme l'illustration du hindi médiéval, et le grand poète Kabîr comme le père de la littérature hindi, bien qu'on trouve la plupart de ses hymnes dans le *Guru Granth Sâhib*, livre sacré des Sikhs, dont la langue de base est la *sant bhâshâ*. Plus tard Jâyasî perpétue originalement cette tradition mystique dans une allégorie soufie à forme hindouisée, la *Padmâvat* (1572).

Mais rapidement le hindi s'associe à l'hindouisme, du moins à deux de ses tendances mystiques qui privilégient l'incarnation, à travers une divinité particulière, du principe absolu (tendance dite *sagu*n, litt. "avec qualité"). Cette divinité est dans un cas Krishna, dans l'autre Rama, deux avatars de Vishnou. Cette double spécialisation mystique, si l'on peut dire, a eu un rôle linguistique et culturel capital : les krishnaïtes vont avec Sûrdâs (*Pastorales*), dans la région de Mathura, faire du braj une grande langue culturelle, Mîrâ Bâî ayant une langue plus composite. Les ramaïtes vont faire de même pour l'awadhî (parler oriental, région d'Ayodhya), avec Tulsîdâs et son *Râmcaritmânas* ou *Râmâyana* hindi. Comme dans les étapes antérieures, c'est la prédication religieuse révolutionnaire qui pousse ces poètes à utiliser les vernaculaires régionaux qu'ils transforment donc en langue littéraire. Ainsi peut-on considérer qu'au XVIème et au XVIIème siècle, la culture religieuse et littéraire moderne est essentiellement représentée par le braj et l'awadhî, deux "dialectes" régionalement bien différenciés, qui ont historiquement réussi, et dont les emplois ont pour cette raison été amenés à déborder leur région d'origine : c'est surtout le cas du braj, devenu langue culturelle pour l'ensemble de la communauté hindoue entre le XVIème et le XVIIIème siècle, la communauté musulmane ayant pour sa part adopté le persan comme langue culturelle sous la domination moghole.

Linguistiquement, ces formes anciennes du hindi se distinguent du standard moderne par la constitution encore inachevée du système de postpositions, par une morphologie verbale beaucoup moins riche et surtout encore à demi synthétique (peu d'auxiliaires), par la quasi inexistence de la subordination. Cependant, les grandes langues culturelles que sont le persan, et toujours le sanscrit, restent bien vivantes (comme le latin en Europe jusqu'au XVIIIème siècle), la première dans l'administration notamment, la seconde dans les traités de diverses natures (sciences, rhétorique, poétique, etc.), mais ne coïncident avec aucun parler populaire.

La culture de la dévotion mystique, ou *bhakti*, a donc dominé ce qu'on appelle l'époque médiévale. *Bhakti*, qui signifie en fait dévotion personnelle, à visée fusionnelle avec un dieu personnel, vient de la base verbale *bhañj* "partager", et le *bhakta*, "dévot", est celui qui peut se fondre en son dieu. A la fin de l'époque médiévale, marquée par l'apparition des premiers grands textes littéraires en hindi ancien, une langue parlée commune s'est créée dans la région de Delhi et ses alentours et sert de lingua franca. Elle a quelques siècles d'évolution par rapport aux grandes langues littéraires de la *bhakti*, elle est strictement orale, emprunte pour son vocabulaire beaucoup au persan, sa syntaxe et sa morphologie prolongent celles de l'indo-aryen central, et elle n'est pas du tout standardisée : c'est ce que les Britanniques appelleront l'hindoustani.

3. LA CONSTITUTION DU HINDI MODERNE :
de la présence britannique au mouvement indépendantiste

C'est dans ces conditions, autour des années 1800, que naît ce qu'on a appelé par la suite le hindi standard, ou *hindavî*, ou *hinduî*, ou encore *kharî bolî* (littéralement la langue qui se tient). Contrairement à tous les dialectes qui à l'époque représentaient l'héritage du moyen indo-aryen au nord de l'Inde (bengali, mârwârî, râjasthânî, gûjarâtî, etc.), le hindi ne doit son nom que très indirectement à un ancrage régional. Le terme s'associe certes à Hind, Indus, donc au Sindh, mais le hindi a toujours été distinct du sindhi, langue parlée par les habitants du Sindh, sur les bords de l'Indus. Le paradoxe de cette désignation s'explique par son origine même : ce sont les musulmans qui ont nommé ainsi le milieu auquel ils s'affrontaient, quand ils ont commencé à se répandre, à partir de l'ouest, vers les territoires indiens. "Hindî" (avec l'évolution *s* initial > *h* carastéristiquement iranienne), désignait donc pour eux les communautés locales non musulmanes, et par conséquent les habitants hindouistes du Sindh. Par la suite le terme s'est associé à la langue parlée par la majorité non musulmane que rencontraient en face d'eux les musulmans dans leur progression orientale : la langue parlée au nord-ouest de l'Inde dans la région de Delhi, ce que plus tard les Britanniques désignent sous le nom de hindoustani.

Le désir d'ériger cette lingua franca qu'était l'hindoustani en une langue standardisée et littéraire correspond à une entreprise délibérée, alors que le braj par exemple a créé sa propre littérature, et donc son standard, spontanément. Le Fort William College à Calcutta, lance en 1800 sous l'égide de son fondateur John Gilchrist une campagne d'enseignement des vernaculaires pour former les

fonctionnaires de la Compagnie des Indes Orientales. Il
recrute à cet effet des maîtres de langue (*bhâkhâ munshî*) qui
produisent grammaires, manuels pédagogiques, traductions.
Deux d'entre eux produisent ainsi les premières fictions en
hindi moderne, en fait moderne par la langue plus que par le
contenu narratif, compilé à partir de récits anciens en sanscrit
ou en braj (*Prem Sâgar*, L'Océan d'amour, par Lallû Lâl et
Nâsiketopâkhyân, "l'histoire de l'homme né de la narine", par
Sadal Mishra). C'est pourtant un texte composé
indépendamment de la demande "scolaire" du Fort William
College qui est le plus représentatif de cette visée
programmatique, et qui ainsi peut être interprété comme le
premier texte hindi, le plus important dans l'évolution
ultérieure de la langue. *Rânî Ketkî kî kahânî*, "l'histoire de la
reine Ketkî" (fleur de jasmin), de Inshâ Allâh Khân 'Inshâ', est
une allégorie à la mode des masnavî persans ou soufi, longs
poèmes de distiques à rimes plates et thème libre, mais dont
l'écriture tient d'un bout à l'autre la gageure de n'employer
aucun vocable "étranger". Par étranger, la préface, en forme de
manifeste linguistique, entend les patois villageois (les divers
dialectes régionaux), le persan, le sanscrit (les emprunts
récents au sanscrit, car il est évident que le fond commun est
de base sanscrite).

Le terme de *kharî bolî* désigne dès lors le nouveau
standard : Sadal Mishra en 1803 qualifie ainsi la langue de
son *Nâsiketopâkhyân*. L'expression, avec /r/ rétroflexe, signifie
"parlure qui se tient debout", mais *kharî* sans rétroflexe
signifie "pure," et *karî* sans aspiration "dure, stricte". Quoi qu'il
en soit, la *kharî bolî*, de *bolî*, ou dialecte, qu'elle était,
correspondant au parler de la région située entre Delhi, Agra
et Mathura, est au tournant du siècle devenue une *bhâshâ*, une
langue, dont l'extension géographique est aujourd'hui
considérable : un dialecte qui a réussi, comme le francien est
devenu le français. Et cette première chance historique n'est
que le prélude à une seconde, quand le hindi devient en 1950
langue officielle de l'Union Indienne, alors que le braj, qui eut
ses heures de gloire et a certainement pleinement exercé un
statut de langue culturelle, n'est plus aujourd'hui qu'un dialecte

au statut secondaire.

Dans le sillage du Fort William College se développe la circulation de matériel pédagogique, d'anthologies et de grammaires standardisées à usage non plus seulement britannique, mais indien aussi. Du fait de la standardisation de l'écrit, et donc de l'importance des choix graphiques, la différenciation entre hindi et ourdou s'accuse. Déjà les thèses de Râjâ Shiv Prasâd 'Hind' s'opposent à celles de Lak*sh*man Singh comme la défense d'un hindi ouvert et généreux à celle d'un hindi sanscritisé, exclusif et agressivement refermé sur son mythe d'identité originaire. La naissance d'une presse locale, le développement de l'imprimerie et du réseau ferroviaire facilitent la diffusion de l'instruction en hindi standard, cette langue toute neuve qui commence à s'associer à des objectifs nationalistes et à la prise de conscience d'une identité nationale. A la fin du siècle. Harishcandra 'Bhârtendu' ("Lune de l'Inde"), et Mahâvîr Prasâd Dvivedî, chacun fondateur d'un journal, chacun écrivain aussi (l'un dramaturge, l'autre essayiste et critique), ont, dans des styles très différents, consolidé la standardisation de la langue hindi, l'ont dotée d'une production littéraire abondante, et sont à juste titre considérés comme ses principaux pionniers. Un célèbre discours de Bhârtendu associe définitivement le hindi moderne et la lutte pour l'indépendance, glorifiant au passage les valeurs de l'hindouisme.

4. LE VINGTIÈME SIÈCLE
du "struggle for freedom" à nos jours

C'est à la fin du dix-neuvième siècle que se nouent donc les liens entre littérature et engagement politique, terrain préparé par l'impact de groupes à la fois réformistes et revendiquant un retour à la tradition hindoue, comme l'Ârya Samâj. Le début du XXème siècle voit naître les premières écoles littéraires, désignées par la périodisation traditionnelle en Inde sous le nom de -*vâd* ou -ismes. La première ou *châyâvâd*, de *châyâ* "ombre, image, reflet, chimère", dans les années vingt et trente, se rapproche du romantisme par le lyrisme symbolique et la représentation de la nature et des émotions. Mais l'articulation d'une vision philosophique influencée par le monisme shivaïte et les Upanishad sur des prises de position anti-britanniques et libérales en fait une machine de guerre contre la colonisation. En outre, si la non violence (*ahimsâ*) prônée par Gandhi a soudé les masses et une grande partie de l'intelligentsia occidentalisée, dans le parti du Congrès, des mouvements beaucoup plus radicaux, notamment à partir du massacre d'Amritsar (1919) précipitent les choses. Plus nettement, le progressisme dans les années trente et quarante (*pragativâd*) s'implique dans le mouvement indépendantiste : la tendance gandhienne (illustrée dans *Premâshram*, L'Ashram de l'amour, de son fondateur Premcand) se distingue de la tendance communiste plus radicale (illustrée dans *Jhûthâ sac*, La Fausse Vérité, de Yashpâl). C'est l'époque du réalisme social engagé. L'Inde devient indépendante et se sépare du Pakistan en 194. Peu après, Gandhi est assassiné par un extrémiste hindou, et la personnalité de Nehru (1889-1964) joue un rôle de premier plan dans la jeune république fédérale laïque : la planification économique, la détermination d'industrialiser rapidement l'Inde, l'élaboration d'une constitution pluraliste et respectueuse des minorités, et surtout le maintien de l'anglais comme langue officielle témoignent d'une authentique ouverture aux valeurs occidentales, en même temps que d'un authentique désir de perpétuer la culture indienne dans son caractère "composite", selon les termes de la Constitution.

L'extraordinaire élan social et politique qui sous-tendait la génération littéraire des progressistes et suscite juste après l'indépendance l'association pour un théâtre populaire engagé et militant dans les villages (Indian People Theater Association), s'estompe un peu pour faire place à des soucis plus formels avec l'expérimentalisme (*prayogvâd*) entre 1945 et 1955 et dans les années soixante avec le nouveau roman et la nouvelle poésie (*naî kahânî* et *naí kavitâ*). Mais c'est surtout à la fin de l'ère Nehru qu'il retombe, notamment à partir de l'état d'urgence imposé par Indira Gandhi en 1975. Beaucoup d'illusions s'évanouissent, et la thématique dominante de cette nouvelle littérature devient la double frustration sexuelle et socio-économique de la classe moyenne, qui traduit sa difficulté à assouvir des aspirations que l'accès à l'indépendance a créées et que ne peut satisfaire le développement social et économique. Mohan Râkesh et son théâtre de l'absurde en est exemplaire (*âdhe adhûre*, litt. "à moitié inachevés", qu'on pourrait traduire par "le manque à être", ou "les frustrés"). Depuis, diverses tendances reflètent littérairement un certain désespoir et une critique parfois virulente de l'hypocrisie politique.

Sur le plan strictement linguistique, les dernières décennies (depuis l'indépendance) voient un double mouvement. L'influence de l'anglais, surtout au niveau lexical, dans la langue courante, se reflète par exemple dans le cinéma commercial en hindi, produisant un hindi composite, mêlé d'ourdou et d'anglais et compris d'un bout à l'autre de l'Inde, du fait de la popularité extraordinaire du film dit de Bollywood (Holywood-Bombay). Inversement, réapparaît une tendance puriste défendue dès la Constituante, contre Nehru, par les partisans d'un hindi sanscritisé autour de S*eth* Govind Dâs. Le choix du hindi, au lieu de l'hindoustani prôné par Gandhi, comme langue officielle ("à vocation nationale") entraîne la création néologique de milliers de termes pour traduire les nouvelles réalités techniques, politiques, scientifiques et même sociales. Or bien que les articles sur la langue dans la Constitution (articles 343-351) stipulent que la langue officielle doit s'enrichir de toutes les autres langues régionales, pour respecter la pluralité culturelle indienne, la réalité de son évolution ne fait guère de place qu'au sanscrit comme source de néologie. C'est en outre ce hindi, normatif et réticent au stock lexical issu de l'arabo-persan, qui est enseigné dans les écoles et requis pour les concours d'état. La presse hindi, mais non la littérature, est devenue hermétique à l'ourdouphone, et le langage administratif et politique fait souvent l'objet de parodies, reflétant le fossé qui le sépare de l'échange quotidien : dès 1950 Nehru disait ne pas comprendre un mot des traductions en hindi (non plus qu'en ourdou) de la Constitution.

5. LA DIASPORA HORS DE L'AIRE

Des cinq pays où la diaspora indienne est la plus importante (Maurice : 68% de la population), Fidji (55%), Guyane (55%), Trinidad (50%) et Surinam (40%), le hindi n'a de statut officiel et n'est langue de scolarisation qu'à l'Ile Maurice et Fidji. Le hindi standard y est en effet parlé et cultivé par une élite très peu nombreuse, à des fins essentiellement religieuses et, récemment, littéraires, le bhojpurî ou dialecte oriental du hindi étant de loin le parler indo-aryen le plus répandu (à côté d'une assez importante communauté tamoulophone). Encore n'est-il pas identique au bhojpurî indien : on a depuis longtemps noté ses affinités structurelles avec le *bâzâr hindustânî* de Calcutta, où au début du siècle la main d'oeuvre immigrée du Bihar ou de l'Uttar Pradesh oriental représentait 40% de la population. C'est en effet de ces mêmes régions que provient l'essentiel du flux migratoire qui dès 1835 alimente en main d'oeuvre les "colonies", qui emploient dans les plantations des travailleurs contractuels (ceux qu'on appelait alors "indentured labourers"), mais dans des conditions pratiques assez voisines de l'esclavage. C'est ainsi qu'entre 1834 et 1907 ont émigré à l'Ile Maurice environ 450 000 Indiens de l'est de l'Uttar Pradesh et du Bihar, l'émigration étant un peu plus tardive dans les autres "colonies" (de 1873 à 1916 pour Fidji, de 1873 à 1915 pour le Surinam, de 1845 à 1917 pour Trinidad). On a une bonne image des conditions de vie de ces premiers immigrants et de leurs descendants dans les romans hindi de Upamanyu Unnat, écrivain mauricien. *Namaste*, en français, de Marcel Cabon donne un bon écho de la vie mauricienne, ainsi que les romans "trinidadiens" de Naipaul, en anglais (traduction française *Une Maison pour Mr Biswas, Le Masseur mystique, Miguel Street*). Comme on peut s'y attendre, le degré de préservation de la langue ancestrale va généralement en diminuant, pour laisser place au créole (français ou anglais, hollandais au Surinam). Des institutions universitaires et culturelles comme le Mahatma Gandhi Institute s'efforcent aujourd'hui de résister à cet oubli.

GRAMMAIRE

LES SONS ET LES LETTRES

L'écriture du hindi, ou (dev)nâgarî, littéralement '(divine) urbaine', correspond d'assez près à sa prononciation, aussi apprendre à écrire revient à peu près, à la différence du français, à transposer sa prononciation. Encore faut-il bien sûr qu'elle soit correcte : entraînez-vous d'emblée à respecter les oppositions phonologiques qui n'existent pas en français. Par exemple, la longueur des voyelles, notée dans la transcription par l'accent circonflexe, est pertinente (**ki** "que", **kî** "de", **dal** "groupe, parti", **dâl** "lentille" ; l'aspiration des consonnes, notée par un 'h', est pertinente (**pal** "instant", **phal** "fruit", **bâp** "père", **bhâp** "vapeur") ; les dentales enfin s'opposent aux rétroflexes, transcrites par l'italique, et prononcées en recourbant la langue de manière à en faire remonter l'extrémité contre le palais, en touchant la racine des dents (**dâl** "lentille", *d*âl "branche", **tâl** "lac", *t*âl "évite"). La vibrante **r** est dentale, roulée un peu comme le **r** espagnol, et s'oppose aussi à la rétroflexe correspondante : **par** "sur", **par** radical du verbe "tomber".

Le classement systématique des sons de la langue est reflété par l'alphabet, qui se présente comme un véritable tableau phonologique, fixé depuis les origines de la grammaire sanscrite avec Pâ*n*ini. Il n'y a donc pas à apprendre une suite arbitraire pour se servir du dictionnaire, mais à comprendre le principe de classement, d'ordre articulatoire. La première classe de sons, celle des voyelles, comprend d'abord le triangle vocalique élémentaire puis les voyelles moyennes, chaque voyelle (a i u e o) comportant la double série brève d'abord puis longue : en réalité, le timbre aussi change avec l'allongement, **a** bref se rapprochant du e muet français [ə] alors que **â** long est prononcé plus en arrière comme le 'a' français, **e** bref étant fermé (café) alors que la longue est aussi ouverte, et notée **è** (mère) ; **o** bref est fermé (sot), la longue ouverte et parfois presque diphtonguée, notée **au** (Paul) ; **u** se prononce 'ou' [u] et non 'u' [y] à la française. Graphiquement, la série longue comporte en *nâgarî* un signe de plus que la brève, barre supplémentaire pour **â** et plume supplémentaire pour **au**, ainsi que pour **è**, crochet supplémentaire pour **û** et **î**, qui, sauf **û**, dépassent donc la ligne supérieure à laquelle se suspendent toutes les lettres du hindi :

अ a   आ â   इ i   ई î   उ u   ऊ û
ए e   ऐ è   ओ o   औ au

Viennent ensuite dans l'alphabet les consonnes occlusives, classées selon leur point d'articulation, d'arrière en avant :

- la classe des vélaires, disposée dans un ordre qui se retrouve pour chaque classe consonantique : d'abord la sourde non aspirée क **k**, puis la sourde aspirée ख **kh**, puis la sonore non aspirée ग **g**, puis la sonore aspirée घ **gh**, enfin la nasale correspondante, ङ [ŋ], comme camping qui n'est d'ailleurs pas phonologique, c'est-à-dire qu'elle ne permet pas d'opposer deux mots, et ne se rencontre pas dans l'écriture sous sa forme pleine, mais seulement combinée à une autre consonne.

- la classe des palatales affriquées, prononcées 'tch' [tʃ], 'dj', mais transcrites par **c** et **j** : sourde च **c**, sourde aspirée छ **ch**, sonore ज **j** , sonore aspirée झ **jh**, nasale correspondante ञ [ɲ], comme dans **agneau**, qui a le même statut que ङ.

- la classe des rétroflexes, dont la prononciation est décrite au premier paragraphe, comporte 7 consonnes au lieu des 5 ordinaires car elle inclut, outre les alvéolaires articulées contre l'alvéole des dents, la paire de vibrantes ou claquantes ड़ **r** et ढ़ **rh**. Voici la liste : la sourde ट **t**, la sourde aspirée ठ **th**, la sonore ड **d**, la sonore aspirée ढ **dh**, le claquement, prononcé entre 'l' et 'r' ड़ **r**, l'aspirée correspondante ढ़ **rh**. Notez que la graphie ne distingue cette paire de la précédente que par le point souscrit. La nasale ण **n** clôt la série.

- la classe des dentales : sourde त **t**, sourde aspirée थ **th**, sonore

द **d**, sonore aspirée ध **dh**, la nasale न **n**.

- la classe des bilabiales : sourde प **p**, sourde aspirée फ **ph**, sonore ब **b**, sonore aspirée भ **bh**, nasale म **m**.

- viennent ensuite les non occlusives, qui incluent les semi-consonnes et liquides : य **y** [j], र **r**, ल **l**, व **v** (prononcé selon les contextes [v] ou [w]), les chuintantes श **sh** [ʃ] et la rétroflexe correspondante ष *sh* (que la prononciation moderne ne distingue plus de la précédente, et qu'on ne trouve que dans les emprunts sanscrits), la sifflante स **s** et l'aspirée ह **h**.

Le tableau ci-dessous récapitule l'alphabet *nâgarî*, sur huit lignes correspondant aux huit séries, avec leur transcription.

अ आ इ ई उ ऊ (ऋ) ए ऐ ओ औ	
a â i î u û (ri) e è o au	voyelles
क ख ग घ (ङ)	
k kh g gh n	occlusives vélaires
च छ ज झ (ञ)	
c ch j jh n	affriquées palatales
ट ठ ड ढ ड़ ढ़ ण	
t th d dh r rh n	rétroflexes
त थ द ध न	
t th d dh n	occlusives dentales
प फ ब भ म	
p ph b bh m	occlusives bilabiales
य र ल व	
y r l v	liquides et semi-consonnes
श ष स ह	
sh *sh* s h	fricatives

PARTICULARITÉS GRAPHIQUES DES VOYELLES

Les voyelles présentent des particularités graphiques liées au caractère semi-syllabique de l'écriture : en effet il peut arriver que la consonne écrite constitue à elle seule une syllabe en hindi, c'est-à-dire qu'elle se prononce suivie d'une voyelle dite inhérente, prononcée comme un a bref peu ouvert, mais un peu plus arrière que le e muet du français [ə]. Cette voyelle n'est pas écrite, et on peut ainsi avoir une suite de consonnes graphiques correspondant à une suite sonore CVCVC : समझ (s+m+jh) **samajh**, "compréhension". La voyelle inhérente n'est pas réalisée après une consonne finale, ni lorsqu'une consonne est suivie d'une voyelle écrite (ce qui distingue cet alphabet des écritures syllabiques comme le japonais où un signe unique correspond à [po], distinct de celui de [pi] et de celui de [ko]). Dans ce cas la voyelle n'a pas la forme donnée plus haut, mais une forme abrégée qu'on appelle *mâtrâ*, dont nous donnons l'exemple après la consonne क **k** : le **a** bref 'inhérent' n'est pas noté par écrit (क = **ka**), **â** est une simple barre (का **kâ**), **i** une barre verticale remontant au dessus de la ligne et écrite avant la consonne (कि **ki**), **î** est représenté par le même dessin inversé à la suite de la consonne (की **kî**). La voyelle **u** s'inscrit sous la consonne (कु **ku**), et **û** de même mais bouclé dans l'autre sens (कू **kû**). **e** consiste en une plume placée au-dessus de la consonne (के **ke**), et **è** en deux plumes (कै **kè**). **o** emprunte le dessin du **a** surmonté d'une plume (को **ko**), et **au** surmonté de deux plumes (कौ **kau**). Si la voyelle est écrite sous sa forme pleine, cela signifie que la consonne conserve sa voyelle inhérente : कई **kaî** "plusieurs". La voyelle est bien sûr pleine quand elle suit une autre voyelle graphique : आई **âî** "elle vint". Bref, on n'utilise la notation *mâtrâ* que pour représenter la voyelle dans la séquence CV (toute voyelle à l'exclusion du **a** bref).

Cas particuliers
   - Quand les voyelles **u** et **û** suivent **r**, la boucle se loge dans le corps de la consonne et non au dessous : रु **ru**, रू **rû**.
   - Le signe vocalique archaïque ऋ (ृ après consonne), l'ancien ṛ sanscrit, n'étant plus aujourd'hui prononcé comme une voyelle mais comme r+i, est donc noté **ri** dans la transcription.
   - La voyelle inhérente peut s'élider dans une suite de plus de deux consonnes, à peu près comme le e muet en français, mais pas toujours dans les mêmes positions : समझा **samjhâ**

"compris", समझना **samajhnâ** "comprendre". La transcription tient compte de ces élisions, dont les règles, morphophonologiques, sont assez compliquées et donc plus simples à acquérir par l'habitude. La voyelle inhérente en fin de mot n'est transcrite que lorsque elle est faiblement prononcée (après **y**, après certains groupes de consonnes liées, par exemple राष्ट्र **râs h tra** "nation", पद्म **padma** "lotus").

PARTICULARITÉS GRAPHIQUES DES CONSONNES : LES LETTRES LIÉES

Pour graphier une suite de consonnes prononcée sans voyelle inhérente, on lie les consonnes graphiquement. La partie droite de la première disparaît et la seconde est généralement entière : क + त = क्त **kt,** रक्त **rakt** "sang", ब + ल = ब्ल **bl,** ब्लैड **blè**d "lame", भ + य = भ्य **bhy,** अभ्यास **abhyâs** "exercice", स + ल = स्ल **sl,** नस्ल **nasl** "race", ल + प = ल्प **lp,** संकल्प **sankalp** "détermination". Ou bien, comme c'est le cas pour les combinaisons commençant par ड द ट, la seconde consonne se suspend verticalement sous la première : ड + ड = ड्ड *dd,* खड्डा khad**d**â "trou", द + द = द्द **dd,** गद्दा **gaddâ** "matelas", ट + ट = ट्ट *tt,* खट्टा khat**t**â "acide", ट + ठ = ट्ठ *tth,* चिट्ठी **citth**î "lettre". On a de plus en plus tendance à remplacer cette graphie traditionnelle par le *halant*, petit signe oblique souscrit sous la première consonne ् चिट्टी **citth**î.

Notez quelques cas "inverses" où c'est la seconde lettre qui s'abrège et se prépose : द + ध = द्ध **ddh,** शुद्ध **shuddh** "pur", द + व = द्व **dv,** द्वार **dvâr** "porte". Le r en position initiale d'un groupe se transforme en petit crochet placé sur la consonne suivante ॆ (र+थ = र्थ **rth,** अर्थ **arth** "sens") ou, si le groupe est suivi d'une voyelle, sur celle-ci (र + षा = र्षा **rsh**â, वर्षा **varsh**â "pluie," र + सी = र्सी **rs**î, कुर्सी **kurs**î "chaise"). Le r en position finale d'un groupe se transforme en petite barre plantée dans la partie inférieure de la seconde consonne : क + र = क्र **kr,** चक्र **cakra** "roue", ग + र = ग्र **gr,** ग्राम **grâm** "village", प + र = प्र **pr,** प्रेम **prem** "amour". Dans la même position après les lettres arrondies, **r** s'écrit avec un petit accent circonflexe souscrit : ट + र = ट्र *tr*, ट्रक *trak* "camion", ड + र = ड्र *dr*, ड्राइवर *drâivar* "chauffeur". Enfin, **r** suivant **t** a une forme spéciale, त्र **tr** (पत्र **patr** "lettre"), ainsi que lorsqu'il suit श **sh**, श्र **shr** (श्रम **shram** "effort, travail").

Quelques combinaisons supplémentaires, à la fois verticales et horizontales :

द + म = dma द्म	पद्म padma "lotus"
द + य = dya द्य	गद्य gadya "prose"
ह + न = hna ह्न	वह्नि vahni "feu"
ह + म = hma ह्म	ब्रह्मचर्य brahmacarya "célibat"
ह + य = hya ह्य	वाह्य vâhya "externe, extérieur"
ह + र = hra ह्र	ह्रस्व hrasva "voyelle brève"
ह + ल = hla ह्ल	आह्लाद âhlâd "joie"
ह + व = hva ह्व	विह्वल vihval "troublé"

Deux combinaisons enfin sont de véritables lettres en apparence simples où ne se reconnaissent aucun des éléments de base : क्ष= क + ष **k** + *sh* (cependant classé à la lettre क **k** du dictionnaire) et ज्ञ = ज + ञ **j+ñ**, prononcé [dʒ̃ɲ] en sanscrit mais "gya" [gj] en hindi, cependant classé à la lettre ज **j** du dictionnaire. On ne les trouve que dans les emprunts sanscrits, comme क्षमा **kshamâ** "pardon" ou ज्ञान **gyân** "connaissance".

LES SIGNES DE NASALISATION ET LA TRANSCRIPTION **"n"**

Les voyelles orales et nasales s'opposent comme en français, mais de façon plus forte et plus générale : même les voyelles fermées peuvent se nasaliser (में **men** "dans", आतीं **âtîn** "elles viendraient" qui s'oppose à आती **âtî** "elle viendrait"), et la prononciation est plus nasalisée que le "on" ou "en" du français. Pour indiquer la nasalité d'une voyelle on utilise le *candrabindu*, "croissant de lune et point", ँ qu'on place au-dessus de la ligne : आँख **ânkh** "oeil", हूँ **hûn** "suis", छात्राएँ **châtrâen** "étudiantes". Si la voyelle dépasse la ligne, le *candrabindu* est remplacé par un simple point, l'*anusvâr* : मैं **mèn** "je", हों **hon** "soient".

Nasale et consonne "homorganiques"

L'*anusvâr* est essentiellement utilisé en *nâgarî* pour simplifier la notation des groupes de consonnes dont la première est une nasale, comme lambâ "long". Au lieu d'écrire sous forme de lettres liées ल्म्बा, on peut écrire लंबा. La notation traditionnelle, qui utilise comme le sanscrit les combinaisons de lettres liées, met en évidence l'appartenance de la nasale à la même classe articulatoire que la consonne qui la suit : l'écriture traditionnelle dans ल्म्बा **lambâ** "long" combine deux bilabiales, dans बन्दर **bandar** "singe", deux dentales, dans ठण्ड *thand* "froid", deux rétroflexes, dans सरपञ्च **sarpanc** "chef de caste", deux palatales, et dans रङ्ग **rang** "couleur", deux vélaires. C'est ce qu'on appelle les nasales homorganiques. Les nasales des séries 1 et 2, vélaire et palatale, ne se rencontrent que dans ces contextes, c'est pourquoi nous n'en faisons pas usage, suivant l'habitude moderne, qui, avec l'*anusvâr*, permet aussi d'éviter au débutant de se tromper, et nous les transcrivons par le petit n. Ainsi écrivons-nous सरपंच **sarpanc**, et de même रंग **rang** "couleur". Par contre, malgré le choix de l'*anusvâr* en *nâgarî*, nous conservons la transcription **m** devant une labiale, **n** devant une dentale et *n* devant une rétroflexe, selon les normes habituelles, car ce sont des consonnes qui se rencontrent aussi isolément : on écrira ठंड *thand*, बंदर **bandar** "singe", लंबा **lambâ** "long". Précédant une consonne non occlusive, l'*anusvâr* correspond aussi à une nasale liée à la consonne suivante, sa réalisation sonore est également conditionnée (automatiquement) par la nature de cette dernière (vélaire avant h, dentale avant s, etc.), mais il n'y a pas toujours de notation alternative par la ligature (avec l, s, h संलग्न **sanlagna** "attaché", संसार **sansâr** "monde", सिंह **sinh** "lion"), et nous transcrivons par le petit "n".

Signes supplémentaires

Enfin, il existe en *nâgarî* des signes spécifiques pour transcrire un son étranger :

- Les points souscrits ne se trouvent, sous ग g (ग़ *g*) ज j (ज़ z) क k (क़ q) et ख kh (ख़ *kh*) que dans les emprunts persans ou arabes, et sous फ ph (फ़ f) dans les emprunts persans, anglais, autres : ग़म *gam* "chagrin", ज़िंदगी zindagî "vie", क़ानून qânûn "loi", ख़बर *kh*abar "nouvelle", सफ़र safar "voyage".

- La petite cupule sur le a ne se trouve que dans les emprunts anglais : कॉलेज kâlej "collège".

प ष ण फ ध घ छ

pa *sh*a *n*a pha dha gha cha

Amusez-vous à présent à dessiner les principales lettres, qui sont reproduites ci-contre par classes de formes : on part du haut pour les signes verticaux.

La barre à laquelle se suspendent les mots s'écrit quand on a fini d'écrire les lettres du mot, et s'interrompt pour les consonnes ouvertes : distinguez bien भ **bh** et म **m**, ध **dh** et घ **gh.**

INTRODUCTION AU SYSTEME DE LA LANGUE

Avant d'aborder la morphologie et la syntaxe, présentons brièvement les grands traits spécifiques de la langue qui relèvent de l'ordre des termes et de la structure du lexique.

1. L'ORDRE DES TERMES

Il est relativement fixe en hindi : le sujet logique est en première position (il peut être omis à l'oral), le verbe est final. Les compléments sont donc antéposés au verbe, les compléments les plus proches étant les plus immédiatement à gauche : ainsi le complément d'objet direct précède immédiatement le verbe, il est lui-même précédé par le complément d'objet indirect, les compléments circonstanciels les précèdent encore. Tout déplacement, et ils sont fréquents à l'oral, signale une emphase sur l'unité déplacée : il est par exemple fréquent de trouver le sujet rejeté après le verbe, un peu comme en français "il n'aurait jamais fait ça Paul", sauf qu'il n'y a pas de pronom "de reprise" pour occuper la place initiale. Plusieurs faits sont corollaires de l'ordre de base : au lieu de prépositions, ce sont des postpositions qui indiquent les fonctions des groupes nominaux, le complément de nom précède le nom recteur, les adjectifs précèdent le nom, la relative déterminative est antéposée comme tous les déterminants, les auxiliaires sont postposés à la base verbale, etc. Cet ordre, commun aux langues indiennes des diverses familles (dravidiennes, tibéto-birmanes, austro-asiatiques), est donc à peu près l'inverse de l'ordre français.

2. FORMATION DU LEXIQUE : LE REDOUBLEMENT

Le hindi partage aussi avec les autres langues de l'aire, de quelque groupe qu'elles soient, le phénomène consistant à redoubler, soit partiellement, soit totalement, toutes sortes de bases lexicales. C'est à la fois un procédé d'enrichissement du vocabulaire et une marque de "familiarité" et d'"expressivité", engendrant parfois certaines valeurs spéciales plus ou moins grammaticalisées, ces dernières étant abordées au fur et à mesure des diverses rubriques pertinentes.

Le phénomène de redoublement le plus spécifique (et le moins aisément traduisible) est la fabrication de termes sur une base onomatopéique, redoublée, le sens du terme global n'étant d'ailleurs pas nécessairement associé à une représentation sonore : खटखट *khatkhat*, "coups frappés (à une porte)", खटखटाना *khatkhatânâ*, "frapper à la porte" ; डबडबाना *dabdabânâ*, "se mouiller de larmes" ; तमतमाना *tamtamânâ*, "rougir de colère" (de तम *tam* < ताम्र *tâmra* "cuivre, rouge") ; कल-कल *kal-kal*, "bruit de la rivière qui coule" ; गुनगुन *gungun*, "bourdonnement" ; टपटप *taptap*, "bruit d'un goutte à goutte" ; बड़बड़ाना *barbarânâ*, "grommeler" ; फड़फड़ाना *pharpharânâ*, "palpiter" (comme un battement d'ailes) ; किरकिर *kirkir*, évoquant la sensation d'une poussière dans l'oeil.

Mais de nombreuses autres bases, non onomatopéiques, sont aussi redoublées. Soit la forme même est intégralement répétée (धीरे-धीरे *dhîre-dhîre*, "tout doucement" ; बार-बार *bâr-bâr*, litt. fois-fois, "souvent, avec insistance" ; मोटा-मोटा *motâ-motâ*, "gros et gras"). Soit le mot est répété avec modification du son initial (une consonne se changera en व *v*, une voyelle autre qu'arrondie s'adjoindra व- *v-*) : खाना-वाना *khânâ-vânâ*, "nourriture et tout ce qui y ressemble" ; चाय-वाय *cây-vây*, "thé et autres boissons" ; शादी-वादी *shâdî-vâdî*, "mariage et ce qui en découle". Ce cas de mots échos comporte non seulement une connotation familière, mais produit un sens spécifique : l'unité de base est perçue comme centre d'une notion plus vaste, intégrant d'autres notions de même catégorie.

Parfois encore il y a modification d'autres sons : ठीक-ठाक th*î*k-th*â*k, "pas mal du tout, bien" (de ठीक th*î*k, "bien, juste") ; धूम-धाम (से) *dhûm-dhâm* (*se*), "(en) grande pompe" ; कभी-कभार *kabhî-kabhâr*, "des fois, ça arrive", sur le plus standard कभी-कभी *kabhî-kabhî*, "de temps en temps, parfois", lui-même formé sur कभी *kabhî*, "un jour" (anglais "ever"). Soit deux termes synonymes, ou quasi synonymes, ou encore complémentaires, s'adjoignent en une sorte de composé dont les deux membres restent variables : लंबा-चौड़ा *lambâ-caurâ*, "de belle dimension" ('litt. long et large) ; टू-फूट *tût-phût*, "dégâts" (bris, éclatement) ; साफ़-सुथरा *sâf-suthrâ*, "tout propre, nickel" ; दुबला-पतला *dublâ-patlâ*, "svelte, maigrichon" (mince maigre/fin) ; सीधा-सादा *sîdhâ-sâdâ*, "bon, franc" (droit simple/uni) ; पढ़ा-लिखा *parhâ-likhâ*, "instruit" (ayant lu-écrit) ; माता-पिता *mâtâ-pitâ*, "parents" (mère-père) ; आना-जाना *ânâ-jânâ*, "aller et retour" (venir-aller) ; लेना-देना *lenâ-denâ*, "échanges" (prendre-donner). Dans les verbes, les deux éléments reçoivent des désinences, mais le premier n'est jamais suivi d'auxiliaire, ni de la marque कर *kar* de participe "absolutif". Ainsi au présent habituel les deux bases verbales prennent la marque de l'inaccompli (*-te*), mais l'auxiliaire de présent (*hèn*) n'intervient qu'à la fin, de même qu'au présent progressif les deux auxiliaires de progressif et de présent (*rahe* et *hèn*) :

वे घूमते-फिरते हैं   घूम-फिर रहे हैं
ve ghûmte-phirte hèn   ghûm-phir rahe hèn
(ils se promènent-tournent se promène-tournent progr)
"ils se baladent, ils traînent (se promènent-tournent)"

झाड़-पोंछकर   jhâr-paunchkar
(balayant-nettoyant)   "faisant le ménage à fond"

उसने कुछ भी खाया-पिया नहीं usne kuch bhî khâyâ-piyâ nahîn
"il n'a rien mangé (mangea-but) du tout"

Ainsi : मिलना-जुलना *milnâ-julnâ*, "s'unir" (rencontrer-se mêler) ; हँसना-खेलना *hansnâ-khelnâ*, "se divertir" (rire-jouer) ; लड़ना-झगड़ना *larnâ-jhagarnâ*, "se bagarrer" (combattre-se battre).

Certaines valeurs du redoublement sont entièrement ou largement grammaticalisées : elles sont traitées plus loin (M.4.2.3 et S.1.6).

3. FORMATION DU LEXIQUE : LES MOTS PERSANS ET ARABES

Introduits du fait de la pénétration culturelle des musulmans (voir chapitre précédent), ils constituent souvent de véritables doublets par rapport aux termes hindi ou sanscrits, et c'est une particularité importante de la langue que d'avoir ainsi un double registre, qui s'adapte au niveau de langue choisi ou aux situations d'interaction, le choix du sanscrit étant d'ordinaire réservé aux situations formelles. Par exemple, आदमी *âdmî*, où l'on reconnaît la base sémitique d'Adam, alterne avec पुरुष *purush*, "homme". De même, किताब *kitâb* (ar.) et पुस्तक *pustak* (scr.), "livre" ; जरूरत *zarûrat* (ar.) et आवश्यकता *âvashyaktâ* (scr.), "nécessité" ; गुस्सा *gussâ* (ar.) et क्रोध *krodh* (scr.), "colère" ; इंतजार *intazâr* (ar.) et प्रतीक्षा *pratîksh*â (scr.), "attente" ; ख़त्म *khatm* (ar.) et समाप्त *samâpt* (scr.), "fini" ; शुरू *shurû* (ar.) et आरंभ *ârambh* (scr.), "début" ; मुश्किल *mushkil* (ar.) et कठिन *kathin* (scr.), "difficile" ; क़ानून *qânûn* (ar.) et विधि *vidhi* (scr.), "loi" ; इंसाफ़ *insâf* (ar.) et न्याय *nyây* (scr.), "justice" ; मौक़ा *mauqâ* (ar.) et अवसर *avasar* (scr.), "occasion" ; नतीजा *natîjâ* (ar.) et परिणाम *parinâm* (scr.), "résultat" ; तसल्ली *tasallî* (ar.) et ढारस *dhârhas* (scr.), "consolation" ; तरक़्क़ी *taraqqî* (ar.) et प्रगति *pragati* (scr.), "progrès" ; पेशा *peshâ* (per.) et व्यवसाय *vyavasây* (scr.), "profession" ; हफ़्ता *haftâ* (per.) et सप्ताह *saptâh* (scr.), "semaine" ; नेक *nek* (per.) et भला *bhalâ* (h.), "de bien, honnête" ; फ़िक्र *fikr* (ar.) et चिंता *cintâ* (scr.), "souci, inquiétude", ou परेशानी *pareshânî* (per.) et घबराहट *ghabrâhat* (h.), "perplexité, souci".

Les descriptions traditionnelles du vocabulaire classent souvent les mots indigènes en deux groupes : mots *tatsam*, littéralement "qui sont restés tels quels" dans leur forme sanscrite, comme परिणाम *parinâm* ou प्रतीक्षा *pratîkshâ*, et les mots *tadbhav*, littéralement "qui sont devenus tels" (par le jeu de l'évolution phonétique), comme हाथ *hâth*, "main" qui vient du sanscrit हस्त *hasta*. On a d'ailleurs parfois les deux formes d'un même mot : कृष्ण *krishn* (*tatsam*) et कान्हा *kânhâ* (*tadbhav*), "Krishna" ; ग्राम *grâm* (scr.) et गाँव *gânv* (*tadbhav*) "village".

4. FORMATION DU LEXIQUE : LA DÉRIVATION

Préfixes et suffixes sont surtout utilisés dans les mots savants, et seuls ceux qui viennent du sanscrit sont encore productifs, affixés sur des bases sanscrites. Les préfixes arabes (ला- *lâ-*, privatif, dans लापरवाही *lâparvâhî*, "insouciance, négligence", गैर- *gèr-*, privatif dans गैरक़ानूनी *gèrqânûnî*, "illégal") et dans une moindre mesure persans (बे- *be-*, privatif, dans बेशरम *besharm*, "éhonté" ; बेईमान *beîmân*, "malhonnête" ; बेइज़्ज़ती *beizzatî*, "déshonneur") ne produisent plus aujourd'hui de nouveaux termes. Le suffixe persan -ख़ाना *-khânâ*, "lieu, séjour" (गुसलख़ाना *gusalkhânâ*, "salle-de-bains" ; दवाख़ाना *davâkhânâ*, "pharmacie", de दवा *davâ*, "remède") est par exemple remplacé par l'équivalent sanscrit -आलय *-âlay*, (पुस्तकालय *pustakâlay*, "bibliothèque", de पुस्तक *pustak*, "livre" ; विश्वविद्यालय *vishvavidyâlay*, "université", de विश्व *vishv*, "monde" et विद्या *vidyâ*, "connaissance" ; हिमालय "Himâlaya", de हिम *him*, "glace, neige") ; ou hindi -घर *-ghar* (डाकघर *dâkghar*, "poste", de डाक *dâk* "courrier") Le suffixe nominalisant persan *-î* reste par contre vivant, comme dans ग़रीबी *garîbî* "pauvreté".

Voici quelques suffixes courants :

-पन *-pan* et -पा *-pâ* produisent des noms abstraits du masculin : बच्चा *baccâ*, "enfant", बचपन *bacpan*, "enfance" ; पागल *pâgal*, "fou", पागलपन *pâgalpan*, "folie" ; बूढ़ा *bûrhâ*, "vieux", बुढ़ापा *burhâpâ*, "vieillesse".

-ता *-tâ* produit des noms abstraits féminins sur des bases adjectivales : स्थिर *sthir*, "stable", स्थिरता *sthirtâ*, "stabilité" ; सफल

saphal, (avec fruit) "fructueux", सफल्ता *saphaltâ*, "réussite".

-हट -*hat* produit des abstraits féminins (घबराहट *ghabrâhat*, "confusion", de la base verbale घबरा *ghabrâ*, "s'inquiéter, être troublé").

-ई -*î* produit des noms féminins, sur des adjectifs : लंबा *lambâ*, "long", लंबाई *lambâî*, "longueur", et des noms masculins (तेल *tel*, "huile", तेली *telî*, "huilier") ou féminins (दोस्त *dost*, "ami", दोस्ती *dostî*, "amitié" ; क़ानून *qânûn*, "loi", क़ानूनी *qânûnî*, "légal").

-आव -*âv* produit des noms masculins sur des bases verbales : फैलाव *phèlâv*, "extension, diffusion" (de फैलना *phèlnâ*, "se répandre") ; घेराव *gherâv*, "encerclement, siège" (de घेरना *ghernâ*, "entourer").

-इक -*ik* produit des adjectifs à partir de bases nominales, et entraîne un changement de la voyelle initiale (allongement ou détension) : सप्ताह *saptâh*, "semaine", साप्ताहिक *sâptâhik*, "hebdomadaire" ; अर्थ *arth*, "biens matériels", आर्थिक *ârthik*, "économique" ; दिन *din*, "jour", दैनिक *dènik*, "quotidien" ; लोक *lok*, "monde", लौकिक *laukik*, "mondain, profane" ; नीति *nîti*, "conduite, morale", नैतिक *nètik*, "moral".

-अक -*ak* produit des noms d'agent sur des bases souvent verbales : लेखक *lekhak*, "écrivain" ; दर्शक *darshak*, "spectateur" ; अध्यापक *adhyâpak*, "professeur" ; सेवक *sevak*, "serviteur, militant".

-कार -*kâr* (per. -गर -*gar*) produit des noms d'agents sur des bases nominales : उपन्यासकार *upanyâskâr*, "romancier" ; पत्रकार *patrakâr*, "journaliste" ; कारिगर *kârîgar*, "artisan".

-वाद -*vâd* et -वादी -*vâdî* fonctionnent à peu près comme le français -"isme" et -"iste" : प्रगतिवाद *pragativâd*, "progressisme", प्रगतिवादी *pragativâdî*, "progressiste".

अ- *a-* / अन- *an-*, privatif, se préfixe à des adjectifs : अस्थिर *asthir*, "instable" ; असफल *asaphal*, "infructueux" ; अलौकिक *alaukik*, "céleste, non profane" ; अनेक *anek*, "plusieurs, non un".

निर- *nir-*, préfixe également privatif, et दुर- *dur-*, "mauvais, difficile", produisent plutôt des adjectifs à partir de noms, et prennent des formes différentes selon le son initial de la base, dont निर- *nir-* et दुर- *dur-* avant voyelle et consonne sonore : निर्मल *nirmal*, "sans saleté, immaculé, pur" ; निर्दोष *nirdo*sh, "sans tache, innocent, pur" ; निरुपम *nirupam*, "sans comparaison, incomparable" ; दुर्लभ *durlabh*, "inaccessible" ; निष्पाप *nishpâp*, "sans péché, vertueux" ; निश्चल *nishcal* "sans mouvement, inerte" ; निष्क्रिय *nishkriya*, "sans action, inactif" ; निस्संतान *nissantân*, "sans enfant" ; दुस्साहस *dussâhas*, "mauvais courage, culot" ; दुष्कर्म *du*sh*karm*, "mauvais karma, mauvaise action".

स्व- *sva-* du réfléchi sanscrit, produit des noms ou adjectifs impliquant la notion de "propre", "auto-" : स्वतंत्र *svatantra*, "libre" (auto-système") ; स्वाधीन *svâdhîn*, "autonome" ; स्वभाव *svabhâv*, "nature propre, caractère" ; स्वचलित *svacalit*, "qui marche tout seul, automatique".

Le suffixe -वाला *-vâlâ*, proprement hindi, est remarquablement courant et d'emplois très diversifiés.
- Après un infinitif au cas oblique il produit un adjectif ou nom d'agent : देखनेवाला *dekhnevâlâ*. "qui regarde, spectateur" (de देखना *dekhnâ*, "regarder"), et se substitue souvent à une relative : बैठनेवाला *bèthnevâlâ*, "qui est assis".
- Après un nom ou groupe nominal au cas oblique, il indique un rapport de possession, ou de simple relation : हरी टोपीवाला लड़का *harî topîvâlâ larkâ*, "le garçon au calot vert" ; लंबे बालोंवाली लड़की *lambe bâlonvâlî larkî*, "la fille aux longs cheveux" ; सब्जीवाला *sabzîvâlâ*, "le marchand de légumes" ; चायवाला *câyvâlâ*, "le vendeur / porteur de thé".
- Après un adjectif, il spécifie en indiquant que le nom est sélectionné dans un ensemble : हरीवाली साड़ी *harîvâlî* (*sârî*), "le vert (sari)" ; लंबावाला लड़का *lambâvâlâ* (*larkâ*), "le grand (garçon)".

Le hindi ayant une morphologie riche et dont les
catégories ne se distinguent pas crucialement de celles du
français, nous les présentons de façon traditionnelle pour la
section sur la morphologie, le groupe verbal (5) y occupant
avec le groupe nominal (4) la place la plus importante : il y a
une distinction nette, comme en français, des catégories
nominales et verbales, des noms, pronoms, adjectifs. Les
pronoms et adjectifs possessifs, démonstratifs, indéfinis seront
traités ensemble à la rubrique détermination, car ils partagent
les mêmes formes. En revanche, les catégories syntaxiques
pour les fonctions même élémentaires dans la phrase simple
recoupent moins bien les catégories utilisées pour décrire le
français : le classement des faits principaux adopté dans la
section syntaxique ne reflète guère les rubriques rencontrées
habituellement dans la syntaxe des langues européennes.

Si la traduction française est proche du hindi, compte tenu
bien sûr de l'ordre des termes à verbe final, elle est présentée
sans mot-à-mot, avec éventuellement entre crochets ou
parenthèses les mots que comporte le français et non le hindi,
comme par exemple un sujet en cas de phrase elliptique, ou la
difficulté s'il n'y en a qu'une. Le mot-à-mot est donné sous la
transcription si la traduction est trop éloignée du texte hindi.
Il est aussi respectueux que possible sans gêner la lisibilité : les
temps verbaux sont traduits globalement. Par exemple, कर रहा
था *kar rahâ thâ* est transposé : "faisait-progr" et non "faire
progr passé", qui serait une glose plus fidèle. De même, les
pronoms suivis de postpositions amalgamées : मुझे *mujhe*, "à-
moi" et non "moi-à". Les alternatives sont indiquées par une
barre oblique (*kitâb / pustak*, "livre").

MORPHOLOGIE

1. LES INTERROGATIFS

Leur base est typiquement indo-européenne, qu'il s'agisse d'adverbiaux ou de pronoms adjectifs. Le son [k] caractérise l'interrogation en hindi comme en français et dans les langues romanes (qui, quand, quoi, quel, etc.) :

क्या *kyâ*, 1) "est-ce que ?", 2) "quel ?", "que, qu'est-ce que ?"
कौन *kaun*, "qui ?, quel ?" (forme oblique किस *kis* devant postposition : किसको *kisko*, "à qui ?", et au pluriel किन *kin* : किन आदमियों को *kin âdmiyon ko*, "à quels hommes ?")
कौनसा *kaunsâ*, "quel ?", "lequel ?"
कैसा *kèsâ*, "quel / de quelle nature ?"
कितना *kitnâ*, "combien ?"
क्यों *kyon*, "pourquoi ?" ; कब *kab*, "quand ?"
कहाँ *kahân*, "où ?" ; किधर *kidhar*, "(vers) où ?"
कहाँ से *kahân se*, "d'où ?", कब से *kab se*, "depuis quand ?", etc.

REMARQUES

- Le क- *k-* initial, en se substituant à une autre consonne initiale, transforme en interrogatif un terme qui peut être adverbe, relatif ou conjonction (जब *jab*, "quand, lorsque", तब *tab*, "alors", जहाँ *jahân*, "où", वहाँ *vahân*, "là" / यहाँ *yahân*, "ici", इधर *idhar*, "par ici", उधर *udhar*, "par là", जैसा *jèsâ*, "tel" et son corrélatif वैसा *vèsâ*, "tel que", ऐसा *èsâ*, "tel", इतना *itnâ*, "tant", etc.

- कौनसा *kaunsâ*, कितना *kitnâ*, कैसा *kèsâ* sont des adjectifs, qu'on peut aussi employer comme pronoms, bien qu'ils soient traduits par des adverbes en français. Ils se déclinent donc comme les adjectifs variables (voir M.4.2) : कितने लोग आए? *kitne log âe ?* "combien de personnes sont venues ?"

- कैसा *kèsâ* porte sur la nature et la qualité, कितना *kitnâ* sur le nombre (la quantité pour les non comptables), कौन *kaun*, toujours singulier, sur l'identité ; कौनसा *kaunsâ* porte aussi sur l'identité mais sélectionne un élément dans un ensemble :

> कौनसी साड़ी चाहिए ?   *kaunsî sârî câhie ?*
> "lequel [de ces] saris [vous] faut-il ?"
> कैसा आदमी है?   *kèsâ âdmî hè ?*
> "quelle espèce d'homme est-ce ?"
> कितना दूध चाहिए?   *kitnâ dûdh câhie ?*
> "combien [vous] faut-il de lait ?"

- Place de l'interrogatif

Alors qu'en français la phrase doit commencer par le mot interrogatif, en hindi celui-ci se place toujours immédiatement avant le terme sur lequel il porte. Dans le cas de l'interrogation totale (réponse oui/non), comme c'est sur la phrase entière qu'il porte, il se place en début de phrase :

> क्या वे हिंदी बोल्ते हैं ?   *kyâ ve hindî bolte hèn ?*
> (est-ce-que ils hindi parlent) "est-ce qu'ils parlent hindi ?"

Placé en fin de phrase (हिंदी बोल्ते हैं क्या? *hindî bolte hèn kyâ ?*), l'effet est emphatique ("ils parlent hindi, n'est-ce pas ? / non ?").

Dans les autres cas, divers termes peuvent le précéder :

> वे क्या सोचते हैं?   *ve kyâ socte hèn ?*
> (ils quoi pensent)   "qu'est-ce qu'ils pensent ?"
> तुम कहाँ गए?   *tum kahân gae ?*
> (tu où allas?)   "où es-tu allé ?"

car l'interrogation porte sur le verbe ;

> तुम यह पेंसिल किस आदमी को दोगे?
> *tum yah pensil kis âdmî ko doge ?*
> (tu ce crayon quel homme à donneras ?)

"à quelle personne donneras-tu ce crayon ?"
car l'interrogation porte sur l'attributaire.

- Notez qu'il y a deux क्या *kyâ*, la particule marqueur
d'interrogation totale, "est-ce que", et le क्या *kyâ* pronom
interrogatif objet neutre, "que", ou adjectif "quel" : ainsi
s'opposent, notamment par la position de l'interrogatif :

क्या वह बात कर रहा है?	kyâ vah bât kar rahâ hè ?
(est-ce-que il parole fait progr)	"est-ce qu'il parle ?"
वह क्या बात कर रहा है?	vah kyâ bât kar rahâ hè ?
(il quelle parole fait progr)	"que dit-il ?"
वह क्या कर रहा है?	vah kyâ kar rahâ hè ?
(il quoi fait progr)	"que fait-il ?"

- La plupart des interrogatifs servent, comme en français,
d'exclamatifs :

कितनी अच्छी चाय है	kitnî acchî cây hè "quel bon thé !"
कैसा आदमी है	kèsâ âdmî hè "quel homme !"
क्या बात है	kyâ bât hè (quelle chose !) "magnifique !"

- Certains sont employés à des fins d'emphase, un peu comme
l'interrogation dite rhétorique en français. C'est le cas
notamment de कहाँ *kahân* et कब *kab*, qui perdent alors leur
sens originel de "où", "quand" pour marquer la stupeur et la
dénégation de l'énonciateur :

वह सुंदर कहाँ है? vah sundar kahân hè ?
(elle belle où est ?)
"en quoi est-elle belle / elle n'est en rien belle"
वह कल कब आया? vah kal kab âyâ ?
(il hier quand vint ?) "depuis quand est-il venu hier/ d'où
sors-tu qu'il est venu hier ?" [ce n'est pas du tout le cas]

- Les formes किस *kis*, oblique de कौन *kaun*, et किन *kin*, qui
servent aussi d'oblique singulier et pluriel à क्या *kyâ* (किस बात
को *kis bât ko*), suivent le paradigme des pronoms : les formes
soudées avec la postposition *ko* ont en particulier deux
variantes किसको *kisko* et किसे *kise*, किनको *kinko* et किन्हें *kinhen*,

"à qui" (comme les pronoms : voir 2.1. et 2.2).

2. LES PRONOMS PERSONNELS

Seules les première et deuxième personnes ont un véritable pronom personnel, celui de la troisième personne fonctionnant aussi comme démonstratif. मैं *mèn*, "je" et तू *tû*, तुम *tum*, "tu", évoquent la famille indo-européenne. Notez que la seconde personne a deux formes, la première, तू *tû*, étant assez rarement employée car elle suppose une grande intimité (mère-enfant, dieu-fidèle) ou au contraire l'expression d'un mépris violent. Elle est très marquée, et le débutant fera mieux de l'éviter. तुम *tum* par contre correspond à peu près à notre "tu", mais son emploi, moins réciproque que le tutoiement français, doit tenir compte des hiérarchies sociales et de l'âge (un supérieur hiérarchique dit तुम *tum* à ses subordonnés mais non l'inverse, un plus âgé à un jeune, même à l'intérieur de la famille, mais non l'inverse, un époux à sa femme qui le vouvoie, au moins dans les environnements traditionnels). तुम *tum* a une autre particularité : par sa forme il est pluriel, le verbe s'accorde donc comme avec un pluriel, et l'attribut aussi quand il y en a un :

तुम बड़े हो गए हो	तू बड़ा हो गया है
tum bare ho gae ho	tû barâ ho gayâ hè
(tu grand-p es devenu-p	tu-s grand-s es devenu-s)
"tu es devenu grand"	"tu es devenu grand"

Enfin, comme notre "vous" français, तुम *tum* peut avoir comme référent un individu unique, ou plusieurs individus. La phrase précédente pourra donc aussi signifier, selon le contexte, "vous êtes devenus grands".

हम *ham* "nous" est toujours pluriel, alors que आप *âp*, "vous" (respectueux), peut avoir pour référent une ou plusieurs personnes. Comme dans le cas de तुम *tum*, pour préciser la pluralité du référent s'il y a ambiguïté, on peut adjoindre लोग *log*, "gens", au pronom.

L'emploi de ces formes d'adresse est étroitement lié aux pratiques sociales des locuteurs : par exemple, en milieu rural, ou autrement peu éduqué (non standard), le triple registre des formes est réduit à deux : तू *tû*, et तुम *tum*, आप *âp* étant réservé à l'interlocuteur extérieur à la communauté, généralement les officiels. Inversement en milieu urbanisé et "progressiste", la réduction à deux formes conserve seulement तुम *tum* et आप *âp*, sur le modèle binaire du français. Par ailleurs आप *âp* a un temps servi comme signe de prestige, dans les familles aristocratiques pour refléter le statut social dont l'utilisateur se prévaut : son usage pour les enfants même vise alors à maintenir le sentiment de prestige par lequel le groupe familial se situe dans son ensemble vis-à-vis de l'édifice social, fait lié à l'étiquette sociale et non au degré d'intimité interne au groupe.

2.1. Déclinaison des pronoms

Tous ces pronoms, donnés ci-dessus sous leur forme directe, correspondant à la fonction sujet, ont une forme oblique quand ils sont suivis d'une postposition, différente pour certains de la forme directe (मुझ *mujh*, "moi", तुझ *tujh*, "toi"). En outre, lorsque cette forme oblique est suivie de la postposition को *ko*, "à", il se produit souvent un amalgame, aussi couramment utilisé que la forme "longue" : मुझको *mujhko* = मुझे *mujhe*, "à moi", तुझको *tujhko* = तुझे *tujhe*, "à toi", तुमको *tumko* = तुम्हें *tumhen*, "à toi / vous", हमको *hamko* = हमें *hamen*, "à nous".

A la troisième personne, les démonstratifs वह *vah*, prononcé couramment [vo / wo] "celui-là", au singulier, et वे *ve* "ceux-là" au pluriel, sans distinction de genre, servent de pronoms personnels. Il est courant qu'un démonstratif ait été appelé à remplir la case vide d'une troisième personne (*il* français vient du démonstratif latin *ille*, "celui-là"), mais en hindi il sert à la fois de pronom de troisième personne et de démonstratif. Les formes obliques sont respectivement उस *us* (singulier) et उन *un* (pluriel), /u/ représentant la vocalisation de

la semi-consonne /w/ devant consonne. Suivie de la
postposition को *ko*, la forme oblique peut, comme pour les
pronoms personnels, rester isolée ou s'amalgamer : उसको *usko*
= उसे *use*, उनको *unko* = उन्हें *unhen*. Ainsi, उसे / उसको बताओ *use*
/ *usko batâo*, "dis-lui".

Tableau des formes directes et obliques (entre parenthèses, les
formes amalgamées avec को *ko*)

	forme directe	forme oblique (+*ko*)
1s je	मैं *mèn*	मुझ *mujh* (मुझे *mujhe*)
2s-H "tu"	तू *tû*	तुझ *tujh* (तुझे *tujhe*)
2s/p "tu/vous"	तुम *tum*	तुम *tum* (तुम्हें *tumhen*)
2s/p+H"vous"	आप *âp*	आप *âp*
3s "il/elle"	वह *vah*	उस *us* (उसे *use*)
2s/p+H "vous"	आप *âp*	आप *âp*
3s "il/elle"	वह *vah*	उस *us* (उसे *use*)
1p "nous"	हम *ham*	हम *ham* (हमें *hamen*)
3p "ils/elles"	वे *ve*	उन *un* (उन्हें *unhen*)

2.2. Particularités des pronoms

- Il arrive qu'un autre démonstratif (यह *yah*, voir 4.2) soit
utilisé comme pronom de reprise. Son emploi au lieu de वह
vah marque alors une affinité particulière du locuteur vis-à-vis
du référent, ou un effet de surprise.

- Avec la postposition agentive ने *ne*, qu'on adjoint à l'agent
d'un verbe transitif au passé accompli (voir S 1.2), le pronom
de première personne donne मैंने *mènne* (et non *मुझने
mujhne attendu), celui de la troisième personne du pluriel
donne उन्होंने *unhonne* (et non *उनने *unne* attendu, qu'on
trouvait d'ailleurs à date ancienne) :

उन्होंने क्या कहा ?   unh'onne kyâ kahâ ?
(ils-oblique+*ne* quoi dirent)   "qu'ont-ils dit ?"

- Le pronom relatif जो *jo*, "qui", qui sera étudié en syntaxe
(S.2.1) présente le même paradigme morphologique que les

pronoms : जिस *jis* et जिन *jin* pour l'oblique singulier et pluriel, जिन्होंने *jinhonne* (au pluriel devant la marque ergative *ne*), जिसको / जिसे *jisko / jise* et जिनको / जिन्हें *jinko / jinhen* pour les formes amalgamées.

- Un pronom particulier est employé dans la fonction de complément quand il renvoie au sujet (par exemple "je *me* regarde, il *se* parle, nous craignons pour *nous*"), de forme unique quels que soient le genre et la personne, et ce, même si le sujet n'est pas à la forme directe, comme c'est le cas pour le second exemple : अपना *apnâ*, "soi, se", se décline comme un nom masculin régulier en -आ *-â* (voir S.1.7) :

मैं शीशे में अपने को देख रहा हूं
mèn shîshe men apne ko dekh rahâ hûn
(je glace dans refl à regarde) "je me regarde dans la glace"

मुझे अपने लिए डर नहीं है   mujhe apne lie *d*ar nahîn hè
(à-moi réfl pour peur pas est) "je n'ai pas peur pour moi"

Ce pronom réfléchi peut être renforcé (अपने आप *apne âp* +postposition), produisant un réfléchi emphatique, un peu comme "même" en français, qui est soit une variante stylistique, soit obligatoire avec les verbes dont l'emploi réfléchi est faiblement probable :

अपने आपको पहचानो   apne âpko pahcâno
"connais toi toi-même"
वह अपने आपसे बातें कर रहा है   vah apne âpse bâten kar rahâ hè
"il se parle à lui-même"

3. LE SYSTÈME NUMÉRAL

3.1. Les cardinaux

Le système de numération, commun, sous quelques différences superficielles et essentiellement phonétiques, à toutes les langues indo-aryennes, est à première vue, il faut l'avouer, un véritable casse-tête : les nombres de 1 à 100 semblent autant d'unités indécomposables, qu'il faut donc apprendre telles quelles, et non, comme c'est le cas en français, des formes construites (après 16 en tout cas) à partir d'un nombre relativement limité d'unités, les 5 noms des dizaines de 20 à 60, combinables avec les 9 premiers chiffres. Toutefois, l'absence déroutante de combinatoire en hindi, qui prive l'apprenant du confortable repère des séries, n'est qu'apparence. Le système numéral du hindi est aussi décimal, et repose donc sur des séries de 10, identifiables si l'on tient compte des deux faits suivants :

- l'unité précède toujours la dizaine, comme c'est d'ailleurs le cas en français et langues romanes entre *onze* (latin *undecim, unus+decem*) et *seize* (latin *sex+decem*). Cet ordre reste constant jusqu'à cent en hindi, à partir de quoi il se modifie : la centaine précède la combinaison unité-dizaine.

- l'évolution phonétique (voir chapitre précédent) a quelque peu altéré la forme des séries, très reconnaissables en sanscrit : 14 se dit चौदह *caudah* en hindi, du sanscrit चतुर्दश *caturdasha*, (4-10). चतुर *catur* se reconnaît encore dans चार *câr*, 4, malgré la chute de son "t" intervocalique, mais moins en composition, où il n'en reste plus que चौ- *cau-*, comme dans toute la série 24, 34, 44, etc. (ou d'autres mots comme चौपाई *caupâî*, "vers de 4 pieds", चौराहा *caurâhâ*, "carrefour"), et la chuintante de दश *dasha* s'est transformée, régulièrement, en une aspiration, du reste très faiblement prononcée. De même, 24 se dit en hindi चौबीस *caubîs*, et en sanscrit चतुर्विंशति *caturvinshati*, c.à.d. 4-20, le moderne बीस *bîs*, 20, représentant le résultat régulier de l'évolution historique de l'ancien विंशति *vinshati*. De même encore, 34 se dit en hindi चौंतीस *cauntîs*, et en sanscrit चतुर्त्रिंशति *caturtrinshati*, c.à.d. 4.30, le moderne तीस *tîs*, 30, correspondant à l'ancien त्रिंशति *trinshati*. Vous remarquez qu'ici la forme de 4 comporte une nasalisation, phénomène qui se retrouve à 64, ainsi que dans la série des 3, 5, 7.

- Enfin, pour 19, 29, 39, etc., on soustrait 1 de la dizaine supérieure au lieu d'ajouter 9 à la dizaine inférieure comme en français, et on dit, pour 29 उनतीस *untîs*, et pour 39 उनचालीस *uncâlîs*, respectivement 1.30 et 1.40. Les nombres 89 et 99 sont exceptionnels, en ce qu'ils se décomposent 9.80 et 9.90.

On n'a donc nullement affaire à une suite arbitraire, mais à un système cohérent. La difficulté, notamment si vous n'êtes pas un amoureux fervent de la phonétique historique, vient surtout des modifications phonétiques qui ont au cours des siècles rendu les formes quasi méconnaissables. Voici la liste des cent premiers nombres, par dizaines, suivie d'un système de repérage minimal. Détail rassurant, l'écriture en chiffres est strictement conforme à la nôtre, les dizaines précédant les unités, à l'inverse donc de l'écriture en lettres.

१ एक, 1 *ek*, २ दो, 2 *do*, ३ तीन, 3 *tîn*, ४ चार, 4 *câr*, ५ पाँच, 5 *pânc*, ६ छह / छे, 6 *chah/ che*, ७ सात, 7 *sât*, ८ आठ, 8 *âth*, ९ नौ, 9 *nau*, १० दस, 10 *das*

११ ग्यारह, 11*gyârah*, १२ बारह, 12 *bârah*, १३ तेरह, 13 *terah*, १४ चौदह, 14 *caudah*, १५ पंद्रह, 15 *pandrah*, १६ सोल्ह, 16 *solah*, १७ सत्रह, 17 *satrah*, १८ अठारह, 18 *athârah*, १९ उन्नीस, 19 *unnîs*, २० बीस, 20 *bîs*

२१ इक्कीस, 21 *ikkîs*, २२ बाईस, 22 *bâîs*, २३ तेईस, 23 *teîs*, २४ चौबीस, 24 *caubîs*, २५ पच्चीस, 25 *paccîs*, २६ छब्बीस, 26 *chabbîs*, २७ सत्ताईस, 27 *sattâîs*, २८ अट्ठाईस, 28 *atthâîs*, २९ उनतीस, 29 *untîs*, ३० तीस, 30 *tîs*

३१ इकत्तीस, 31 *ikattîs*, ३२ बत्तीस, 32 *battîs*, ३३ तैंतीस, 33 *tèntîs*, ३४ चौंतीस, 34 *cauntîs*, ३५ पैंतीस, 35 *pèntîs*, ३६ छत्तीस, 36 *chattîs*, ३७ सैंतीस, 37 *sèntîs*, ३८ अड़तीस, 38 *artîs*, ३९ उनतालीस, 39 *untâlîs*, ४० चालीस, 40 *câlîs*

४१ इकतालीस, 41 *iktâlîs*, ४२ बयालीस, 42 *bayâlîs*, ४३ तैंतालीस, 43 *tèntâlîs*, ४४ चवालीस, 44 *cavâlîs*, ४५ पैंतालीस, 45 *pèntâlîs*, ४६ छियालीस, 46 *chiyâlîs*, ४७ सैंतालीस, 47 *sèntâlîs*, ४८ अड़तालीस, 48 *artâlîs*, ४९ उनचास, 49 *uncâs*, ५० पचास, 50 *pacâs*

५१ इक्यावन, 51 *ikyâvan*, ५२ बावन, 52 *bâvan*, ५३ तिरपन, 53 *tirpan*, ५४ चौवन, 54 *cauvan*, ५५ पचपन, 55 *pacpan*, ५६ छप्पन, 56 *chappan*, ५७ सत्तावन, 57 *sattâvan*, ५८ अड़ावन, 58 *atthâvan*, ५९

उनसठ, 59 *unsa*th, ६० साठ, 60 *sâth*

६१ इकसठ, 61 *iksa*th, ६२ बासठ, 62 *bâsa*th, ६३ तिरसठ, 63 *tirsa*th, ६४ चौंसठ, 64 *caunsa*th, ६५ पैंसठ, 65 *pènsa*th, ६६ ख्ह्यासठ, 66 *chiyâsa*th, ६७ सड़सठ, 67 *sarsa*th, ६८ अड़सठ, 68 *arsa*th, ६९ उनहत्तर, 69 *unhattar*, ७० सत्तर, 70 *sattar*

७१ इकहत्तर, 71 *ikhattar*, ७२ बहत्तर, 72 *bahattar*, ७३ तिहत्तर, 73 *tihattar*, ७४ चौहत्तर, 74 *cauhattar*, ७५ पचहत्तर, 75 *pachattar*, ७६ ख्हित्तर, 76 *chihattar*, ७७ सतहत्तर, 77 *sathattar*, ७८ अठहत्तर, 78 *athhattar*, ७९ उनासी, 79 *unâsî*, ८० अस्सी, 80 *assî*

८१ इक्यासी, 81 *ikyâsî*, ८२ बयासी 82, *bayâsî*, ८३ तिरासी, 83 *tirâsî*, ८४ चौरासी, 84 *caurâsî*, ८५ पचासी, 85 *pacâsî*, ८६ ख्हियासी, 86 *chiyâsî*, ८७ सतासी, 87 *satâsî*, ८८ अठासी, 88 *athâsî*, ८९ नवासी, 89 *navâsî*, ९० नब्बे / नव्वे, 90 *nabbe*/ *navve*

९१ इक्यानवे, 91 *ikyânve*, ९२ बानवे, 92 *bânve*, ९३ तिरानवे, 93 *tirânve*, ९४ चौरानवे, 94 *caurânve*, ९५ पचानवे, 95 *pacânve*, ९६ ख्हियानवे, 96 *chiyânve*, ९७ सत्तानवे, 97 *sattânve*, ९८ अड्डानवे, 98 *atthânve*, ९९ निन्यानवे, 99 *ninyânve*, १०० सौ, 100 *sau*

१००० हज़ार, 1000 *hazâr*, ० शून्य, 0 *shûnya*, qui signifie en fait "vide".
Le hindi, comme toutes les langues indiennes, a un nom spécifique pour 100 000, लाख *lâkh* et pour 100 *lâkhs*, soit dix millions, करोड़ *karor*, de sorte que 125 millions se dira बारह करोड़ पचास लाख *bârah karor pacâs lâkh*, "douze *karors* cinquante *lâkhs*"

Forme des unités en combinaison
1, एक *ek*, peut prendre la forme इक- *ik-* ; 2, दो *do*, prend la forme बा- *bâ-* (< sanscrit द्व *dva*, c'est la labiale qui se maintient dans l'assimilation) ; 3, तीन *tîn*, prend la forme ते- *te-*, तिर- *tir-*, तैं- *tèn-*.
4, चार *câr*, prend la forme चौ *cau*, चौं *caun*, चौर- *caur-* ; 5, पाँच *pânc* : पच- *pac-*, पैं- *pèn-* ; 6, छह *chah* : छ *cha*, ख्हि- *chi-* ; 7, सात *sât* : सत- *sat-*, सैं- *sèn-*, सत्त- *satt-* ; 8, आठ *âth* : अड़- *ar-*, अड्-

*a*tth-.

Toutes ces altérations sont le résultat de phénomènes d'assimilation, explicables mais parfois complexes.

Forme indépendante des dizaines

La terminaison, constante jusqu'à 50, en -ईस -*îs*, est précédée d'un "rappel" plus ou moins reconnaissable de la forme de l'unité : ainsi dans तीस *tîs*, 30, le -त -*t* rappelle तीन *tîn*, 3 ; dans चालीस *câlîs*, 40, चा *câ* rappelle चार *câr*, 4. Dans पचास *pacâs*, पच- *pac-* rappelle पाँच *pânc* . Dans सत्तर *sattar*, se reconnaît सात *sât*, 7 ; dans नब्बे *nabbe*, 90, नौ *nau*, 9, etc.

Forme des dizaines en combinaison

20, बीस *bîs*, prend la forme -ईस -*îs* ; -तीस -*tîs*, 30, ne varie pas ; 40, चालीस *câlîs*, prend la forme -आलीस -*âlîs*, (précédé éventuellement d'un v ou d'un y pour éviter l'hiatus) ; 50, पचास *pacâs*, prend la forme -वन -*van* (après voyelle) ou -पन -*pan* / -प्पन -*ppan* ; साठ *sâth*, 60, prend la forme abrégée -सठ -*sath* ; सत्तर *sattar*, 70, devient -हत्तर -*hattar* ; अस्सी *assî*, 80, devient -आसी -*âsî* ; नब्बे *nabbe*, 90, devient -नवे -*nave* (/v/ représentant l'affaiblissement d'un /p/ intervocalique)

REMARQUES

- Redoublé, un numéral a un sens distributif :
उन सब बच्चों के लिए एक-एक कोक और दो-दो टाफ़ियाँ लाओ
un sab baccon ke lie ek-ek kok aur do-do *t*âfiyân lâo
(ces tous enfants pour 1-1 coca et 2-2 bonbons apporte)
"apporte à chaque enfant un coca et deux bonbons"

- Le suffixe -ओं -*on*, ajouté à un numéral, transforme la collection en un groupe global, pouvant se traduire par "tous les x", "les x" : चारों आए *câron âe*, "tous les quatre vinrent, ils vinrent tous les quatre", दोनों *donon*, "les deux, tous deux" (notez le -n- qui évite l'hiatus avant le suffixe).

3.2. Les ordinaux

Ils se dérivent régulièrement des cardinaux avec le suffixe -वाँ *-vân*, à l'exception de premier : पहला *pahlâ*, deuxième, दूसरा *dûsrâ*, troisième, तीसरा *tîsrâ*, quatrième, चौथा *cauthâ*, sixième, छठा *cha*th*â*, qui se déclinent comme des adjectifs réguliers (voir 4.2) : दूसरी लड़की *dûsrî larkî*, "la deuxième fille". Les ordinaux en -वाँ *-vân* se déclinent aussi, prenant les mêmes désinences, mais nasalisées : पाँचवीं रात *pâncvîn rât*, "la cinquième nuit", दसवें महीने में *dasver mahîne men*, "pendant le dixième mois".

En outre, les termes sanscrits restent vivants, du moins dans le hindi officiel, pour "premier, second, troisième" (प्रथम *pratham*, द्वितीय *dvitîya*, तृतीय *tritîya*), le seul terme arabe vraiment usité étant अव्वल *avval*, "premier".

Les ordres relatifs (précédent, suivant) sont exprimés par अगला *aglâ*, "prochain, suivant", et पिछला *pichlâ*, "précédent, dernier", issus des adverbes आगे *âge*, "avant, devant", et पीछे *pîche*, "derrière" : पिछली रात *pichlî rât*, "la nuit dernière", अगले महीने *agle mahîne*, "le mois prochain".

3.3. Les fractions

"(Et) demi" : साढ़े *sârhe* (alors que "la moitié" se dit आधा *âdhâ*) se place avant le chiffre principal ; साढ़े तीन साल *sârhe tîn sâl*, "trois ans et demi", mais आधा दिन *âdhâ din*, "une demi journée", आधी रात *âdhî rât*, "la moitié de la nuit, au milieu de la nuit".

"Et quart" se dit सवा *savâ*, (le quart est चौथाई *cauthâî*) et se place comme *sârhe* : सवा पाँच *savâ pânc*, "cinq et quart".

"Le tiers" se dit तिहाई *tihâî*, et "les trois quarts" पौने, पौन *paune, paun* (qui veut dire en réalité "moins un quart", < scr. *pada una*, "un quart en moins") : पौने तीन *paune tîn* (moins un quart trois) signifie donc 2, 75.

Au-delà, y का x-वाँ हिस्सा *y kâ x-vân hissâ*, (Y de Xième

partie), ou, dans la langue technique : बटा *batâ*, qui correspond à peu près à la lecture du signe "/" : चार बटा नौ *câr batâ nau*, "4 / 9".

"Un et demi" se dit डेढ़ *derh*, et "deux et demi" ढाई *dhâî*.

Pour multiplier (गुणा करना *gunâ karnâ*) : दो तीया छे *do tîyâ che*, deux trois-fois, six, दो दूनी चार, *do dûnî câr*, deux deux-fois quatre.

Pour additionner (जोड़ना *jornâ* "additionner") : दो और दो, चार *do aur do, câr*, 2 et 2, 4.

Pour soustraire : चार में से दो गए, दो *câr men se do gae, do*, 4 moins 2, 2.

Pour diviser (भाग देना / लगाना *bhâg denâ / lagânâ*) : छे बटा दो, तीन *che batâ do, tîn*, 6 divisé par 2, 3.

Voici quelques noms de mesure, dont les équivalents varient selon les régions : गज़ *gaz*, un peu moins d'un mètre ; कोस *kos*, environ deux kilomètres ; हाथ *hâth*, "coudée" ; बित्ता *bittâ*, "main" ; बीघा *bîghâ*, superficie d'environ 2500 m2 ; सेर *ser*, environ un kilogramme ; मन *man*, quarante *ser* ; तोला *tolâ*, 12 grammes, रत्ती *rattî* environ 1/8ème de gramme.

4. LE GROUPE NOMINAL

4.1. Le nom

Le hindi a deux genres, mais seuls les animés ont un genre naturel, les inanimés se répartissant entre masculin et féminin de façon conventionnelle. La dérivation du féminin à partir du masculin est relativement variée, le -ई -*î* final marquant généralement un féminin issu d'un masculin en -आ -*â* : बच्ची *baccî*, "enfant/ petite fille", s'oppose ainsi à बच्चा *baccâ*, "enfant/ petit garçon", comme लड़की *larkî*, "fille", à लड़का *larkâ*, "garçon". Mais il y a de nombreux autres suffixes de dérivation : -नी -*nî*, -इन -*in*, -इका -*ikâ*, -आनी -*ânî*, -इया -*iya*, etc, ex : राजा *râjâ*, "roi", रानी *rânî*, "reine" ; शेरनी *shernî*, "lionne", de शेर *sher*, "lion" ;

धोबिन *dhobin*, "blanchisseuse", de धोबी *dhobî*, "blanchisseur" ; अध्यापिका *adhyâpikâ*, "enseignante", de अध्यापक *adhyâpak*, "enseignant" ; सेठानी *sethânî*, "femme du propriétaire notable", de सेठ *seth* ; जेठानी *jethânî*, "belle soeur", de जेठ *jeth*, "beau-frère" (frère aîné du mari).

L'opposition entre féminins en -ई -*î* et masculins en -आ -*â* est la plus courante, mais il y a aussi des féminins en -आ -*â*, issus du sanscrit (छात्रा *châtrâ*, "étudiante", महिला *mahilâ*, "femme / dame") et des masculins en -ई -*î*, comme l'homme (आदमी *âdmî*). Il y a donc deux types de terminaisons homonymes, attention aux confusions.

Les formes ci-dessus sont celles que donne le dictionnaire, mais les noms en hindi varient en nombre comme en français. Ils varient aussi selon leur fonction dans la phrase, ce qui rappelle le système des déclinaisons du sanscrit ou du latin, où la désinence d'un nom sujet (nominatif) se distingue de celle d'un complément d'objet (accusatif), d'un complément d'attribution (datif), d'un complément de lieu (locatif), d'un complément indiquant l'origine (ablatif), l'instrument (instrumental), d'un complément de nom (génitif). Mais en hindi, la variation fonctionnelle est limitée à deux formes, une forme directe et une forme oblique, au lieu des 8 formes du sanscrit, le vocatif, résiduel, étant rarement employé. Ces deux formes ne suffisent donc pas à distinguer l'ensemble des fonctions élémentaires du nom dans la phrase. Ce sont des postpositions qui ont pris en charge l'expression des diverses fonctions complément (un peu comme en français diverses prépositions ont relayé les "cas" du latin, en passant au moyen-âge par un état de langue où les "cas" s'étaient réduits à deux, le régime et le sujet). La forme oblique en hindi est le plus souvent associée à l'emploi d'une postposition, et la forme directe à l'absence de postposition. C'est pourquoi la déclinaison des noms et les principales postpositions indicatrices de fonction sont présentées dans la même rubrique.

Il y a plusieurs types de déclinaison en hindi. Tous les

noms, masculins et féminins, ont une désinence commune à la forme oblique du pluriel (-ओं -*on*). Les masculins se terminant par une consonne ou par -ई -*î* ne varient qu'à cette forme. Les masculins se terminant par -आ -*â* changent ce -आ -*â* en -ए -*e* à la forme oblique du singulier et à la forme directe pluriel (qui sont donc homonymes), et en -ओं -*on* à la forme oblique pluriel. Les féminins se terminant en -ई -*î*, les plus caractéristiques, gardent la même forme au singulier oblique, et changent ce -ई -*î* pour -इयाँ -*iyân* au pluriel direct, -इयों -*iyon* au pluriel oblique. Les féminins en -इ -*i*, -उ -*u*, se déclinent de même. Les autres, se terminant par une consonne ou par -आ -*â* (ou, rares, par -ऊ -*û*), gardent la même forme au singulier oblique, mais ajoutent à cette forme -एँ -*en* au pluriel direct et -ओं -*on* au pluriel oblique. La caractéristique du féminin, quel que soit son type, est donc de n'avoir qu'une forme au singulier, et toujours deux formes, nasalisées toutes les deux, au pluriel, alors que le pluriel des masculins n'est nasalisé qu'à l'oblique.

Voici les tableaux des deux grands types présentant pour chaque genre la forme directe (D) et oblique (O) :

NOMS MASCULINS

masculins en -आ -*â* : लड़का *larkâ*, "garçon"

	singulier		pluriel	
	[vocatif लड़के *larke*	(-*e*)	लड़को *larko*	(-*o*)]
D	लड़का *larkâ*	(-*â*)	लड़के *larke*	(-*e*)
O	लड़के *larke*	(-*e*)	लड़कों *larkon*	(-*on*)

masculins en consonne ou -ई -*î* :
घर *ghar*, "maison", आदमी *âdmî*, "homme"

	singulier	pluriel
D	घर *ghar*, आदमी *âdmî*	घर *ghar*, आदमी *âdmî*
O	घर *ghar*, आदमी *âdmî*	घरों *gharon*, आदमियों *âdmiyon*

NOMS FÉMININS

féminins en -ई -*î* : लड़की *larkî*, "fille"

	singulier	pluriel	
D	लड़की *larkî*	लड़कियाँ *larkiyân*	(-*ân*)
O	लड़की *larkî*	लड़कियों *larkiyon*	(-*on*)

féminins terminés par une consonne ou par -आ -*â* :
महिला *mahîlâ*, "dame", औरत *aurat*, "femme"

	singulier	pluriel	
D	महिला/ औरत *mahilâ/ aurat*	महिलाएँ / औरतें	
		mahilâen / aurten	(-*en*)
O	महिला / औरत	महिलाओं / औरतों	
	mahilâ / aurat	*mahilâon/ aurton*	(-*on*)

REMARQUES

- L'abrègement du -ई -*î* s'observe aussi bien à l'oblique pluriel masculin de आदमी *âdmî* qu'à toutes les formes de féminin pluriel pour लड़की *larkî*. C'est un phénomène de "sandhi", c.à.d. d'altération phonétique à la frontière de deux unités. Un -ई -*î* long radical s'abrège devant une voyelle de désinence, et un -य -*y* se crée pour éviter l'hiatus. Ce phénomène se retrouve dans la conjugaison des verbes à radical terminé par -ई -*î* (voir M.5.1.2 et 5.2).

- Quelques exceptions : les masculins en -आ -*â* issus du sanscrit comme राजा *râjâ*, "roi", देवता *devtâ*, "divinité", नेता *netâ*, "guide, chef", पिता *pitâ*, "père", ou les termes de parenté à redoublement comme चाचा *câcâ*, "oncle", दादा *dâdâ*, "grand père paternel", कर्ता *kartâ*, "agent", योद्धा *yoddhâ*, "guerrier", ne varient qu'au pluriel oblique (राजाओं *râjâon*, mais non *राजे *râje*). En fait -आ -*â* appartient au radical de ces mots, alors qu'il est une désinence casuelle dans लड़का *larkâ*.

Observons l'emploi des cas avec les postpositions simples

les plus courantes : में *men*, "dans", पर *par*, "sur", से *se*, "à partir de, depuis, de", को *ko*, "à", का *kâ*, "de" (introduisant un complément de nom). का *kâ* se distingue des autres postpositions en ce qu'il prend le genre et le nombre du nom qui le suit (की *kî* si celui-ci est féminin, के *ke* s'il est masculin pluriel à la forme directe ou masculin singulier à la forme oblique) : पिता की तस्वीर *pitâ kî tasvîr* (père-m de image-fs), "la photo de père", पिता का कमरा *pitâ kâ kamrâ* (père-m de pièce-ms), "la chambre de père", पिता के कमरे में *pitâ ke kamre men*, (père-m de chambre-ms-O dans), "dans la chambre de père", पिता के जूते *pitâ ke jûte* (père de chaussures-mp), "les chaussures de père".

अल्मारी *almârî* (f) donnera ainsi अल्मारियों में *almâriyon men*, "dans les armoires", mais अल्मारी में *almârî men*, "dans l'armoire". कमरा *kamrâ*, (m), "pièce", कमरों में *kamron men*, "dans les pièces", et कमरे में *kamre men*, "dans la pièce", comme दो कमरे हैं *do kamre hèn*, "il y a deux pièces" (litt. deux pièces sont). Ainsi :

तीन आदमी और दो छात्राएँ हैं   tîn âdmî aur do châtrâen hèn
(trois hommes et deux étudiantes sont)
"il y a trois hommes et deux étudiantes"

एक मेज़ पर   *ek mez par* "sur une table" (*mez*-f "table")

क्या छात्राएँ मेजों पर बैठी हैं? जी हाँ
kyâ châtrâen mezon par bèthî hèn? jî hân
(est-ce que étudiantes tables sur assises sont ? oui)
"les étudiantes sont-elles assises sur les tables ? Oui"

छात्राएँ मेजों पर बैठी हैं, छात्र कुर्सियों पर बैठे हैं
châtrâen mezon par bèthî hèn, châtr kursiyon par bèthe hèn
(étudiantes tables sur assises sont, étudiants chaises sur assis sont)
"les étudiantes sont assises sur les tables, les étudiants sur les chaises"

तुम किस शहर से हो? tum kis shahar se ho ?
"de quelle ville es-tu ?" (shahar-m "ville")

कमरे से निकलो   kamre se niklo   "sors de la pièce"

घर में चार दीवारें हैं   ghar men câı dîvâren hèn
(maison-m dans quatre murs-f sont)
"il y a quatre murs dans la maison"

दीवारों पर बहुत-सी तसवीरें लगी हैं
dîvâron par bahut-sî tasvîren lagî hèn
(murs-fp sur beaucoup-intens tableaux-fp accrochés sont)
"sur les murs, il y a de nombreux tableaux"

REMARQUES

- Il arrive que le complément d'objet ne soit pas au cas direct :
s'il est humain ou spécifique (voir S.1.1.), il est suivi de को *ko*
et à la forme oblique : लड़के को बुलाओ *larke ko bulâo*, (garçon-
O à appelle), "appelle le garçon".

- Le nom est toujours suivi de la postposition में *men* pour le
lieu où on est (locatif). Mais le lieu où l'on va (allatif ou
directif) est à la forme oblique sans postposition avec les
verbes de mouvement :

घर जाओ   ghar jâo   "va à la maison"
पाठशाला जाओ   pâthshâlâ jâo   "va à l'école"
पाठशाला में जाओ   pâthshâlâ men jâo "va dans l'école"
बगीचे में चलें   bagîce men calen "allons dans le jardin"
गुसलख़ाने में जाओ *gusalkhâne men jâo
"va dans la salle de bains"

Certains compléments, de temps notamment, sont aussi
exprimés à la forme oblique sans postpositions : रात को *rât ko*,
"la nuit", शाम को *shâm ko*, "le soir", mais सुबह *subah*, "le matin",
सात बजे *sât baje*, "à sept heures", उस समय *us samay*, "à ce
moment là", mais समय पर *samay par*, "à temps". Bien entendu
les mêmes mots peuvent être sujets et seront dans ce cas
toujours au cas direct :

वह शनिवार को हमारे घर आएगा
vah shanivâr ko hamâre ghar âegâ
(il samedi ko notre maison viendra)
"il viendra chez nous samedi"

आज शनिवार है
âj shanivâr hè   "aujourd'hui c'est samedi"

- Il y a de nombreuses postpositions composées (avec के *ke*)
ou locutions postpositives qui peuvent introduire des
compléments circonstanciels. Certaines ont deux formes
courantes, plus ourdouisée ou plus sanscritisée : के लिये *ke lie*,
"pour", के बाद *ke bâd*, "après", से पहले *se pahle*, "avant", के साथ
ke sâth, "avec", के बिना *ke binâ*, "sans", (seule à pouvoir se
préposer sous la forme *binâ...*, ou se circomposer en बिना...के
binâ...ke), के पास *ke pâs*, "près de", से दूर *se dûr*, "loin de", के
आगे *ke âge*, "avant, devant", के पीछे *ke pîche*, "derrière", के अंदर
ke andar, के भीतर *ke bhîtar*, "à l'intérieur de", के बाहर *ke bâhar*,
"à l'extérieur de", की तरफ़ / की ओर *kî taraf / kî or*, "vers, en
direction de", के ऊपर *ke ûpar*, "au dessus de", के नीचे *ke nîce*,
"sous", के सामने *ke sâmne*, "en face de", के जरिये *ke zarie*, के द्वारा
ke dvârâ, "par l'intermédiaire de, par le moyen de", के दौरान *ke
daurân*, "pendant", के बीच *ke bîc*, "au milieu de", के अलावा *ke
alâvâ*, के अतिरिक्त *ke atirikt* "outre", के सिवाय *ke sivây*, "à
l'exception de, sauf", के बजाय *ke bajây*, "au lieu de".

On trouve aussi des combinaisons de postpositions ou de
locutions postpositives, comme en français "d'entre" : में से *men
se*, (dans à-partir-de) "parmi, d'entre", पर से *par se*, (sur à-
partir-de) "de sur", के बीच में से *ke bîc men se*, (milieu dans à-
partir-de) "du milieu de", etc.

Comme vous voyez, l'ancienne classification qui
distinguait langues flexionnelles (à cas), comme le sanscrit ou
le grec, et langues agglutinantes (à suffixes), comme le turc,
ou le tamoul, n'est pas vraiment pertinente pour le hindi. Ce
dernier vient d'une langue flexionnelle, dont il garde une
vague trace avec ses deux formes directe et oblique, mais
l'emploi de postpositions, parfois soudées dans l'écriture,
l'apparente au système des suffixes qu'on trouve dans toutes
les langues dravidiennes, toujours soudés. C'est dont une
langue typologiquement mixte.

4.2. L'adjectif qualificatif

4.2.1. *Genre, nombre et déclinaison*

De tous les adjectifs qualificatifs, seuls ceux qui se terminent en -आ *-â* varient, et encore leur déclinaison est-elle extrêmement simplifiée : -आ *-â* masculin devient -ए *-e* à la forme oblique singulier et aux formes directe et oblique du pluriel. Au féminin ils ont une forme unique pour tous les cas et nombres en -ई *-î*. Ainsi, हरा *harâ*, "vert", हरी *harî*, "verte", vs लाल *lâl*, "rouge".

	singulier	pluriel
D	हरा *harâ*, हरी *harî* / लाल *lâl*	हरे *harâ*, हरी *harî* / लाल *lâl*
O	हरे *hare*, हरी *harî* / लाल *lâl*	हरे *hare*, हरी *harî* / लाल *lâl*

Quelques (rares) adjectifs sont nasalisés : leurs formes sont les mêmes que celles de *harâ*, la voyelle finale étant simplement nasalisée. C'est notamment le cas des ordinaux (voir M.2.2), mais aussi des termes बायाँ *bâyân*, "gauche", दायाँ *dâyân*, "droit", dont les formes obliques sont, au masculin, बायें हाथ में *bâyen hâth men*, "à main gauche", et au féminin, बायीं तरफ़ *bâyîn taraf*, "à gauche", हाथ *hâth* étant masculin, तरफ़ *taraf* féminin.

Tous les autres adjectifs, qu'ils finissent par une consonne ou -ई *-î*, sont invariables : एक ख़ाली कमरा *ek* kh*âlî kamrâ*, "une pièce vide", दो ख़ाली कमरे *do* kh*âlî kamre*, "deux pièces vides". बढ़िया *barhiyâ*, "magnifique, excellent", ne varie pas non plus.

L'épithète, qui s'accorde avec le nom, est toujours placée avant lui, et rarement coordonnée एक सुंदर लड़की *ek sundar larkî*, "une jolie fille", भले लोग *bhale log*, "des gens bien", छोटी बच्चियाँ *chotî bacciyân*, "des petites filles", ताज़ी जलेबियाँ *tâzî jalebiyân*, "des jalebis fraîches" (voir culture et ses mots 2.2).

L'attribut est placé entre le sujet et le verbe, et s'accorde avec le sujet : जलेबियाँ ताज़ी हैं *jalebiyân tâzî hên*, "les jalebis sont fraîches", ये लोग भले हैं *ye log bhale hên*, "ces gens sont bien".

4.2.2. *Les degrés de l'adjectif*

Seuls les véritables qualificatifs prennent des marques de degré, et non les participes, qui par ailleurs fonctionnent très souvent de façon adjectivale en hindi.

Le comparatif n'est pas morphologiquement marqué : on se sert de la postposition से *se*, "depuis, à partir de, par", pour marquer le terme repère. Ainsi "Chandra est plus grande que Nita" se dira "à partir de Nita Chandra est grande" :

चंद्रा नीता से (ज़्यादा) लम्बी है
candrâ nîtâ se (zyâdâ) lambî hè

On peut ajouter ज़्यादा *zyâdâ* (ar.) ou अधिक *adhik* (scr.), "plus", mais ce n'est pas nécessaire. "Encore plus" se dit भी *bhî* ou और ज़्यादा *aur zyâdâ*, qui s'emploie, comme और *aur*, "plus", de préférence pour quantifier des choses et non des qualités.

मेरा धोबी तुम्हारे माली से भी अमीर है
merâ dhobî tumhâre mâlî se bhî amîr hè
(mon blanchisseur ton jardinier *se bhî* riche est)
"mon blanchisseur est encore plus riche que ton jardinier"

और भी लोग आए थे   aur bhî log âe the
(et aussi gens étaient venus)
"il était venu encore davantage de monde"

मुझे और (ज़्यादा) चीनी दो   mujhe aur (zyâdâ) cînî do
"donne-moi (encore) plus de sucre"

Le comparatif d'infériorité ("moins") utilise lui, nécessairement, un adverbe comparatif, कम *kam* :

उनका बावर्ची हमारी धोबिन से कम भुलक्कड़ है
unkâ bavârcî hamârî dhobin se kam bhulakkar hè
(leur cuisinier notre blanchisseur *se* moins oublieux est)
"leur cuisinier est moins distrait que notre blanchisseuse"

Quelques formes synthétiques en -तर *-tar* sont héritées du sanscrit, comme सुंदरतर *sundartar*, "plus beau" ; अधिकतर *adhiktar*, "la plupart", ou du persan, comme ज़्यादातर *zyâdâtar*, "la plupart", बदतर *badtar*, "plus mauvais".

Le comparatif d'égalité (aussi...que) ne relève pas en hindi des degrés de l'adjectif mais de la subordination, car il implique deux propositions corrélées sur le modèle de la relative (voir S.2.7).

Le superlatif absolu "très" se forme avec l'adverbe बहुत *bahut*, "beaucoup" ou अधिक *adhik*, "beaucoup, excessivement", et le superlatif relatif ("le plus") avec la périphrase सब से *sab se*, "de tous" :

चंद्रा सब से लम्बी है   candrâ sab se lambî hè
"Chandra est la plus grande"

On trouve aussi des formes synthétiques héritées du sanscrit en –तम *-tam* (सुंदरतम *sundartam*, "le plus beau", et des expressions comme दुनिया में *duniyâ men*, "au monde", हजारों में एक *hazâron men ek*, "un entre mille". Ou encore अच्छे से अच्छा *acche se acchâ*, litt. "meilleur que bon", donc "excellent, le meilleur". Parmi les préfixes superlativants (comme fr. hyper-, super-, extra-, etc.) on peut citer अति- *ati-*, अत्यंत *atyant/* परम *param* "extrêmement", (अतिसुंदर *atisundar*, "merveilleux", sur "beau" ; अत्यंत भयानक *atyant bhayânak*, "effroyable", sur "effrayant" ; परम अद्भुत *param adbhut*, "miraculeux", sur "extraordinaire"), mais le niveau de langue est élevé, comme dans les formes en -तम *-tam* héritées du sanscrit (प्रियतम *priyatam*, "très cher, le plus cher"). L'expression du haut degré peut aussi se faire idiomatiquement, par le redoublement de l'adjectif + का *kâ* :

अरे, तू बुद्ध का बुद्ध ही रहा
are, tû buddhû kâ buddhû hî rahâ
(eh, tu bête de bête juste restas)
"tu es toujours complètement abruti"

4.2.3. *Le redoublement distributif et intensif*

L'adjectif est très souvent redoublé, signalant soit que la qualité est attribuée à chaque unité dont il est question, soit, au singulier en priorité mais pas exclusivement, qu'elle est particulièrement intense.

वह मोटा-मोटा है   vah moṭâ-moṭâ hè   (il gros-gros est)
"il est vraiment très gros" (gros et gras)

उसकी बड़ी-बड़ी आँखें हैं   uskî baṛî-baṛî ânkhen hèn
(ses grands-grands yeux sont)   "il/elle a des yeux vraiment grands"

वे सब लाल-लाल टोपियाँ पहनते थे
ve sab lâl-lâl ṭopiyân pahante the
(ils tous rouge-rouge chapeaux portaient)
"ils portaient tous des chapeaux rouges"

पूरे ग्यारह बड़े-बड़े तालाब बने थे
pûre gyârah baṛe-baṛe tâlâb bane the
(tous onze grands grands bassins avaient été construits)
"onze bassins avaient été construits, tous grands"

गरम-गरम चाय   garam-garam cây
(chaud-chaud thé) "du thé tout chaud / bien chaud"

Ainsi, गोल-गोल *gol-gol*, "tout rond", झीनी-झीनी *jhînî-jhînî*, "tout usée, élimée", धीमी-धीमी आवाज़ *dhîmî-dhîmî âvâz*, "une voix toute faible".

Dans l'emploi intensif, le redoublement porte des connotations d'expressivité familière, qui créent une sorte d'affectivité. Notez le cas particulier du redoublement des adjectifs de couleur ou de saveur, qui peut signifier non l'intensité mais au contraire l'atténuation : पीला-पीला *pîlâ-pîlâ*, "plutôt jaune", tirant sur le jaune", मीठा-मीठा *mîthâ-mîthâ*, "douceâtre", कड़वा-कड़वा *karvâ-karvâ*, "plutôt amer".

Cette dernière valeur est proche de celle de la particule -सा -*sâ* (accordée comme l'adjectif avec le nom dont il dépend), typiquement atténuatrice, qui peut s'adjoindre à tout adjectif qualificatif : पीला-सा *pîlâ-sâ*, "plutôt jaune", टेढ़ा-सा *terhâ-sâ*, "plus ou moins tordu", mais aussi à des participes, सहमा-सा *sahmâ-sâ*, "un peu effrayé", सिमटी हुई-सी लड़की *simṭî huî-sî larkî*, "la fille quasi recroquevillée". Notez qu'elle peut aussi s'adjoindre à des noms, à la forme oblique, qu'elle transforme en une sorte de qualifiant approximatif : ल्कड़ी-सी चीज़ *lakrî-sî cîz*, "une chose qui ressemble à du bois", कुत्ते-सा जानवर *kutte-sâ jânvar*, "un animal qui ressemble à un chien, une espèce de chien". Adjointe à des pronoms, elle sert de comparatif : मुझ-सा पापी *mujh-sâ pâpî*, "un pécheur comme moi", comme मुझ /मेरे जैसा पापी *mujh/mere jèsâ pâpî*, avec un comparant complet (voir S.2.8).

4.3. La détermination

4.3.1. *L'absence d'article*

Il n'y a pas d'article en hindi, encore que se répande l'emploi du numéral एक *ek*, "un", en fonction d'article indéfini. Le substantif nu singulier est le plus souvent interprété comme défini (le X), surtout s'il est sujet :

बच्चा देर से आया   baccâ der se âyâ
"l'enfant arriva tard" (avec retard)
एक बच्चा आया   ek baccâ âyâ   "un enfant arriva"

Quand le substantif est précédé d'un numéral, la distinction opérée par l'article en français (deux enfants, les deux enfants) est opérée en hindi par le "suffixe" -ओं *-on*, dont la valeur générale est de transformer une simple pluralité en un ensemble insécable, avec une connotation fréquente de globalité :

दो बच्चे आए do bacce âe   "deux enfants vinrent"
दोनों बच्चे आए donon bacce âe   "les deux enfants vinrent"
दोनों आए   donon âe   "ils vinrent tous [les] deux"
दो आए   do âe   "deux vinrent" "il en vint deux"
चारों ओर   câron or   " (des quatre côtés) de tous cotés"

4.3.2. *Les démonstratifs*

Pronoms et adjectifs ont la même forme en hindi, mais seuls bien sûr les derniers assurent des fonctions de détermination du nom.

Le système démonstratif est binaire, opposant le proche et l'éloigné par rapport au locuteur : वह *vah* (prononcé [vo]), "ce...là, celui-là", désigne un référent éloigné du locuteur, यह *yah*, prononcé [ye], "ce...ci, celui-ci", un référent proche de lui.

यह लड़का मेरा भाई है और वह लड़की सामने मेरी बहन है
yah la*r*kâ merâ bhâî hè aur vah la*r*kî sâmne merî bahan hè
"ce garçon-ci est mon frère, et cette fille-là, en face, est ma soeur"

La même forme vaut pour le féminin et pour le masculin, ainsi qu'au pluriel (वे *ve*, "ceux-là, ces...là", ये *ye*, "ces...ci, ceux-ci"). Les formes pronominales sont les mêmes que les formes adjectivales :

यह मेरा भाई है और वह सामने मेरी बहन है
yah merâ bhâî hè aur vah sâmne merî bahan hè
"celui-ci est mon frère, et celle-là, en face, est ma soeur"

Les formes obliques sont pour le singulier उस *us* et इस *is*, pour le pluriel उन *un* et इन *in* :

इन बच्चों को देखो in baccon ko dekho "regarde ces enfants (-ci)"
उन लड़कियों को बुलाओ
un la*r*kiyon ko bulâo "appelle ces filles (-là)"

FORMES SPÉCIALES

इसको *isko* = इसे *ise*, उसको *usko* = उसे *use*, इनको *inko* = इन्हें *inhen*, उनको *unko* = उन्हें *unhen* (ces paires sont des allomorphes, les deux formes différentes ayant le même sens). Combinées avec la postposition -ने *-ne*, les formes du pluriel sont : इन्होंने *inhonne*, उन्होंने *unhonne*. Le tableau des pronoms personnels (2) donne la synthèse des formes du démonstratif de l'éloignement, puisqu'il sert de pronom de troisième personne. Les formes du démonstratif de la proximité *yah* ne différant de celles de *vah* que par l'initiale, nous n'en redonnons pas ici un tableau séparé.

4.3.3. *Les possessifs*

Les adjectifs, "mon, ton", etc. seuls fonctionnent comme déterminants, mais les pronoms, "(le) mien, (le) tien", ont la même forme.

Le possessif hindi est en fait la forme complément de nom (génitif) du pronom personnel, c.à.d. la combinaison du pronom et de la postposition का *kâ* . Cette combinaison aboutit à une forme amalgamée dans le cas des deux premières personnes : मेरा *merâ*, "mon (le mien)" correspond à मैं *mèn* + का *kâ*, तेरा *terâ*, "ton (le tien)" à तू *tû* + का *kâ*, तुम्हारा *tumhârâ*, "ton (le tien) à तुम *tum* + का *kâ*, हमारा *hamârâ*, "notre (le nôtre)" à हम *ham* + का *kâ*, mais on a आपका *âpkâ*, "votre (le vôtre)", उसका *uskâ*, "son (le sien)", उनका *unkâ*, "leur (le leur)".

Toutes ces formes varient comme les adjectifs réguliers en -आ -*â*, et en genre, nombre et cas : मेरी *merî*, "ma", pour le féminin, मेरे *mere*, "mes", pour le masculin pluriel. Elles s'accordent avec le nom qui les suit (le possédé), et n'excluent pas la présence d'un autre déterminant : मेरा एक दोस्त *merâ ek dost*, "un de mes amis" (mien un ami).

मेरी यह सहेली आज आ रही है   *merî yah sahelî âj â rahî hè*
"cette amie à moi (ma cette amie) arrive aujourd'hui"

उसके ये दोनों दोस्त मुझे पसंद नहीं
uske ye donon dost mujhe pasand nahîn
"ces deux amis à lui (ses ces deux amis) ne me plaisent pas"

REMARQUES

Comme les pronoms personnels, le possessif, s'il renvoie au sujet principal, prend la forme अपना *apnâ*, unique pour toutes les personnes et déclinable en fonction du nom possédé qui suit :

मैं अपना काम करता हूँ, तुम भी अपना काम करो
mèn apnâ kâm kartâ hûn tum bhî apnâ kâm karo
"je fais mon travail, toi aussi fais ton travail"

Le hindi n'est donc pas ambigu à la troisième personne, alors que le français l'est :

वह अपनी किताब पढ़ता है   vah apnî kitâb parhtâ hè
"il lit son livre (livre appartenant à lui-même)"
वह उसकी किताब पढ़ता है   vah uskî kitâb parhtâ hè
"il lit son livre" (appartenant à un tiers)

L'intensif du possessif ("son *propre*"), qui ne s'emploie qu'après un pronom possessif non réfléchi, ou un nom au cas possessif (+का *kâ*), est aussi अपना *apnâ*, adjoint au pronom :

ये मेरी अपनी किताबें हैं   ye merî apnî kitâben hèn
"ce sont mes propres (*apnî*) livres"

Redoublé, il a une valeur distributive :

हरेक घर अपनी-अपनी सामर्थ्य के अनुसार दान देता है
harek ghar apnî-apnî sâmarthya ke anusâr dân detâ hè
(chaque maison *apnî-apnî* capacité selon don donne)
"chaque foyer fait don selon ses moyens"

4.3.4. *Les indéfinis*

Comme adjectif et pronom ont la même forme en hindi (ainsi que les possessifs, les démonstratifs), nous les présentons aussi ensemble pour éviter les redites, bien que seule, naturellement, la catégorie adjectivale joue un rôle dans la détermination du nom.

Les quantifieurs

कुछ *kuch*, de forme invariable, peut être adjectif, au sens de "quelques" (au pluriel devant animés ou inanimés), "peu de" (au singulier devant inanimé seulement), ou pronom, au sens de "quelque chose, certains" :

कुछ महिलाएं गा रही थीं
kuch mahilâen gâ rahî thîn
"quelques femmes chantaient"

कुछ चाय पियो   kuch cây piyo   "bois un peu de thé"
कुछ करो   kuch karo   "fais quelque chose"

कुछ गाते थे कुछ रोते थे   kuch gâte the kuch rote the
"certains chantaient, certains pleuraient"

Nié, il a le sens de "rien" : कुछ नहीं *kuch nahîn*. कुछ *kuch* a aussi un emploi adverbial et signifie alors "un peu" :
वह कुछ बीमार है vah kuch bîmâr hè "il est un peu malade"

कुछ न कुछ *kuch-na-kuch* signifie "une chose ou une autre", "à un quelconque vague degré", "un minimum de" :
कुछ न कुछ तो देना पड़ा   kuch na kuch to denâ parâ
"il a bien fallu (*parâ*) donner un petit quelque chose"

कोई *koî*, pronom, signifie "quelqu'un" (animé singulier seulement), et adjectif, "un certain, quelque" :
कोई आया   koî âyâ   "quelqu'un est venu"
कोई आदमी आया koî âdmî âyâ   "un homme est venu"

La forme oblique est किसी *kisî* :
किसी को बुलाओ   kisî ko bulâo   "appelle quelqu'un"
किसी नौकर को बुलाओ kisî naukar ko bulâo
"appelle un domestique"

Nié, il a le sens de "personne", "aucun" : कोई नहीं *koî nahîn*.
कोई छात्र नहीं है koî châtr nahîn hè "il n'y a aucun élève"
कोई नहीं आया है koî nahîn âyâ hè "personne n'est venu"

कोई-न-कोई *koî-na-koî*, (oblique किसी-न-किसी *kisî-na-kisî*), signifie "quelqu'un, quel qu'il soit" :
कोई-न-कोई छात्र तो आएगा
koî-na-koî châtr to (particule) âegâ
"il y a bien un élève qui viendra"

Enfin, comme "quelque" français il peut servir d'adverbe marquant l'approximation : कोई दस लड़के *koî das larke*, "environ dix enfants, quelque dix enfants".

L'adjectif indéfini distributif "chaque" se dit हर *har*, et le pronom "chacun" se dit हर कोई *har koî* (litt. "tout quelqu'un"), हरेक *harek* (litt. "tout un") étant pronom et adjectif.

हर किसी को बताइए कि... har kisî ko batâie ki...
"dites à chacun que..."

हर आदमी अपनी पत्नी को ले आया
har âdmî apnî patnî ko le âyâ
"chaque homme amena sa femme"

Mais la même valeur peut aussi s'exprimer par le redoublement du numéral quand la phrase en contient un (voir M.3.1, remarque).

कई *kaî*, invariable, "plusieurs" (pronom et adjectif)
कई लोग भाग रहे थे   kaî log bhâg rahe the
"plusieurs personnes s'enfuyaient"
उनमें से कई आएँगे   unmen se kaî âenge
"plusieurs d'entre eux viendront"
ऐसे कई लोगों को जानता हूँ जो...èse kaî logon ko jântâ hûn jo...
"j'en connais plusieurs qui..."

सब *sab*, invariable, "tous, tout"
सब लोग   sab log   "tous les gens, tout le monde"
सब आए थे   sab âe the   "tous étaient venus"
Au neutre, il est souvent renforcé par कुछ *kuch* :
सब कुछ बताओ   sab kuch batâo   "raconte tout"

सब *sab*, déterminant de la totalité comme collection complète d'unités, ne doit pas être confondu avec सारा *sârâ*, "tout, toute", variable comme un adjectif, qui indique qu'une entité, le plus souvent non comptable, est intégralement prise en compte : सारा दूध *sârâ dûdh*, "tout le lait", सारी रात *sârî rât*, "toute la nuit" (= रात-भर *rât-bhar*, litt. "nuit pleine"), सारा काम *sârâ kâm*, "tout le travail", où सारा *sârâ* est quasi synonyme de पूरा *pûrâ*, "complet".

Parmi les déterminants de l'identité, ऐसा *èsâ*, "tel", s'oppose à दूसरा *dûsrâ*, "autre", ainsi qu'à और *aur*, qui peut avoir le sens de "autre" :

दूसरे लोग *dûsre log* "d'autres gens, les autres"
और आदमी आएंगे *aur âdmî âenge* "d'autres gens viendront"

ऐसी बात मत कहो *èsî bât mat kaho* "ne dis pas une telle chose"
इस तरह की बात *is tarah kî bât*, litt. "une chose de cette
sorte"

La particule ही *hî*, "seul, juste, même", dont le sens est restrictif
ou intensif (voir M.4.4), peut servir à traduire l'identité : एक ही
बात है *ek hî bât hè*, "c'est la même chose", उसी साल *usî sâl*, "la
même année".

REMARQUE SUR LES DISPOSITIFS DE DÉFINITUDE ET SPÉCIFICITÉ

- Le suffixe -वाला *-vâlâ*, bien qu'il ne soit pas un déterminant,
parmi ses nombreuses valeurs, marque, quand il s'adjoint à un
adjectif, qu'on sélectionne une unité dans un ensemble, et a la
valeur de l'article défini spécifique   हरीवाली साड़ी *harîvâlî sârî*,
"le sari vert", हरीवाली *harîvâlî*, "le vert", par sélection dans une
série d'autres couleurs. Il correspond dans cet emploi à
l'interrogatif कौन-सा *kaun-sâ*, "(le)quel", qui s'oppose aussi par
le trait "sélection d'une unité à l'intérieur d'un ensemble" à
l'interrogatif non marqué कौन *kaun*, क्या *kyâ*.

- Inversement au nom nu sans article, l'adjonction d'un
indéfini comme "certain", "un quelconque", "quelques",
impose une interprétation indéfinie souvent analogue au sens
produit par l'article indéfini français :
   कुछ लोग खड़े थे   *kuch log khare the*
   "certaines personnes étaient debout"
   "il y avait des gens debout"
   कोई आदमी आ रहा था   *koî âdmî â rahâ thâ*
   "un homme arrivait"

- Quand le substantif est objet, il y a une autre manière de
distinguer indéfini et défini, recoupant la distinction
spécifique/ non spécifique : la postposition को *ko*, "à", marque
le caractère défini et spécifique de l'objet inanimé (voir S.1.1).

4.4. Les particules (enclitiques) ही *hî* et भी *bhî*

Ces deux particules, qui portent sur l'élément qu'elles suivent, sont surtout courantes dans le groupe nominal (nom, démonstratif, adjectif, etc.). ही *hî* est restrictif, contrastif, plus généralement focalisateur :

राम ही जाएगा râm hî jâegâ
"Ram ira lui-même (et pas tel autre)"
आज ही *âj hî*, "aujourd'hui même"
उसी दिन *usî din*, "ce jour même"
अच्छा ही *acchâ hî*, "vraiment bien"
एक ही आदमी *ek hî âdmî*, "un seul homme"

La particule *hî* se soude à certains pronoms et adverbes, produisant les formes amalgamées suivantes : सभी *sabhî*, "tous", मुझी *mujhî*, "moi-même" (oblique), तुझी *tujhî* (oblique) et तुम्हीं *tumhîn*, "toi-même", इसी *isî*, उसी *usî*, "ce/lui/elle même" (oblique), हमीं *hamîn*, "nous-mêmes", उन्हीं *unhîn* et इन्हीं *inhin*, "ceux/eux/elles mêmes" (oblique), जिन्हीं *jinhîn* (pronom relatif oblique), यहीं *yahîn*, "ici-même", वहीं *vahin*, "là-même", जभी *jabhî*, "juste quand", तभी *tabhî*, "juste alors". Mais on garde आप ही *âp hî*, "vous-mêmes", मैं ही *mèn hî*, "moi-même", तू ही *tû hî*, "toi-même".

Entre deux pronoms redoublés, il signifie "uniquement, seul" : तू ही तू *tû hî tû*, "toi seul, rien que toi".

भी *bhî* est fondamentalement inclusif, et a les sens de "aussi, encore", et répété, sert de double coordination, "et...et"

वह भी आएगा vah bhî âegâ "lui aussi viendra"
सीता भी आएगी निशा भी आएगी sîtâ bhî âegî nishâ bhî âegî
"et Sita et Nisha viendront"

Mais il a aussi une valeur concessive dans la locution फिर भी *phir bhî*, "pourtant", ou après un participe "malgré" (voir S. 2.6), et une valeur généralisante et virtualisante après indéfinis et relatifs ("n'importe qui, quoi, quand, où") :

कुछ भी हो सकता है   kuch bhî ho saktâ hè
"n'importe quoi peut arriver"

कहीं भी जा सकते हो   kahîn bhî jâ sakte ho
"tu peux aller n'importe où, où que ce soit"
(quelque part *bhî*)

कोई भी यह काम कर सकता है   koî bhî yah kâm kar saktâ hè
"n'importe qui peut faire ce travail"

जहाँ भी जाओ   jahân bhî jâo   "où que tu ailles"

जब भी चाहोगे   jab bhî câhoge
"quand tu voudras, n'importe quand"

REMARQUE
   Ces deux clitiques peuvent aussi intervenir sur le groupe
verbal :
वह जानता भी नहीं vahvjântâ bhî nahîn
"il ne sait même pas"
वह कह ही रहा था   vah kah hî rahâ thâ
"il était juste en train de dire"
वह खेल्ता ही नहीं, पीता भी हैं   vah kheltâ hî nahîn, pîtâ bhî hè
"il ne fait pas que jouer, il boit aussi"

तो *to*, clitique aussi très courant, exprime entre autres la
focalisation (ou thématisation) parfois, mais pas toujours
contrastive

मैं तो जाऊँगा mèn to jâûngâ   "quant à moi j'irai"
यह तो सच है   yah to sac hè   "ça c'est vrai"

   Quand il n'est pas clitique il signifie "alors", et peut
notamment introduire une principale après une subordonnée
temporelle (après une conditionnelle il est obligatoire).

5.. LE GROUPE VERBAL

Par commodité, les formes du verbe sont présentées ici avec leurs contextes d'emploi, à l'exception des problèmes affectant l'ensemble de la structure de la phrase, qu'on trouvera dans la partie syntaxe.

Une des particularités de la conjugaison hindi est d'avoir très peu de formes simples (passé simple, impératif, irréel, subjonctif présent). Presque tous les temps sont composés à l'aide d'un auxiliaire ("être", होना *honâ*), y compris le présent de l'indicatif. En outre, un système bien fourni d'auxiliaires d'aspect se superpose à la plupart des temps. Ainsi, à l'intérieur même du non accompli, il y a deux présents, et deux imparfaits, selon que l'action est représentée en train de se dérouler (aspect actualisé) ou comme une habitude, une action à valeur générale ou un état. Nous adoptons la présentation traditionnelle, par modes, en donnant toutefois la priorité aux temps de base, les aspects secondaires qui peuvent s'y superposer étant traités ensuite. Pour chaque forme étudiée, les désinences après la base verbale (V-) sont indiquées à la troisième personne masculin singulier entre crochets.

La négation du verbe est नहीं *nahîn* à l'indicatif, न *na* dans les autres cas.

5.1. Les formes non conjuguées : infinitifs et participes

5.1.1. *L'infinitif ou nom verbal* [V-*nâ*]

जाना *jânâ*, "aller", करना *karnâ*, "faire", देना *denâ*, "donner" sont des infinitifs qui s'emploient comme sujets, objets, et peuvent être suivis de diverses postpositions et donc au cas oblique (-*e*) comme les noms masculins auxquels l'apparente la désinence -*â* :

ऐसे रोना अच्छा नहीं है   èse ronâ acchâ nahîn hè
(ainsi pleurer bien pas est) "ce n'est pas bien de pleurer ainsi"
चिल्लाने से क्या फ़ायदा ?   cillâne se kyâ fâydâ ?
(crier par quel profit)   "A quoi sert de crier ?"
काम करने के लिए kâm karne ke lie   "pour travailler"

आने पर   âne par   (arriver sur)   "en arrivant"

आने में मुझे दो घंटे लगते हैं
âne men mujhe do ghan*te* lagte hèn
(venir dans à-moi deux heures sont mises)
"je mets deux heures à venir"

खाना खाने के बाद मैं चली जाऊँगी
khânâ khâne ke bâd mèn calî jâûngî
(repas manger après je partirai)
"je partirai après avoir mangé"

Un complément de lieu (où l'on va) se présente sans postposition en hindi, qu'il s'agisse d'un nom   (voir M-4.1) ou d'un verbe :

वह सब्जियाँ लेने (बाज़ार) गया है
vah sabziyân lene bâzâr gayâ hè
(légumes prendre-O marché est allé)
"il est allé (au marché) acheter des légumes"

Le sujet de l'infinitif, non exprimé, est celui du verbe principal, même si celui-ci n'est pas à la forme directe (voir S-1.2-5). S'il est différent, il doit être exprimé comme un complément de nom, à la forme possessive (+ *kâ*) :

मेरे दोस्त के आने पर सीता चली गई
mere dost ke âne par sîtâ calî gaí
(mon ami de venir sur Sita partit)
"à l'arrivée de mon ami, Sita s'en alla"

माँ के बुलाने पर वह जल्दी गाँव वापस आया
mân ke bulâne par vah jaldî gânv vâpas âyâ
(mère de appeler sur il vite village re- vint)
"à l'appel de sa mère il rentra en hâte au village"

L'infinitif oblique suivi de पर भी *par bhî* exprime la concession
न चाहने पर भी na câhne par bhî (pas vouloir *par bhî*)
"sans le vouloir", "malgré soi"
Notez bien que la négation de l'infinitif est न *na*, et non नहीं *nahîn*.

5.1.2. *Les participes* [V-*tâ* et V-*â*]

Les deux participes du hindi correspondent à peu près aux participes présent et passé du français, mais l'aspect, respectivement inaccompli et accompli, prime sur le temps : l'aspect inaccompli, marqué par -ता -*tâ*, correspond à une action en train de se dérouler, alors que l'aspect accompli, (radical-*â*) correspond au résultat d'une action finie : बैठता *bèthtâ*, "s'asseyant", बैठा *bèthâ*, "assis" (de बैठना *bèthnâ*, "s'asseoir").

Emploi adjectival

Le participe adjectival, qu'il soit accompli ou inaccompli, précède le nom qu'il modifie et s'accorde avec lui :

चिल्लाता लड़का cillâtâ laṛkâ
(criant garçon) "le garçon qui crie"
बहता पानी bahtâ pânî, "eau courante"
चाय पीता आदमी cây pîtâ âdmî
(thé buvant homme) "l'homme qui boit du thé"
उबला पानी ublâ pânî, "eau bouillie"
उबलता पानी ubaltâ pânî, "eau bouillante"
पढ़ी किताबें paṛhî kitâben, "livres lus"

IRRÉGULARITÉS

देना *denâ*, "donner", लेना *lenâ*, "prendre", पीना *pînâ*, "boire", font respectivement au participe passé दिया (दी, दिए) *diyâ* (*dî, die*), लिया (ली, लिए) *liyâ* (*lî, lie*), पिया (पी, पिए) *piyâ* (*pî, pie*). करना *karnâ*, "faire" et encore plus irrégulier : किया (की, किए) *kiyâ* (*kî, kie*).

Le participe du verbe होना *honâ*, "être" a les formes suivantes : होता *hotâ* (होती *hotî*, होते *hote*), "étant", et हुआ *huâ* (हुई *huî*, हुए *hue*), "ayant été". हुआ *huâ* s'adjoint très souvent à un participe sans en modifier considérablement le sens : चिल्लाता हुआ बच्चा *cillâtâ huâ baccâ*, "l'enfant qui crie", उबला हुआ पानी *ublâ huâ pânî*, "eau bouillie".

L'agent de l'action, peut figurer dans le groupe participial, à la forme du complément de nom (+*kâ*) :

रमेश की पढ़ी हुई किताब ramesh kî pa*rh*î huî kitâb
(Ramesh de lu *huî* livre)   "le livre qu'a lu Ramesh".
तुम्हारी भेजी हुई चिट्ठी tumhâ*rî* bhejî huî ci*tth*î
(de toi envoyée *huî* lettre)   "la lettre que tu as envoyée"
माँ का दिया हुआ रुमाल mâ*n* kâ diyâ huâ rumâl
"le mouchoir que (m')a donné ma mère" (donné de mère)

Emploi adverbial

Le participe dans ce cas se place après le nom et avant le verbe principal qu'il modifie, et est généralement, mais pas toujours, à la forme oblique en -*e* (*hue*), invariable :

बच्चा चिल्लाते हुए मेरी ओर देख रहा था
baccâ cillâte hue me*rî* or dekh ra*h*â thâ
(enfant criant *hue* ma direction regardait progr)
"l'enfant me regardait en criant"

वह किताब लिए अंदर आया vah kitâb lie andar âyâ
"il entra avec (portant : ayant pris, donc tenant) un livre"

मोहिनी नीली साड़ी पहने हुए थी mohinî nîlî sâ*rî* pahne hue thî
"Mohini portait un sari bleu (était ayant mis un sari bleu)"

Le participe inaccompli postposé au nom et donc à valeur adverbiale reste pourtant au cas direct s'il modifie un verbe de mouvement, cas où il est peu naturel de le déplacer en français :

लड़की गाती हुई आ रही थी la*rk*î gâtî huî â rahî thî
(fille chantant *huî* venait progr)
"la fille venait en chantant"

वह सिगरेट सुल्गाता हुआ उठ गया
vah sigare*t* sulgâtâ huâ u*th* gayâ
"il se leva en allumant une cigarette"

Pour les autres emplois adverbiaux (-ने ही -*te hî*, dès que, -ए

बिना -*e binâ*, "sans", -ते हुए भी -*te hue bhî*, "malgré") ainsi que pour le redoublement de la forme adverbiale, voir S-1.6.2-3.

5.1.3. L'"*absolutif*" ou participe conjonctif (V-*kar*)

Invariable, il se forme en suffixant -कर *kar* à la base (parfois -के -*ke*, parfois aucun suffixe) et exprime essentiellement une relation de coordination, le premier verbe se présentant sous la forme non conjuguée. Le verbe करना *karnâ*, "faire" a pour absolutif करके *karke*.

अंदर आकर बैठो andar âkar bè*th*o
(dedans venir-*kar* assieds-toi)   "entre et assieds-toi"

5.2. L'impératif

Il a trois formes, toutes de deuxième personne (pour les autres, on emploie le subjonctif) : le radical nu, désinence -ओ -*o*, désinence –इए -*ie*, selon qu'on s'adresse au तू *tû* familier, au तुम *tum* neutre ou au आप *âp* respectueux : बोल *bol*, बोलो *bolo*, बोलिए *bolie* "parle, parlez".

En outre, la forme dite de politesse marquée (-इएगा –*iegâ*) a surtout une valeur future et euphémisante :

आप बैठिएगा âp bè*th*iegâ   "voulez-vous vous asseoir"
कुछ खाइएगा kuch khâiegâ
"vous mangerez bien quelque chose"

IRRÉGULARITÉS

कर *kar*, करो *karo*, "fais", mais, कीजिए *kîjie* "faites" : ले *le*, "prends", mais लो *lo* (et non *लेओ *leo*), लीजिए *lîjie* , "prends, prenez" ; दे *de*, "donne", mais दो *do*, दीजिए *dîjie* , "donne, donnez" ; पी *pî*, "bois", mais पिओ / पियो *pio* / *piyo*, पीजिए *pîjie*, "bois, buvez".

La négation spécifique est मत *mat*. न *na* est aussi fréquent, moins catégorique. Mais on peut trouver, toujours avec un effet emphatique, la négation नहीं *nahîn* qui est alors rejetée après le verbe : घबराओ नहीं *ghabrâo nahîn*, "ne t'inquiète pas" (ou मत घबराओ *mat ghabrâo*, ou घबराओ मत *ghabrâo mat*).

L'infinitif peut aussi servir de substitut à l'impératif, dans une valeur de prescription générale comme en français, et aussi future, non immédiate : फिर आना *phir ânâ*, "revenez (de nouveau venez)".

5.3. L'indicatif

5.3.1. *Le présent*

5.3.1.1. Verbe होना *honâ*, "être"

Il sert de copule mais aussi d'auxiliaire dans la formation des temps composés. La personne तुम *tum* est présentée, comme आप *âp*, avec le pluriel, car la morpho-syntaxe est celle du pluriel (l'attribut se met au pluriel).

singulier	pluriel
मैं हूँ mèn hûn	हम हैं ham hèn
तू है tû hè	तुम हो tum ho
	आप हैं âp hèn
वह है vah hè	वे हैं ve hèn

On retrouve le *-o* caractéristique de तुम *tum*, comme à l'impératif.

Cette forme de présent, dit simple, correspond à la valeur de *honâ* auxiliaire et copule :

मैं अध्यापक हूँ mèn adhyâpak hûn "je suis enseignant"
तुम बड़े हो tum bare ho "tu es grand"

5.3.1.2. Le présent général (V-*tâ hè*)

Il s'oppose au présent actualisé ou progressif, à peu près comme l'anglais oppose ses deux présents simple et progressif. Le présent général du hindi est formé du participe inaccompli et du présent de होना *honâ* tous deux accordés avec le sujet:

मैं चलता हूँ mèn caltâ hûn "je marche"

Le marqueur de présent est l'auxiliaire et c'est le seul à

indiquer la personne ; le participe par contre signale le genre
et le nombre (-*â* pour le masculin singulier, -*î* pour le féminin,
-*e* pour le masculin pluriel).

singulier	pluriel
मैं चलता / चलती हूँ	हम चलते / चलती हैं
mèn caltâ / caltî hûn	ham calte / caltî hèn
तू चलता / चलती है	तुम चलते / चलती हो
tû caltâ / caltî hè	tum calte / caltî ho
	आप चलते / चलती हैं
	âp calte / caltî hèn
वह चलता / चलती है	वे चलते / चलती हैं
vah caltâ / caltî hè	ve calte / caltî hèn

Le verbe होना *honâ*, "être", a aussi un présent dit général, de la
même forme que les autres verbes (participe présent + présent
de l'auxiliaire *honâ*), s'il a un sens existentiel, ou si, comme
copule, il traduit une vérité générale, ou une propriété
inhérente, une nature constitutive :

ऐसे लोग होते हैं *èse log hote hèn*
(ainsi gens sont)   "il existe des gens comme ça"

राजा लोग धनी होते हैं *râjâ log dhanî hote hèn*
"les rois sont riches" (par nature, l'espèce roi est riche)

दुनिया की कोई जंग ख़त्म नहीं होती, रुक जाया करती है
duniyâ kî koî jang khatm nahîn hotî, ruk jâyâ kartî hè
(monde de quelque émeute fini pas est, s'arrête-fréq)
"aucune émeute au monde ne finit, elle s'interrompt"
C'est dans la nature de l'émeute d'être infinie, l'apaisement est
d'habitude (forme du fréquentatif, voir 5.6.1.2) provisoire. De
même, des pommes vertes par nature auront leur présent avec
होता *hotâ*, alors que celles qui sont vertes parce qu'elles ne sont
pas encore mûres auraient la copule simple :

यहाँ के सेब हरे होते हैं, कश्मीर के सेब की तरह लाल नहीं होते
yahân ke seb hare hote hèn, kashmîr ke seb kî tarah lâl nahîn hote
(ici de pommes vertes sont, Cachemire celles de façon
rouge pas sont)
"les pommes d'ici sont vertes, elles ne sont pas rouges

comme celles du Cachemire"

5.3.1.3. Le présent actualisé ou progressif [V *rahâ hè*]

Après le radical nu, l'auxiliaire रहा *rahâ* et le présent de
होना *honâ*, s'accordent tous deux avec le sujet :
मैं चल रहा हूँ / चल रही हूँ mèn cal rahâ hûn / cal rahî hûn
"je suis en train de marcher, je marche"

singulier	pluriel
मैं चल रहा हूँ / चल रही हूँ	हम चल रहे हैं / चल रही हैं
mèn cal rahâ hûn / cal rahî hûn	ham cal rahe hèn /cal rahî hèn
तू चल रहा है / चल रही है	तुम चल रहे हो / चल रही हो
tû cal rahâ hè / cal rahî hè	tum cal rahe ho / cal rahî ho
	आप चल रहे हैं / चल रही हैं
	âp cal rahe hèn / cal rahî hèn
वह चल रहा है / चल रही है	वे चल रहे हैं / चल रही हैं
vah cal rahâ hè / cal rahî hè	ve cal rahe hèn / cal rahî hèn

EMPLOI DES PRÉSENTS

तुम कहाँ जा रहे हो? tum kahân jâ rahe ho ? "où vas-tu ?"
- मैं स्कूल जा रहा हूँ mèn skûl jâ rahâ hûn "-je vais à l'école,"
मैं रोज़ जाता हूँ mèn roz jâtâ hûn "j'(y) vais tous les jours".

इस समय आप क्या कर रही हैं ?
is samay âp kyâ kar rahî hèn ?
"que faites-vous en ce moment (précis)?
- हम हिंदी का व्याकरण पढ़ रहे हैं.
ham hindî kâ vyâkaran parh rahe hèn
"nous sommes en train d'étudier la grammaire du hindi".

L'emploi du présent général est donc systématique avec
हमेशा *hameshâ*, "toujours", अक्सर *aksar*, "souvent", कभी–कभी
kabhî-kabhî, "parfois", et celui du présent actualisé avec इस
समय *is samay*, "en ce moment, à l'instant, pour le moment", etc.

Avec la négation (नहीं *nahîn*), l'auxiliaire de présent "être"
est fréquemment omis. Dans ce cas. au féminin pluriel, il y a
transfert, sur le participe, de la nasalisation qui autrement

affecte l'auxiliaire "être". Ce qu'on peut généraliser ainsi : la nasalisation se porte exclusivement sur le dernier segment verbal.

ये लड़कियाँ स्कूल नहीं जातीं ye larkiyân skûl nahîn jâtîn
"ces jeunes filles ne vont pas à l'école"
वे घर का काम करती हैं ve ghar kâ kâm kartî hèn
"elles s'occupent (font le travail) de la maison"

5.3.2. *L'imparfait*

Il reproduit au passé la même distinction que le présent, actualisé ou non.

5.3.2.1. L'imparfait général [V-*tâ thâ*]

Il est formé du participe inaccompli suivi de l'auxiliaire être au passé था *thâ* (masculin), थी *thî* (féminin), थे *the* (masculin pluriel), थीं *thîn* (féminin pluriel).

मैं चलता था mèn caltâ thâ "je marchais" (masculin)

singulier	pluriel
मैं चलता था / चलती थी mèn caltâ thâ / caltî thî	हम चलते थे / चलती थीं ham calte the / caltî thîn
तू चलता था / चलती थी tû caltâ thâ / caltî thî	तुम चलते थे / चलती थीं tum calte the / caltî thîn
	आप चलते थे / चलती थीं âp calte the / caltî thîn
वह चलता था / चलती थी vah caltâ thâ / caltî thî	वे चलते थे / चलती थीं ve calte the / caltî thîn

5.3.2.2 L'imparfait actualisé ou progressif [V *rahâ thâ*]

Il se forme de façon analogue au présent actualisé, l'auxiliaire de passé था *thâ* au lieu de celui de présent *hûn* :

मैं चल रहा था mèn cal rahâ thâ "j'étais en train de marcher"

singulier	pluriel
मैं चल रहा था / चल रही थी	mèn cal rahâ thâ / cal rahî thî
तू चल रहा था / चल रही थी	tû cal rahâ thâ / cal rahî thî
वह चल रहा था / चल रही थी	vah cal rahâ thâ / cal rahî thî
हम चल रहे थे / चल रही थीं	ham cal rahe the / cal rahî thîn
तुम चल रहे थे / चल रही थीं	tum cal rahe the / cal rahî thîn
आप चल रहे थे / चल रही थीं	âp cal rahe the / cal rahî thîn
वे चल रहे थे / चल रही थीं	ve cal rahe the / cal rahî thîn

A la différence du présent, l'imparfait du verbe "être" (था, थी, थे, थीं, *thâ, thî, the, thîn*) ne porte que des indications de genre et de nombre, et non de personne.

EMPLOI DES IMPARFAITS

वे रोज़ स्कूल जाती थीं ve roz skûl jâtî thîn
"tous les jours elles allaient à l'école"

इंद्रजीत कभी बोल्ता था, कभी चुप रहता था
indrajît kabhî boltâ thâ, kabhî cup rahtâ thâ
"Indrajit tantôt parlait, tantôt se taisait (silencieux restait)"

सात बजे थे, बच्चे अपना पाठ पढ़ रहे थे, माँ खाना बना रही थी
sât baje the, bacce apnâ pâ*th* pa*rh* rahe the, mân khânâ banâ rahî thî
"il était sept heures, les enfants étudiaient leurs leçons,
maman préparait la cuisine"

Les deux aspects de l'imparfait contrastent comme les deux présents :

आम तौर पर रामचंद्र जंगल के रास्ते से आता था,
âm taur par râmcandra jangal ke râste se âtâ thâ,
"d'habitude Ramchandra venait par le chemin de la forêt,

लेकिन आज जब वह गाँव के रास्ते से आ रहा था तभी...
lekin âj jab vah gânv ke râste se â rahâ thâ tabhî...
"mais aujourd'hui alors qu'il arrivait par le chemin du
village, juste à ce moment..."

कभी-कभी ऐसा होता था कि...
kabhî-kabhî èsâ hotâ thâ ki... "il arrivait parfois que..."

क्या हो रहा था?   kyâ ho rahâ thâ ?
"que se passait-il ?" (en ce moment là)

Il existe aussi un imparfait dit court, ou tronqué, ou encore "indéfini habituel", qui se présente sans l'auxiliaire *thâ*, et ne se rencontre qu'à l'écrit, dans des contextes déjà explicitement au passé inaccompli d'habitude. Le féminin pluriel est alors nasalisé sur son segment unique, comme au présent négatif sans copule.

5.3.3. *Le futur* [V-*egâ*]

C'est un temps composé à l'origine, à partir du subjonctif auquel s'ajoute -गा -*gâ* (de la base "aller"), mais aujourd'hui perçu comme une unité. -गा *gâ* porte les marques de genre et de nombre, le premier segment verbal portant les marques de personne comme le verbe "être" :

मैं चलूँगा mèn calûngâ   "je marcherai"
मैं जाऊँगा mèn jâûngâ   "j'irai"

Notez que la voyelle indiquant la personne (ऊ *ûn*) s'écrit différemment selon que le radical se termine par une consonne ou une voyelle.

singulier	pluriel
मैं चलूँगा / चलूँगी	हम चलेंगे / चलेंगी
mèn calûngâ / calûngî	ham calenge / calengî
तू चलेगा / चलेगी	तुम चलोगे / चलोगी
tû calegâ / calegî	tum caloge / calogî
	आप चलेंगे / चलेंगी
	âp calenge / calengî
वह चलेगा / चलेगी	वे चलेंगे / चलेंगी
vah calegâ / calegî	ve calenge / calengî

- Au féminin pluriel, la nasalisation n'affecte que la désinence personnelle sur le radical, et non le -गी *gî* final.
- Le futur dit immédiat s'exprime par l'infinitif oblique + वाला *vâlâ* et la copule है *hè* (en contexte affirmatif seulement) :

वह जानेवाला है vah jânevâlâ hè "il va partir"
L'imminence s'exprime, aussi en contexte affirmatif, par
l'infinitif oblique suivi de la postposition *ko* et la copule *hè* :
वह जाने को है vah jâne ko hè "il est sur le point de partir"

5.3.4. *Le système 'perfectal' ou les temps de l'accompli*

Il y a trois formes de l'accompli à l'indicatif, une forme
simple, globalement assimilable à un passé simple français, et
deux formes composées par l'adjonction du marqueur de
temps होना *honâ*, au présent (है *hè*, "est", pour la valeur de passé
composé) et au passé (था *thâ*, "était'", pour la valeur de plus-
que-parfait). Ce groupe se caractérise par la représentation de
l'action comme un tout global et accompli, quelle que soit sa
valeur temporelle, et ne correspond pas tout-à-fait au perfectif
des langues slaves (il n'entre pas dans les mêmes oppositions
avec l'inaccompli que le perfectif avec l'imperfectif). Aspect
fermé, ou délimité, ou encore déterminé, il signifie que si on
se représente spatialement l'action, son champ est limité, borné
par une frontière. En cela elle s'oppose à l'imparfait, à
référence temporelle semblable, qui représente l'action de
l'intérieur (actualisé) ou comme une habitude, sans limitation,
et crée donc un espace ouvert : dans "elle lisait", rien ne
précise la limite du procès ni à gauche ni à droite. Au
contraire, "elle a lu, elle avait lu" précisent une limite à droite
(respectivement le temps de la parole, présent, et un passé par
rapport à l'énonciation).
    La terminologie française que nous adoptons n'est pas
entièrement adéquate mais plus familière au lecteur.

5.3.4.1. Le "passé simple" [V-*â*]

C'est la forme simple de l'accompli, formée du radical
auquel s'ajoutent les désinences de genre et de nombre -*â*, -*î*,
-*e* , -*în*. Il est donc identique au participe accompli, sauf au
féminin pluriel.

मैं चला mèn calâ "je marchai"

singulier	pluriel
मैं चला / चली mèn calâ / calî	हम चले / चलीं ham cale / calîn
तू चला / चली tû calâ / calî	तुम चले / चलीं tum cale / calîn
वह चला / चली vah calâ / calî	आप चले / चलीं âp cale / calîn
	वे चले / चलीं ve cale / calîn

Comme *calnâ*, le verbe *honâ* "être" a aussi un passé simple semblable à son participe passé : हुआ *huâ* (ms), हुई *huî* (fs), हुए *hue* (mp), la forme de féminin pluriel étant la seule qui se distingue du participe par la nasalisation, हुईं *huîn* (fp).

Les irrégularités sont les mêmes que pour les participes passés, dont la forme est analogue : किया *kiyâ*, "fis", लिया *liyâ*, "pris", दिया *diyâ*, "donnai", पिया *piyâ*, "bus". जाना *jânâ*, "aller", fait गया *gayâ*, "allai", Les verbes dont le radical se termine par une voyelle autre que /u/ ajoutent un –य- -y- avant la désinence -â (आया *âyâ*, 'vins', सोया *soyâ*, "dormis") Notez bien la nasalisation au féminin pluriel :

लड़कियाँ हँसीं la*r*kiyân hans̃în, "les jeunes filles rirent".

REMARQUES

- Le passé simple hindi est dans l'usage contemporain identifiable à notre passé simple de l'écrit, mais certains emplois en proposition subordonnée notamment (voir S. 2.2) manifestent qu'à l'origine il n'avait pas de valeur temporelle précise, et ne traduisait que l'aspect global, accompli de l'action. On trouve même cette valeur "détemporalisée" en proposition indépendante :

वे अब नहीं रहे ve ab nahîn rahe, "il n'est plus"
(litt. il-honorifique maintenant ne demeura pas).

- Valeur particulière : le passé simple exprime souvent le futur immédiat (comme le présent actualisé et général) :

मैं अभी आता हूँ / मैं अभी आ रहा हूँ / मैं अभी आया
mèn abhî âtâ hûn / mèn abhî â rahâ hûn / mèn abhî âyâ
"j'arrive tout de suite" (viens, viens progr, vins)

5.3.4.2. Le passé composé [V-*â hûn*]

Il est formé du participe passé ou accompli et de l'auxiliaire de présent है *hè*.

मैं चला हूँ mèn calâ hûn "j'ai marché"

singulier	pluriel
मैं चला / चली हूँ mèn calâ / calî hûn	हम चले /चली हैं ham cale / calî hèn
तू चला / चली है tû calâ / calî hè	तुम चले /चली हो tum cale / calî ho
वह चला / चली है vah calâ / calî hè	आप चले /चली हैं âp cale / calî hèn
	वे चले /चली हैं ve cale / calî hèn

Comme l'indiquent les formes de droite, il n'y a pas de nasalisation sur le féminin du participe, l'auxiliaire seul est nasalisé :

लड़कियाँ बोली हैं la*r*kiyân bolî hèn "les filles ont parlé"

Les deux formes (simple, et composée avec *hè*) correspondent à des emplois nettement distincts en hindi, exactement comme en français écrit le passé simple est distinct du passé composé. Ce dernier indique le résultat présent d'une action passée, son prolongement jusqu'au moment présent ou sa simple incidence sur le présent, alors que l'action passée ponctuelle disjointe du présent est exprimée par le passé simple. La difficulté est que le français oral ne distingue plus les deux formes puisqu'il n'emploie plus le passé simple, dont les valeurs sont donc prises en charge par le passé composé. Il est commode de transposer en langage écrit ce que vous avez envie de dire. Ainsi "il y a un mois mon frère est allé aux USA, il y a acheté une vidéo et il est revenu la semaine dernière" correspond dans une narration écrite à "il y a un mois, mon frère alla aux USA, y acheta une vidéo et revint la semaine dernière", et s'exprimera toujours en hindi oral et écrit comme suit :

एक महीने पहले मेरा भाई अमेरिका गया, वहाँ एक वीडियो ख़रीदा
ek mahîne pahle merâ bhâî amerikâ gayâ, vahân ek vî*d*yo *kh* a*r*îdâ
और पिछले हफ़्ते वापस आया
aur pichle hâfte vâpas âyâ

Inversement वह अमेरिका गया है *vah amerikâ gayâ hè*, signifie qu'il "est allé" aux USA et qu'il peut y être encore, ou que ce voyage a une pertinence actuelle. Le trait statique résultatif peut être souligné par l'adjonction du participe accompli de होना *honâ* :

वे तीनों नीचे गए हुए हैं ve tînon nîce gae hue hèn
"tous trois sont descendus (allés en bas)" = sont en bas

5.3.4.3. Le plus-que-parfait [V-*â thâ*]

Sur le plan formel, il est symétrique du passé composé, le marqueur de passé (था, थे, थी, थीं, *thâ, the, thî, thîn* pour les masculin singulier et pluriel, féminin singulier et pluriel respectivement) se substituant au marqueur de présent *hè* : nous ne détaillons donc pas le paradigme.

मैं चला था mèn calâ thâ "j'avais marché"

Sur le plan sémantique, il marque une époque passée par rapport à un passé, lui-même passé par rapport au présent de l'énonciation avec un double repérage donc :

जब मै वहाँ पहुँचा, तब वह चला गया था
jab mèn vahân pahuncâ tab vah calâ gayâ thâ
"quand j'arrivai là-bas (alors) il était parti"

वह एक सेमिनार में आया था, सोचा, जब यहाँ आया ही हूँ...
vah ek seminâr men âyâ thâ, socâ, jab yahân âyâ hî hûn...
"il était venu à un séminaire. [il] pensa, du moment que je suis venu ici..."

VALEURS SPÉCIALES : ce temps ordinairement "relatif" (fonction lui-même d'un autre repère temporel passé) équivaut souvent au passé simple, sans double repérage donc, mais simplement antérieur au moment de l'énonciation. L'action est alors représentée comme nettement disjointe du présent, sans pour autant en être forcément très reculée.

तुमसे अभी–अभी कहा था कि tumse abhî-abhî kahâ thâ ki
(à-toi maintenant-maintenant avais dit que)
" t'ai dit à l'instant que..."

NB. L'ensemble de ce système perfectal ou accompli entraîne

pour les verbes transitifs une construction spéciale dite *ergative*, dans laquelle le verbe s'accorde avec son complément d'objet et non avec l'agent (voir S.1.2.).

5.4. Le subjonctif [V-*e*]

Le subjonctif simple (ou présent) est formellement identique à la première moitié du futur (sans le -*gâ* final).

मैं चलूँ mèn calûn "que je marche"

(l'expression, surtout à la troisième personne, चलें *calen*, a le sens usuel de "allons-y ! on y va ?")

singulier	pluriel
मैं चलूँ mèn calûn	हम चलें ham calen
तू चले tû cale	तुम चलो tum calo
	आप चलें âp calen
वह चले vah cale	वे चलें ve calen

Le verbe होना *honâ* "être" a un subjonctif irrégulier : मैं हूँ ou होऊँ, *mèn hûn* ou *hoûn*, तू हो *tû ho*, वह हो *vah ho*, हम हों *ham hon*, तुम हो (होओ) *tum ho (hoo)*, आप हों *âp hon*, वे हों *ve hon*.

Le subjonctif moderne est issu du présent simple sanscrit, dont on retrouve encore la valeur dans des textes hindi anciens. Il exprime comme en français le souhait et se trouve plus souvent dans des propositions subordonnées (voir S.2.2, 2.4. et 2.7-8), ou dans les alternatives introduites par चाहे... चाहे *câhe... câhe*, "soit... soit".

भगवान करे / चाहे / जाने bhagvân kare / câhe / jâne

"dieu fasse / veuille / sait "

मैं चाहती हूँ कि वह आए mèn câhtî hûn ki vah âe

"je veux qu'il vienne" (qu'ils viennent : वे आएँ ve âen)

आए *âe* est donc à la fois le masculin pluriel du passé simple, et le masculin singulier du subjonctif à la troisième personne : "ils vinrent, qu'il vienne". आओ *âo* est le subjonctif et l'impératif de la 2° personne तुम *tum* : "que tu viennes, viens".

La négation du subjonctif est न *na*.

मैं यह काम करूँ या न करूँ ? mèn yah kâm karûn yâ na karûn ?

(je fasse ou pas fasse ce travail) "je le fais ou non ?"

न जाने वह क्या कर रहा है na jâne vah kyâ kar rahâ hè

"qui sait (pas sache) ce qu'il fabrique en ce moment"

Le subjonctif peut aussi se superposer à l'aspect progressif :

हो सकता है कि वह सो रहा हो ho saktâ hè ki vah so rahâ ho

"il est possible qu'il soit en train de dormir"

Il y a deux temps composés du subjonctif, formés sur chacun des deux participes suivis du subjonctif de *honâ* "être", la forme accomplie étant la plus employée et marquant le passé révolu : वह चला हो *vah calâ ho*, "qu'il ait marché". La construction ergative s'impose alors si le verbe est transitif (S-1.2).

हो सकता है कि सब कुछ देखा हो
ho saktâ hè ki sab kuch dekhâ ho
"c'est possible qu ('il) ait tout vu"

La forme de l'habituel est formée sur le participe inaccompli, mais elle est beaucoup plus rare (देखता हो *dekhtâ ho*, "qu'il regarde / regardât [souvent]") :

ऐसा शब्द हो रहा था जैसे मेघ गरजता हो
èsâ shabd ho rahâ thâ jèse megh garajtâ ho
(tel bruit était progr comme nuage tonnât habituel)
"il y avait un tel vacarme qu'on aurait dit que le tonnerre grondait"

REMARQUE

Le subjonctif exprimant le doute, on peut le trouver après शायद *shâyad*, "peut-être", à la différence du français. A la forme composée accomplie et accompagné de शायद ...कभी *shâyad... kabhî*, la mise en doute prend un sens négatif, même en l'absence de négation explicite :

इतना अजीब आदमी शायद ही उसने कभी देखा हो
itnâ ajîb âdmî shâyad hî usne kabhî dekhâ ho
"sans doute n'avait-il jamais vu homme aussi étrange"
(et non "peut-être a-t-il un jour vu homme aussi étrange" qui serait le sens littéral).

5.5. l'irréel [V-*tâ*]

Sa forme simple est analogue au participe inaccompli, à la différence près du féminin pluriel, qui est nasalisé.

वह चलता vah caltâ   "il marcherait / il aurait marché"
वे चलतीं ve caltîn "elles marcheraient / auraient marché"

Cette forme simple, employée après "si" comme dans la principale, peut avoir une référence temporelle passée, mais qu'elle réfère à un présent ou à un passé, elle est toujours liée à une condition non réalisée, d'où le nom "irréel" (du présent ou du passé en français : voir S.2.2).

मैं डरती तो यहाँ आती ही क्यों ? mèn *d*artî to yahân âtî hî kyon ?
je craindrais alors ici viendrais juste pourquoi ?
"[si] j'avais peur pourquoi justement serais je venue ?"

La négation est न *na*.

Comme le subjonctif, l'irréel a deux temps composés formés sur chacun des deux participes suivi de l'irréel du verbe "être", होता *hotâ* (होती *hotî*, होते *hote*, होतीं *hotîn*), le premier (habituel) très rare, et le second renvoyant à un passé ponctuel accompli, les verbes transitifs imposant dans ce dernier cas la structure ergative.

अगर वह जीता रहता तो वह पढ़ता होता
agar vah jîtâ rahtâ to vah pa*rh*tâ hotâ
"s'il était resté vivant il ferait des études (étudierait)"

अगर मैंने उसे न बुलाया होता तो वह न आया होता
agar mènne use na bulâyâ hotâ to vah na âyâ hotâ
"si je ne l'avais pas invité, il ne serait pas venu"

Comme le subjonctif, l'irréel peut marquer le progressif :
वे घूम रहे होते ve ghûm rahe hote
"ils seraient en train de se promener"

5.6. Les aspects secondaires

Ils se superposent aux temps de l'indicatif, ainsi que, moins fréquemment, du subjonctif, voire de l'impératif, et de l'infinitif. Ils peuvent qualifier l'intérieur du procès ou sa totalité (5.6.1), ou les marges du procès (5. 6. 2).

5.6.1. *Qualification du procès*

5.6.1.1. Le duratif, ou continuatif [V-*tâ rahâ hè*]

Il est formé du participe inaccompli suivi de l'auxiliaire रहना *rahnâ*, conjugué à divers temps de l'indicatif (présent général, futur, passé simple, passé composé, plus-que-parfait, imparfait général), du subjonctif, de l'impératif.

L'équivalent le plus proche de cette forme est l'anglais "keep V-*ing*" ("he keeps singing, he kept singing all night, keep breathing"), ou la périphrase française, moins grammaticalisée, "ne cesser de, ne pas arrêter de, continuer à".

वह मुग्ध-सा ताकता रहा vah mugdh-sâ tâktâ rahâ
"il resta subjugué à observer" (regarda fixement duratif)
अभ्यास करते रहो abhyâs karte raho
"continue à pratiquer (faire exercice)"

Le continuatif-progressif au présent ou imparfait [V-*tâ jâ rahâ hè* ou *thâ*, parfois V-*tâ calâ jâ rahâ hè* ou *thâ*], ou au passé accompli [V-*tâ calâ gayâ*, V-*tâ âyâ*] représente l'action comme à la fois constante et se développant ou augmentant d'intensité.

दिन-ब-दिन महँगाई बढ़ती जा रही है
din-ba-din mahangâî barhtî jâ rahî hè
"de jour en jour la cherté [de la vie] augmente"

वह अपनी ही रौ में बोल्ता चला गया
vah apnî hî rau men boltâ calâ gayâ
"il continua de plus belle à parler sur sa lancée"

Employés parfois, mais plus rarement, avec le participe

accompli, ces mêmes auxiliaires peuvent avoir une valeur d'insistance :

वह शर्म से पानी–पानी हुई जा रही है

vah sharm se pânî-pânî huî jâ rahî hè

"elle se sent fondre de honte" (de honte eau-eau devient)

5.6.1.2. L'itératif ou fréquentatif [V-*â kartâ hè*]

La répétition ou l'habitude s'exprime avec le participe accompli à la forme invariable du masculin singulier (-*â*) suivi de l'auxiliaire *karnâ* conjugué et accordé avec le sujet. Le sens est comparable à la forme de l'anglais "used to" mais s'en distingue en ce qu'il peut se superposer à d'autres temps que l'imparfait :

वे लोग हमारे यहाँ आया करते थे

ve log hamâre yahân âyâ karte the

"ces gens venaient continuellement chez nous"

दिसम्बर के महीने में, वहाँ का मौसम ख़राब हुआ करता है

disambar ke mahîne men, vahân kâ mausam *kh*arâb huâ kartâ hè

"au mois de décembre, le temps là-bas est régulièrement mauvais"

बच्ची गाया करेगी baccî gâyâ karegî

"la fillette chantera régulièrement"

जाना *jânâ* "aller" a dans cet aspect une forme spéciale, जाया *jâyâ* (et non गया *gayâ*, son participe accompli)

बॉस के पास जाया करो और उनसे बात किया करो

bâs ke pâs jâyâ karo aur unse bât kiyâ karo

"va fréquemment chez le chef et parle lui"

5.6.2. *Les marges du procès*

5.6.2.1. L'inceptif [V-*ne lagtâ hè*]

Il marque le début d'une action, "se mettre à, commencer à" et se forme avec l'infinitif oblique et l'auxiliaire लगना *lagnâ* (litt. "se coller, être fixé, toucher") conjugué. Cet aspect est incompatible avec la négation, avec le progressif, et la construction ergative.

वह बोल्ने ल्गा vah bolne lagâ "il se mit à parler"
वह दस बजे काम करने ल्गता है vah das baje kâm karne lagtâ hè
"il se met à travailler (faire travail) à dix heures"

La périphrase शुरू करना *shurû karnâ* ou आरंभ करना *ârambh
karnâ*, "commencer de", se construit avec l'infinitif direct et
n'impose aucune des contraintes mentionnées :
वह काम करना शुरू कर रहा है
vah kâm karnâ shurû kar rahâ hè
"il commence de travailler"

5.6.2.2. Le terminatif [V *cukâ hè*]

Le verbe principal sous la forme du radical nu est suivi de
l'auxiliaire चुकना *cuknâ* (litt. être acquitté, soldé) conjugué à
l'accompli. Cet aspect est comme le précédent incompatible
avec la négation, le progressif, la construction ergative.

हम खाना खा चुके थे ham khânâ khâ cuke the
"nous avions fini de manger"

क्या तुम अमेरिका जा चुके हो ? kyâ tum amerikâ jâ cuke ho ?
"es-tu déjà allé en Amérique ?"

हाँ पहले ही जा चुका हूँ hân, pahle hî jâ cukâ hûn
"oui, j'y suis déjà allé auparavant"

La périphrase बंद करना, ख़त्म करना *band karnâ*, kha*tm
karnâ*, "finir de", construite avec l'infinitif direct est libre des
contraintes grammaticales indiquées plus haut :
वह बात करना बंद नहीं करता vah bât karnâ band nahîn kartâ
"il n'en finit pas de parler, il n'arrête pas de parler"

5. 7. Les modalités

5.7.1. *La probabilité ou présomptif* |verbe conjugué *hogâ*]

Pour énoncer un fait sans l'asserter positivement, comme
"il doit être en train de traîner dans la rue, il sera encore en
train de traîner dans la rue", le hindi utilise l'auxiliaire "être" au

futur (होगा *hogâ*), qui se conjugue et s'adjoint à la forme conjuguée de la façon suivante :
- en se substituant à l'indicateur de présent pour l'habituel (a), le progressif (b), le passé composé (c) :

a- वह आठ बजे घर लौटता है ---> लौटता होगा
   vah â*th* baje ghar lau*t*â hè----> lau*t*â hogâ
   "à huit heures il rentre à la maison ---> doit rentrer"

b- अब बच्चे सो रहे हैं ---> सो रहे होंगे
   ab bacce so rahe hèn ---> so rahe honge
   "à présent les enfants dorment ---> doivent dormir"

c- वे पहुँची हैं ---> वे पहुँची होंगी
   ve pahuncî hèn ---> pahuncî hongî
   "elles sont arrivées ---> doivent être arrivées"

- en s'ajoutant simplement à une forme de passé simple
d- वह पाँच बजे पहुँची होगी. फिर दिल्ली की गाड़ी पकड़ी होगी
   vah pânc baje pahuncî hogî, phir dillî kî gâ*r*î pak*r*î hogî
   "elle dut arriver à 5 heures, puis (dut) prendre le train de Delhi"

Divers adverbes et locutions, ces dernières le plus souvent suivies du subjonctif, peuvent aussi traduire cette modalité : जरूर *zarûr*, "sûrement", शायद *shâyad*, "peut-être", हो सकता है (कि) *ho saktâ hè* (*ki*), "il se peut que", संभव / मुमकिन है (कि) *sambhav / mumkin hè* (*ki*), "il est possible (que)".

5.7.2. La possibilité [V *saknâ / pânâ*]

"Pouvoir" a deux expressions en hindi, de même construction, mais non commutables.
L'auxiliaire सकना *saknâ* indique la capacité, la simple possibilité :

मैं अंदर आ सकता हूँ ? mèn andar â saktâ hûn ?
"je peux entrer ? "

d'où ses emplois comme auxiliaire désignant des aptitudes :

वह बोल सकता है vah bol saktâ hè
"il peut parler", donc "il sait parler"
वह तैर सकता है vah tèr saktâ hè "il sait nager".

Il est incompatible avec l'aspect actualisé, et la structure ergative :

टाइपिस्ट चिट्ठी समय पर भेज सकी
*ṭ*âipis*ṭ* ci*ṭṭ*hî samay par bhej sakî
"la secrétaire a pu envoyer la lettre à temps"

L'auxiliaire पाना *pânâ* au contraire (qui à la différence de सकना *saknâ* s'emploie aussi comme verbe indépendant, au sens de "trouver", "obtenir"), est uniquement employé avec la négation ou dans des environnements "paranégatifs" (questions, irréel, etc.), et dans le sens de "ne pas parvenir à, ne pas réussir à". Il exprime donc une impossibilité à la fois forte et liée à des contraintes extérieures :

मैं नहीं आ पाऊँगा mèn nahîn â pâûngâ
"je serai dans l'impossibilité de (ne réussirai pas à) venir"
क्या तुम यह काम कर पाओगे ? kyâ tum yah kâm kar pâoge ?
"est-ce que tu parviendras à faire ce travail ?"

Comme सकना *saknâ*, il est incompatible avec la structure ergative, mais à la différence de सकना *saknâ*, il accepte l'aspect progressif :

वह समझ नहीं पा रहा था vah samajh nahîn pâ rahâ thâ
"il n'arrivait pas à comprendre"

L'impossibilité, l'inaptitude ou l'inadéquation peuvent s'exprimer par l'infinitif oblique suivi du suffixe -वाला *vâlâ*, de la négation et de la copule है *hè* ou, en style familier, par l'infinitif oblique suivi de का *kâ* (की *kî*) et de la copule है *hè* :

मैं शादी करनेवाला नहीं हूँ mèn shâdî karnevâlâ nahîn hûn
(je mariage faire-*vâlâ* pas suis)
मैं शादी करने का नहीं हूँ mèn shâdî karne kâ nahîn hûn
(je mariage faire de pas suis)
"pas question que je me marie, je ne suis pas homme à me marier"

Le permissif est à peu près l'équivalent de notre "laisser + V" et se construit avec l'infinitif oblique suivi du verbe "donner" देना *denâ* conjugué :

उसे बोल्ने दीजिए   use bolne dîjie "laissez-le parler"
वह मुझे नहीं जाने देगी   vah mujhe nahîn jâne degî
"elle ne me laissera pas partir"
रहने दो   rahne do "laisse tomber (rester)"

REMARQUES

1-L'"acquisitif" (V-ने पाना *–ne pânâ*), rare, est une contrepartie pseudo-passive du permissif, ne portant pas sur l'agent mais sur le patient :

वह जाने न पाए vah jâne na pâe (subjonctif)
"qu'on ne le laisse pas partir"
(qu'il ne lui soit pas permis de partir)
गाँव से उनका सम्पर्क टूटने न पाया
gânv se unkâ sampark *tû/*ne na pâyâ
(village avec leur contact se briser pas fut laissé)
"[ils] ne laissèrent pas se rompre leur lien avec le village"

2- L'habituel "assertif", rare, होता है/था *hotâ hè/thâ*, marque une action habituelle et le sentiment du locuteur qu'il s'agit d'une habitude invétérée, souvent introduite par जब देखो *jab dekho*, "litt. quand tu regardes", "à tous les coups", ou जब कभी *jab kabhî*, "chaque fois" :

जब कभी उससे मिल्ती हूँ वह सिगरेट पीना होता है / पी रहा होता है
jab kabhî usse miltî hûn vah sigre*t* pîtâ hotâ hè / pî rahâ hotâ hè
"chaque fois que je le rencontre, (à tous les coups) il fume une cigarette / il est en train de fumer"

La modalité déontique (obligation) est traitée dans la section syntaxique (S.1.4) car elle implique une restructuration générale de l'énoncé.

5.8. Le passif

La voix passive se forme avec l'auxiliaire जाना *jânâ*, "aller" précédé du participe accompli, qui s'accordent tous deux en genre et en nombre avec le sujet, c.à.d. l'ex-objet de la phrase active correspondante. L'agent, rarement exprimé, est suivi de la postposition के द्वारा *ke dvârâ* :

पुल्सि के द्वारा छापा मारा गया *pulis ke dvârâ châpâ mârâ gayâ*
police par raid fut frappé "il y eut une descente de police"

वह कब पकड़ा जाएगा ? *vah kab pakrâ jâegâ*
"quand sera-t-il attrapé ?"

उचित कार्य किया जा रहा है *ucit kârya kiyâ jâ rahâ hè*
(convenable action est faite progr)
"on prend des mesures appropriées"

Plusieurs particularités distinguent l'emploi du passif hindi de celui du passif français.

- L'ex-"objet", plus justement le patient, devenu "sujet" du passif, peut garder sa postposition को *ko* s'il en était suivi dans la phrase active correspondante, ce qui est le cas pour une personne (voir S.1.1.). Comparez :

पुल्सि चोर को मार रही है *pulis cor ko mâr rahî hè*
"la police tabasse le voleur"
चोर को मारा गया *cor ko mârâ gayâ*
"le voleur fut tabassé"

Le verbe ne s'accorde alors ni avec le patient, ni avec l'agent, du reste souvent sous-entendu, mais prend la forme neutralisée du masculin singulier -*â* comme dans la structure ergative (voir S.1.2.)

- Les verbes intransitifs peuvent être mis au passif, sous certaines conditions, avec diverses valeurs modales :
-a) en phrase toujours négative ou paranégative, et avec un agent suivi de la postposition से *se*, le passif signifie l'incapacité absolue :

मुझसे चला नहीं गया *mujhse calâ nahîn gayâ*
"je fus totalement incapable de marcher"
उससे बोला नहीं जाता *usse bolâ nahîn jâtâ*
"il ne peut pas parler" (est incapable d'articuler un mot)

La même valeur s'attache aux transitifs dans les mêmes conditions.

(मुझसे) बताया नहीं जाता (mujh se) batâyâ nahîn jâtâ
"c'est indicible" (ne peut être dit)

-b) en phrase affirmative, ou négative, toujours au présent général, il a valeur de prescription :

आम ऐसे खाया जाता है âm èse khâyâ jâtâ hè
"il faut manger la mangue ainsi, la mangue se mange ainsi"

इस तरह हँसा नहीं जाता, रोया नहीं जाता
is tarah hansâ nahîn jâtâ, royâ nahîn jâtâ
(cette façon rire pas passif, pleurer pas passif)
"on ne doit pas rire ainsi ni pleurer ainsi"

-c) au subjonctif, il a valeur de suggestion euphémisée :
कुछ टहला जाए ? kuch *t*ahlâ jâe ?
(un peu soit flâné) "si on se promenait un peu ?"

Les verbes dits intransitifs de sens passif fournissent un autre moyen courant d'omettre l'agent (voir M-5.9). A la différence du "vrai" passif, ils représentent des processus spontanés, comme टूटना *tûtn*â, "se casser, être cassé" vs तोड़ना *tor*nâ "casser" :

वह नहीं टूटेगा vah nahîn *tût*egâ "ça ne se cassera pas"
वह तोड़ा गया vah to*r*â gayâ "ça a été cassé" (par quelqu'un)

5.9. La causation : "faire faire"

La causation en hindi touche à la morphologie dérivationnelle, mais les irrégularités de la dérivation causative sont telles qu'on trouve les entrées séparées dans la plupart des dictionnaires. On peut dériver un transitif factif d'un intransitif (promener < se promener), un causatif d'un transitif (nourrir / faire manger < manger / faire voir, montrer < voir). Le hindi ne recourt ni au changement lexical ni à la périphrase en "faire" comme le français, mais à un suffixe de dérivation : -â. Par exemple, sur घूमना *ghûmnâ* "se promener", घुमाना *ghumânâ* "promener", sur चलना *calnâ* "marcher", चलाना *calânâ* "faire marcher, conduire", sur करना *karnâ* "faire", कराना *karânâ* "faire faire". La dérivation peut avoir pour effet d'allonger la voyelle radicale (निकलना *nikalnâ* "sortir", निकालना *nikâlnâ* "faire sortir, extraire", कटना *katnâ* "être coupé", काटना *kâtnâ* "couper"), ou de la modifier (रुकना *ruknâ* "s'arrêter", रोकना *roknâ* "arrêter", दिखना *dikhnâ* "se voir, sembler", देखना *dekhnâ* "regarder, voir", दिखाना *dikhânâ* "faire voir, montrer"). Parfois, elle entraîne des modifications de consonnes (टूटना *tûtnâ* "se briser, être cassé", तोड़ना *tornâ* "casser", छूटना *chûtnâ* "être lâché, partir", छोड़ना *chornâ* "lâcher, quitter, abandonner", पीना *pînâ* "boire", पिलाना *pilânâ* "faire boire", खाना *khânâ* "manger", et de même खिलाना *khilânâ* "faire manger, nourrir", सोना *sonâ* "dormir", सुलाना *sulânâ* "faire dormir, endormir").

A partir de cette série déjà dérivée, une seconde dérivation peut s'opérer, à l'aide du suffixe -वा *–vâ* toujours régulier, adjoint à une base qui reprend parfois les irrégularités de la première dérivation : ainsi, de उठना *uthnâ* "se lever", उठाना *uthânâ* "soulever", et उठवाना *uthvânâ* "faire soulever", बनना *bannâ* "être fait", बनाना *banânâ* "fabriquer", et बनवाना *banvânâ* "faire faire", धुलना *dhulnâ* "être lavé", धोना *dhonâ* "laver", धुलवाना *dhulvânâ* "faire laver", de टूटना *tûtnâ* "se casser" et तोड़ना *tornâ*, "casser", तुड़वाना *turvânâ* "faire casser", खिलवाना *khilvânâ* "faire donner à manger", पिलवाना *pilvânâ* "faire donner à boire". L'action obtenue suppose alors un agent secondaire, exprimé à l'aide de la postposition से *se* :

रामदीन अपनी गाड़ी ड्राइवर से चलवाता है
Râmdîn apnî gârî drâivar se calvâtâ hè
"Ramdin fait conduire sa voiture par un chauffeur"

[ड्राइवर गाड़ी चलाता है – गाड़ी चलती है
drâivar gârî calâtâ hè -- gârî caltî hè
le chauffeur conduit la voiture -- la voiture marche]

मैं नौकर से खाना बनवाता हूँ
mèn naukar se khânâ banvâtâ hûn
"je fais préparer le repas par le serviteur"

[नौकर खाना बनाता है --˙ खाना ऐसे बनता है
naukar khânâ banâtâ hè -- khânâ èse bantâ hè
le domestique prépare le repas -- le repas se prépare ainsi]

उसने धोबी से अपने कपड़े धुल्वाए
usne dhobî se apne kapre dhulvâe
"il a fait laver ses vêtements par le blanchisseur"

वह अपनी किताबें एक ही प्रकाशक से छपवाता है
vah apnî kitâben ek hî prakâshak se chapvâtâ hè
"il fait imprimer ses livres par le même éditeur"

REMARQUE
        Si l'agent secondaire est "affecté", c.à.d. s'il bénéficie de
cette action, il est exprimé à l'aide de la postposition को *ko* :

माँ बच्चे को दाल चखाती है mân bacce ko dâl cakhâtî hè
"la mère fait goûter (apprécier) les lentilles à (*ko*) l'enfant"

माँ बच्चे से दाल चखवाती है mân bacce se dâl cakhvâtî hè
"la mère fait goûter (tester) les lentilles par (*se*) l'enfant"

5.10. Les locutions verbales

        Leur formation relève plus de la morphologie et du
lexique que de la conjugaison, mais permet un processus de
transitivation et détransitivation qui s'apparente au contraste
passif / actif.
        Une grande partie des prédicats du hindi s'exprime par un
composant adjectival (a), adverbial (b) ou nominal (c), et par
un verbe de type soit "être" soit "faire". Par exemple, il n'y a
pas de verbe simple pour "fermer", ni "finir", mais une
locution verbale formée de l'adjectif "fermé" (बंद *band*) ou de
l'adverbial "fini" (ख़त्म kh*atm*) suivi du verbe "faire" :

a-   दरवाज़ा बन्द करो darvâzâ band karo "ferme la porte"
      मैं अपना सामान तैयार कर रही हूँ
      mèn apnâ sâmân tèyâr kar rahî hûn
      "je suis en train de préparer (faire prêt) mes affaires"

b- पहले अपना काम ख़त्म करो pahle apnâ kâm *kh*atm karo
"finis d'abord ton travail"

De même, il n'y a pas de verbe "attendre", "organiser", mais
une locution verbo-nominale "attente faire", प्रतीक्षा / इंतज़ार
करना *pratîkshâ / intazâr karnâ*, "organisation faire", प्रबंध /
इंतज़ाम करना *prabandh / intazâm karnâ.*

c- आप किसकी प्रतीक्षा कर रहे हैं? âp ki*s*kî pratîk*sh*â kar rahe hèn?
(vous qui-de attente faites) "qui attendez-vous ?"

वे बड़े सम्मेलन का इंतज़ाम करेंगे
ve ba*r*e sammelan kâ intazâm kare*n*ge
(ils grande conférence de organisation feront)
"ils organiseront une grande conférence"

Ces expressions verbo-nominales régissent souvent, mais
pas toujours, leur objet comme un complément de nom (+ का
kâ ou की *kî* selon le genre du formant nominal de la locution,
comme dans l'exemple c). Elles permettent souvent de choisir,
sur le plan du vocabulaire, entre terme sanscrit et arabe ou
persan : का इंतज़ाम करना *kâ intazâm karnâ* est d'origine arabe,
का प्रबंध करना *kâ prabandh karnâ* d'origine sanscrite, pour le
même sens d'"organiser". Ainsi का इंतज़ार करना *kâ intazâr
karnâ* (ar.), की प्रतीक्षा करना *kî pratîkshâ karnâ* (scr.) "attendre",
(का) इस्तेमाल करना *(kâ) istemâl karnâ* (ar.), avec ou sans
postposition, का प्रयोग करना *kâ prayo*g *karnâ* (scr.) "utiliser", शुरू
करना *shurû karnâ* (ar.), आरंभ करना *ârambh karnâ*
"commencer", परेशानी होना *pareshânî honâ* (per.), चिंता होना
cintâ honâ (scr.), "s'inquiéter", शादी करना *shâdî karnâ* (per.),
विवाह (ब्याह) करना *vivâh* (scr.) *(byâh) karnâ*, "se marier".
Substituons "être" à "faire" et l'énoncé, intransitif du coup,
devient l'équivalent de notre pseudo-passif français,
l'impersonnel "on" :

एक सम्मेलन का इंतज़ाम हुआ ek sammelan kâ intazâm huâ
(une conférence de organisation fut)
"on organisa une conférence"

काम कब शुरू हो जाएगा ? kâm kab shurû ho jâegâ ?
"quand le travail commencera-t-il ?
quand commencera-t-on le travail ?"

On voit pourquoi le passif est rare en hindi : la langue
dispose d'autres dispositifs de passivation, qu'il s'agisse des
verbes intransitifs de sens passif ou des locutions verbales
construites avec un verbant non actif.

Dans certains cas, la substitution de होना *honâ* "être" à करना
karnâ "faire", ne correspond pas à un contraste véritable
actif/passif, mais, quand il s'agit non plus d'actions mais de
sentiments ou d'états (affectifs, cognitifs), à un contraste entre
processus involontaire et processus volontaire ou
consciemment assumé. L'énoncé garde le même nombre de
participants contrairement aux deux derniers exemples, mais
le sujet devient un expérient au cas oblique +को *ko* (voir
S.1.3) :

मुझे (इससे) परेशानी हो रही है mujhe (isse) pareshânî ho rahî hè
à moi (ceci par) souci est-progressif "je m'(en) inquiète"
उसको याद आया कि usko yâd âyâ ki
à lui souvenir vint que "il se souvint que"

La construction d'une locution verbale (avec postposition,
comme *intazâr honâ*, ou sans, comme *shurû honâ*), doit
s'apprendre comme un fait de vocabulaire, car il n'y a pas de
règles. Par ailleurs, quelques rares locutions ont la double
construction : *kâ istemâl honâ* ou *istemâl honâ*, "s'utiliser,
servir" et *(kâ) istemâl karnâ* "utiliser", *(kâ) anubhav honâ /
karnâ* "ressentir, éprouver", *(kî) yâd honâ / ânâ / karnâ*, "se
souvenir".

5.11. Les "explicateurs" verbaux

Particularité du hindi, comme de toutes les langues
indiennes, cette construction est très difficile à maîtriser pour
l'apprenant car ses emplois sont idiomatiques et malgré de
nombreuses recherches, on ne peut en donner de règles
véritables. Le verbe principal, sous la forme du radical nu, est

suivi d'un second verbe conjugué semi-auxiliarisé, qui lui
confère diverses valeurs, soit aspectuelles, soit directionnelles,
soit subjectives. La structure est incompatible avec la négation,
le progressif, l'inceptif, le terminatif. Le plus courant de ces
explicateurs est जाना *jânâ* "aller", très employé avec les
intransitifs (sauf avec *jânâ*, qui n'a jamais d'explicateur lui-
même) :

वह निकल गया vah nikal gayâ	"il sortit"
पेड़ टूट गया peṛ tût gayâ	"l'arbre se cassa"
(*vs* पेड़ टूटा है peṛ tûtâ hè	"l'arbre est cassé")
वह आ गया है vah â gayâ hè	"il est arrivé"

Ce dernier exemple (litt. venu alla), montre bien que le sens
littéral n'est pas conservé. Employé avec un verbe d'état,
l'explicateur *jânâ* le transforme en processus inchoatif
("devenir") :

लाल हो जाना *lâl ho jânâ*	"rougir"
वे बड़े हैं ve baṛe hèn	"ils sont grands"
वे बड़े हो गए हैं ve baṛe ho gae hèn	"ils ont grandi"

लेना *lenâ* et देना *denâ*, "prendre" et "donner", après des verbes
transitifs, servent à indiquer l'orientation de l'action, vers le
sujet et loin du sujet ou vers un tiers respectivement :

मेरा काम जल्दी कर दो merâ kâm jaldî kar do
"fais vite mon travail" (fais donne)
"dépêche-toi de faire ce que je t'ai demandé"

अपना काम जल्दी कर लो apnâ kâm jaldî kar lo
"dépêche-toi de faire ton travail" (fais prends)

Un causatif sera donc généralement suivi de l'explicateur देना
denâ, sauf si le bénéfice de l'action va au sujet (causatif
secondaire) :

मुझे कुछ पिला दो mujhe kuch pilâ do
"donne moi quelque chose à boire" (faire boire donne)
मैंने एक कुर्ता सिल्वा लिया mènne ek kurtâ silvâ liyâ
"je me suis fait faire (faire-coudre pris) une chemise"

सिल्वा दिया *silvâ diyâ*, faire-coudre donnai, signifierait que la chemise est pour un tiers.

Les autres explicateurs les plus fréquents sont, avec les intransitifs : उठना *uthnâ* "se lever", पड़ना *parnâ* "tomber" (soudaineté, impulsivité) ; avec les transitifs : डाल्ना *dâlnâ* "jeter, verser" (action violente irréfléchie), रखना *rakhnâ* "poser, garder" (insistance, constance).

Vu certaines de leurs incompatibilités (progressif, inceptif), on a attribué aux explicateurs une valeur perfectivante (achèvement de l'action jusqu'à son terme). Ils présupposent en outre un contenu notionnel déjà construit dans le discours ou la situation. Ainsi, on aura obligatoirement dans une question sans présupposé comme (a) le verbe simple, mais l'explicateur si l'énoncé s'inscrit sur une attente, comme celle de retardataires attendus à dîner dans (b) :
   a- कोई आया ? *koî âyâ?* "quelqu'un est venu ?"
   b- वे आ गए ! *ve â gae!* "ils sont arrivés (venir aller), les voilà"

Par ailleurs certains explicateurs, comme मारना *mârnâ* "frapper", employé avec un verbe transitif, et plus encore बैठना *bèthnâ* "s'asseoir", employé aussi avec un verbe transitif, ont une valeur dérogatoire (condamnation de l'action) :

न जाने क्या समझ बैठा na jâne kyâ samajh bè*th*â
(pas sache quoi comprendre s'assit)
"dieu sait ce qu'il est allé se mettre dans la tête"

कहीं वह हाथ पैर न तुड़वा बैठे
kahîn vah hâth pèr na tu*r*vâ bè*th*e
(pourvu il mains pieds pas faire casser s'asseye)
"pourvu qu'il n'aille pas (bêtement) se faire briser les os"

SYNTAXE

1. LA PHRASE SIMPLE

Qu'elle comporte autour du prédicat un ou deux participants, la phrase hindi peut être structurée comme la phrase française ("Jean court, Jean lit un livre") ou différemment (dans le cas de "Jean a faim, Jean sait le hindi, Jean a deux frères, Jean a lu un livre"). C'est pourquoi on décrira les faits en fonction des catégories du hindi et non du français : l'aspect et la sémantique du prédicat jouent un rôle aussi important que les notions de sujet et d'objet, pas toujours pertinentes. Par exemple, dans les phrases ci-dessus, Jean est toujours sujet en français, mais il ne l'est pas dans la deuxième série en hindi, tout au moins n'est-il pas au cas direct et n'est-ce pas avec lui que le verbe s'accorde. Par ailleurs, certains faits peuvent sembler exotiques : marque différentielle du complément d'objet, absence du verbe *avoir*, qui a d'importantes répercussions syntaxiques.

1.1. Le complément d'objet marqué (+ को *ko* "à")

1.1.1. *Groupes nominaux*

Les noms désignant des personnes, spécifiques ou non, compléments de verbes transitifs, sont à la forme oblique suivie de la postposition को *ko*, "à", un peu comme en espagnol (*quiero a mi niño*), ce qui rend alors peu effective la notion de complément d'objet direct autant que celle de transitivité.

जर्मींदार बेचारे किसान को मार रहा है
zamîndâr becâre kisân ko mâr rahâ hè
(propriétaire malheureux-O paysan-O *ko* frappe progr)
"le propriétaire frappe le pauvre paysan"

उत्तम को / कई दोस्तों को बुलाओ
uttam ko / kaî doston ko bulâo
"invite Uttam / plusieurs amis" (voir M.4.3.4 rem.)

L'absence de *ko* avec un objet direct humain correspond
toujours à un sens particulier : c'est la fonction représentée par
la personne plus que la personne même qui est mise en
évidence. Par exemple नौकर रखना / लगाना *naukar rakhnâ /
lagânâ*, "embaucher (poser / placer) un domestique", लड़की /
लड़का देखना *larkî* ou *larkâ dekhnâ*, "aller voir un garçon une
fille à marier pour son propre enfant" (litt. regarder une fille /
un garçon).

   La marque को *ko* sur les inanimés indique que le terme
fait l'objet d'une spécification donnée par la situation ou le
contexte (celui que je montre, dont je viens de parler, celui-là
en particulier)

क्या तुम इस फ़िल्म को देख चुके हो?
kyâ tum is film ko dekh cuke ho ?
(est-ce que tu ce-O film-O *ko* voir terminatif)
"as-tu déjà vu ce film-là (en question, dont je te parle)

alors que la même phrase avec यह फ़िल्म, *yah film*, non marqué,
à la forme directe, désignerait simplement *ce film*.
को *ko* est fréquent avec un objet direct pronominalisé, mais il
est toutefois évité s'il y a aussi un objet indirect marqué par
ko :

इसको / इसे मेज़ पर रख दो isko / ise mez par rakh do
celui-ci-O-*ko* table sur pose donne
"pose le sur la table"

मुझे यह दो / दिखाओ
mujhe yah do / dikhâo   "donne / montre le moi"

Pour les inanimés, le principe général est d'associer को *ko* à une entité qui fait l'objet d'une connaissance préalable (spécifiée soit par le contexte, soit par la situation) ; soit encore, quand il s'agit d'abstraits comme समय *samay*, "le temps", मृत्यु *mrityu*, "la mort", सूर्य / सूरज *sûrya / sûraj*, "le soleil", etc., l'entité objet a un référent unique, qui fait donc l'objet d'une connaissance partagée par les interlocuteurs.

समय को कौन रोक सकता है, भाग्य को कौन जानता है ?
samay ko kaun rok saktâ hè, bhâgya ko kaun jântâ hè ?
"qui peut arrêter le temps, qui connaît le destin ?"

1.1.2. को ko *introduisant des propositions objet*

1.1.2.1. L'attribut du complément d'objet
Dans les phrases du type *considérer X comme, traiter X de*, qui prédiquent quelque chose (adjectif ou nom) du COD, celui-ci est toujours suivi de *ko* :

मैं तुमको अपना दोस्त समझता हूँ
mèn tumko apnâ dost samajhtâ hûn
(je tu-*ko* refl ami comprends)
"je te considère comme mon ami"

मैं उनको बड़ा विद्वान मानता हूँ
mèn unko barâ vidvân mântâ hûn
(je lui-*ko* grand savant estime)
"je le considère comme un grand savant"

मैं अच्छे को अच्छा और बुरे को बुरा कहता हूँ
mèn acche ko acchâ aur bure ko burâ kahtâ hûn
"j'appelle (dis) le bien (+ *ko*) bien et le mal (+ *ko*) mal"

मुझको बदमाश मत कहो	mujhko badmâsh mat kaho
(moi-*ko* voyou pas dis)	"ne me traite pas de voyou"

1.1.2.2. Proposition exprimant le laps de temps écoulé

L'expression "il y a un mois (deux jours) que", correspond à une structure hindi inverse de celle du français : le temps écoulé est exprimé par le verbe principal, et le repère initial de cet écoulement, par le participe oblique avec son sujet suivi de *ko* :

उन्हें गए तीन–चार दिन हो चुके हैं
unhen gae tîn-câr din ho cuke hèn
(eux-*ko* partir trois-quatre jours être finis sont)
"il y a/ ça fait déjà trois ou quatre jours qu'ils sont partis"

1.1.2.3. Proposition exprimant l'ordre ("demander / dire à X de")

Le verbe secondaire complément du verbe principal est à l'infinitif au cas oblique suivi de la postposition को *ko*, ou, plus rarement के लिए *ke lie* (familier)

मैं तुमसे जाने को कहता हूँ   mèn tumse jâne ko kahtâ hûn
(je à-toi aller *ko* dis)   "je te dis de partir"

REMARQUE

Rares sont les verbes qui construisent leur complément à l'infinitif direct : चाहना *câhnâ* "vouloir", भूलना *bhûlnâ* "oublier de", जानना *jânnâ* "savoir", सीखना *sîkhnâ* "apprendre à" :

वह साइकिल चलाना नहीं जानता / वह साइकिल चलाना सीखता है
vah sâikil calânâ nahîn jântâ / vah sâikil calânâ sîkhtâ hè
"il ne sait pas faire du (conduire) vélo / il apprend à faire du vélo"

1.1.2.4. Propositions complément des verbes de perception

La structure correspondante aux propositions infinitives du français est participiale en hindi. "J'ai entendu Sita parler à Nisha" se dira "j'ai entendu Sita (*ko*) parlant à Nisha " :

मैंने सीता को निशा से बात करते हुए सुना है
mènne sîtâ ko nîshâ se bât karte hue sunâ hè
(je-erg Sita *ko* Nisha avec parole faisant ai entendu)

उसने हरजीत को चुप-चाप मकान से निकल्ते हुए देखा
usne harjît ko cup-câp makân se nikalte hue dekhâ
(il-erg Harjit *ko* silencieusement maison de sortant vit)
"Il vit Harjit sortir furtivement de la maison"

मैंने दुनिया को बदल्ते देखा
mènne duniyâ ko badalte dekhâ
"j'ai vu changer le monde"

Ces trois exemples présentent un 'sujet' à une forme particulière (+*ne*), à laquelle il a souvent été fait allusion et qu'il est temps de décrire.

1.2. Structure ergative à l'aspect accompli d'un verbe transitif

1.2.1. *La règle à l'aspect accompli*

L'aspect accompli correspond à tout le système accompli conjugué (voir M.5.3.4). Si dans ce système le verbe est transitif, son agent se met à la forme oblique suivie de la postposition spécifique ने *ne*, et c'est avec le "complément d'objet direct", le patient, que s'accorde le verbe : ainsi la phrase au présent a son verbe accordé avec Ram, à la troisième personne du masculin singulier :

राम एक किताब पढ़ रहा है   râm ek kitâb pa*rh* rahâ hè
Ram-ms un livre-fs lit progr 3ms "Ram lit un livre"

Mais elle devient dans le système perfectal :

राम ने एक किताब पढ़ी   "Ram lut un livre"
râm ne ek kitâb-fs pa*rh*î (passé simple-fs)
राम ने एक किताब पढ़ी है   "Ram a lu un livre"
râm ne ek kitâb pa*rh*î hè (passé composé-fs)
राम ने एक किताब पढ़ी थी   "Ram avait lu un livre"
râm ne ek kitâb pa*rh*î thî (plus-que-parfait-fs)

Dans cette série, le verbe s'accorde toujours au féminin singulier, avec *kitâb* "livre". Lorsque l'objet est au féminin pluriel, la désinence du verbe est donc -*în* au passé simple, -*î hèn* au passé composé, -*î thîn* au plus-que-parfait. Mais quand le patient est suivi de *ko* (voir 1.1), le verbe à l'accompli ne s'accorde pas avec lui, ni avec l'agent lui aussi marqué (+*ne*), mais prend la désinence neutralisée -*â* de masculin singulier :

बच्चों ने अपनी माँ को बुलाया
baccon ne apnî mân ko bulâyâ
"les enfants (mp) appelèrent (*â*-ms) leur mère (fs)"

Dans la mesure où l'agent cesse de contrôler l'accord du verbe et n'est pas à une forme directe (l'équivalent du nominatif), il est clair que l'appellation de sujet lui convient assez mal, car c'est l'autre terme qui fonctionne grammaticalement comme tel (le verbe s'accorde avec l'autre terme au cas direct). Les notions d'agent (celui qui fait l'action) et de patient (celui qui la subit) sont plus appropriées dans ce type de phrase, qu'on appelle d'ailleurs parfois la phrase agentive, puisque l'agent y est marqué.

REMARQUES

- le fait que l'objet patient soit sous-entendu ne modifie pas l'accord.

- la présence d'un ou plusieurs autres compléments non plus. Ainsi un verbe transitif pourvu aussi d'un complément d'attribution ou de circonstanciels garde la structure ergative :

अनीता ने अपने भाई के लिए सीता को दो रेशमी रुमाल दिए हैं
anîtâ ne apne bhâî ke lie sîtâ ko do reshmî rumâl die hèn
Anita erg refl frère pour Sita à deux en-soie mouchoirs a donné
"Anita a donné deux mouchoirs de soie à Sita pour son (propre) frère"

(c'est avec *rumâl*, "mouchoirs", mp, que le verbe s'accorde)

1.2.2. *Cas particuliers*

- Objets neutres

Quand le patient ("objet") n'est pas exprimé ni sous-entendu, l'agent prend la marque *ne* et le verbe prend la désinence qui tient lieu de neutre en hindi, le *-â* de masculin singulier :

मैंने खाया है   mènne khâyâ hè   "j'ai mangé"

Quand le patient ("objet") est un démonstratif (यह *yah*, "ceci"), un indéfini (सब *sab*, "tout") ou un interrogatif (क्या *kyâ*, "que, qu'est-ce que"), l'agent prend la marque *ne* et le verbe prend la désinence "neutre" *-â* :

उसने क्या कहा ?   usne kyâ kahâ ?

"qu'a-t-il dit ?"

उसने यह समझाया   usne yah samjhâyâ

"il a expliqué ceci, il l'a expliqué"

मैंने आपको सब कुछ बताया है
mènne âpko sab kuch batâyâ hè
"je vous ai tout raconté"

- Objets propositionnels

"Il dit, dit-il" sera toujours à l'ergatif (उसने कहा *usne kahâ*), car le contenu de l'"objet" est exprimé soit dans la phrase précédente soit dans la complétive qui suit. Ce contenu est une proposition, le verbe prend alors la désinence -â. Par contre, l'énoncé "il a dit une chose" : उसने एक बात कही *usne ek bât* (fs) *kahî* (fs), comporte un "objet" marqué en genre et c'est avec lui que s'accorde le verbe.

EXCEPTIONS

Les verbes intransitifs suivants imposent la structure ergative à l'accompli (désinence neutralisée -â) : खाँसना *khânsnâ*, "tousser", छींकना *chînknâ*, "éternuer".

उसने छींका   usne chînkâ   "il éternua"

Les verbes transitifs भूलना *bhûlnâ*, "oublier", ले जाना *le jânâ*, "emmener, emporter", ले आना *le ânâ*, "amener, apporter", बोलना *bolnâ*, "parler" (une langue par exemple) se construisent comme des intransitifs. Ceci peut s'expliquer : ले जाना *le jânâ* et ले आना *le ânâ* sont formés de deux verbes dont le deuxième est intransitif, भूलना *bhûlnâ* est systématiquement suivi d'un explicateur intransitif :

मैं किताब भूल गया *mèn kitâb bhûl gayâ* "j'ai oublié le livre" et la "transitivité" de बोलना *bolnâ* est douteuse.

समझना *samajhnâ* "comprendre", · prend les deux constructions. Un verbe comme पढ़ना *parhnâ* "étudier" se construit ergativement lorsqu'il porte sur un domaine spécifique ("étudier une langue") mais intransitivement lorsqu'il signifie "faire des études".

1.2.3. *Incompatibilités*

Ce sont les contraintes formelles plus que sémantiques qui comptent dans la délimitation du "système perfectal". Par exemple, un verbe modifié par l'auxiliaire चुकना *cuknâ*, qui indique l'achèvement complet et révolu de l'action, échappe pourtant à la contrainte de l'ergativité, et s'accorde donc avec le sujet.

क्या तुम अमिताभ बच्चन की फ़िल्में देख चुके हो ?
kyâ tum amitâbh baccan kî filmen dekh cuke ho ?
"as-tu déjà vu des films d'Amitabh Bacchan ?"

नहीं, मैंने अमिताभ की एक भी फ़िल्म नहीं देखी
nahîn, mènne amitâbh kî ek bhî film nahîn dekhî
"non, je-erg n'ai pas vu-fs un seul film-fs d'Amitabh"

D'autres auxiliaires bloquent également le mécanisme de l'ergativité : पाना *pânâ*, सकना *saknâ*, "pouvoir", लगना *lagnâ*, "se mettre à, commencer à".

बच्चे बहुत फ़िल्में नहीं देख पाए
bacce bahut filmen nahîn dekh pâe
"les enfants-mp n'ont pas pu-mp voir beaucoup de films"

Par contre, la modalisation du prédicat par le होगा *hogâ* de probabilité ne change pas la construction, ni les modes subjonctif et irréel composés avec le participe accompli :

आपने उसको पहले देखा होगा âpne usko pahle dekhâ hogâ
"vous (erg) avez déjà dû le voir"

मानो बच्ची ने कोई स्वप्न देखा हो
mâno baccî ne koî svapn dekhâ ho
"comme si la fillette (erg) avait fait (vu) un rêve"

अगर तुमने यह बात पहले बताई होती तो...
agar tumne yah bât pahle batâî hotî to...
"si tu (ergatif) avais dit cette chose avant alors..."

Le duratif aussi, même employé à l'accompli, bloque l'ergativité, ainsi que l'emploi d'un explicateur intransitif (voir respectivement M.5.6.1.1 et M.5.11).

1.3. Structure indirecte à expérient ou "sujet au datif"

1.3.1. Construction de l'énoncé

La structure dite à "sujet au datif" existe dans toutes les langues indiennes, pour les énoncés où le prédicat exprime non une action, mais un état ou un procès involontaire.

Que la phrase soit construite autour d'un participant ("Ramesh souffre, a faim") ou deux ("Ramesh déteste les livres, aime le riz *bâsmatî*, jalouse Kumar"), celui qui joue le rôle principal (ou unique), c'est-à-dire l'expérient qui éprouve l'état, le sentiment ou la sensation, est à la forme oblique suivie de को *ko*. Le verbe ne s'accorde jamais avec lui, mais avec l'élément nominal de la locution verbale (a-c) ou avec le second participant (d-e) :

a रमेश को भूख लग रही है ramesh ko bhûkh lag rahî hè
(Ramesh *ko* faim-fs est appliqué-fs)
"Ramesh a faim"

b रमेश को चिंता थी ramesh ko cintâ thî
(Ramesh *ko* souci-fs était-fs)
"Ramesh s'inquiétait"

c रमेश को (इससे) बड़ी खुशी हुई
ramesh ko (isse) baṛî *kh*ushî huî

(Ramesh-ms *ko* (de ceci) grande joie-fs fut-fs)
"Ramesh (en) fut très heureux"

d रमेश को हिंदी आती है   ramesh ko hindî âtî hè
(Ramesh *ko* hindi-fs vient-fs)
"Ramesh connaît le hindî"

e रमेश को तुम्हारी चिट्ठी मिली
ramesh ko tumhârî ci*tt*hî milî
(ramesh *ko* ta lettre-fs fut trouvée-fs)
"Ramesh a reçu ta lettre"

La plupart des prédicats   (en majorité des locutions
verbales) exprimant des processus physiologiques, des
émotions, des sentiments, des états cognitifs, etc., le manque et
le besoin, se construisent ainsi, le second participant jouant le
rôle soit de sujet grammatical soit de complément de nom de
la locution verbo-nominale (voir M.5.11) : अच्छा लगना *acchâ
lagnâ* / पसंद होना *pasand honâ*, "plaire", इच्छा होना *icchâ honâ*,
"avoir envie", महसूस होना *mahsûs honâ*, "ressentir, éprouver",
परेशानी होना *pareshânî honâ*, "se faire du souci", मालूम होना,
mâlûm honâ / (का) पता होना *(kâ) patâ honâ*, "savoir", की कमी
होना *kî kamî honâ*, "manquer de", की जरूरत होना *kî zarûrat honâ*,
"avoir besoin de", etc.

Ces locutions verbales (les verbes simples sont rares),
construites le plus souvent avec le verbe होना *honâ*, "être", ou
un verbe intransitif de sens plutôt passif (médio-statif),
correspondent à des notions qui ne supposent pas un agent
volontaire : il ne contrôle pas le procès, lequel n'est pas
vraiment une action, mais en est plutôt le récepteur (d'où la
marque *ko* de datif), ou le siège.

1.3.2. *Distinction entre action volontaire ou processus
involontaire*

Comme ces locutions sont non agentives (non volontaires),
on ne peut pas les mettre à l'impératif. Pour dire "ne te fais pas
de souci", on sera obligé de transformer l'expression verbale
en substituant à होना *honâ*, "être", करना *karnâ*, "faire", qui
d'ordinaire transforme une locution verbale intransitive de

sens passif en locution transitive :

(तुम) चिंता मत करो
(tum) cintâ mat karo   "ne te fais pas de souci"
(de चिंता करना *cintâ karnâ*
et non चिंता होना *cintâ honâ* "s'inquiéter")

De même याद रखो *yâd rakho*, ou याद करो *yâd karo*, "souviens-toi, n'oublie pas" (souvenir garde, ou fais), par opposition à मुझे याद है *mujhe yâd hè*, "je me souviens" (à-moi souvenir est). L'expression verbale construite avec "faire", employée aussi à d'autres temps-modes, suppose, par rapport à son correspondant intransitif, un sujet véritablement agent, qui exerce un certain contrôle sur l'action et manifeste une certaine volonté :

मैं यह बात याद रखूँगा mèn yah bât yàd rakhûngâ
"je m'en souviendrai"
(délibérément je garderai cela en tête)

Alors que la construction en *ko* exclut l'intervention de la volonté (a), la construction avec le verbe "faire" et sujet non marqué (b) ou agent ergatif (c) peut l'accepter :

a   मुझे पिता जी की याद आई / मुझे पिता जी याद आए
    mujhe pitâ jî kî yâd âî / mujhe pitâ jî yâd âe
    "je me suis souvenu (fortuitement) de mon père"
    "mon père m'est revenu en mémoire"

b   मैं माता-पिता की याद करता रहा
    mèn mâtâ-pitâ kî yâd kartâ rahâ
    "je ne cessais de me souvenir de mes parents"

c   मैंने भगवान को याद किया
    mènne bhagvân ko yâd kiyâ
    j'ai invoqué le Seigneur"   (évocation délibérée)

REMARQUE

Notez la double construction de याद होना / करना *yâd honâ / karnâ* (soit avec la postposition *kî* (voir M.5.10), soit sans postposition entre le nom extérieur et la locution verbale.

Cette alternance, semblable à celle des constructions françaises "se souvenir de, se rappeler", se retrouve dans quelques locutions, peu nombreuses. Ainsi (का) पता होना (*kâ*) *patâ honâ*, "savoir", (का) अनुभव होना, (*kâ*) *anubhav honâ*, "ressentir, éprouver", peuvent se construire avec ou sans postposition :

> मुझे इसका पता नहीं है mujhe iskâ patâ nahîn hè
> मुझे यह पता नहीं है mujhe yah patâ nahîn hè
> "je ne le sais pas"

alors que मालूम होना *mâlûm honâ*, de même sens, est toujours sans postposition, *mâlûm* n'étant pas nominal.

En vertu de cette différence, entre présence et absence de contrôle volontaire de l'action, le français oppose "regarder", qui suppose un certain degré de participation volontaire, et "voir, apercevoir" pour une vision fortuite et non contrôlée. Mais le hindi oppose deux structures syntaxiques distinctes : la construction directe avec देखना *dekhnâ*, "regarder", la construction indirecte (expérient-*ko*) avec दिखाई देना *dikhâî denâ*, locution verbale figée signifiant "être visible" :

> वह तस्वीर (ध्यान से) देख रहा है
> vah tasvîr (dhyân se) dekh rahâ hè
> "il regarde le tableau (avec attention)"

> मुझको छोटे मकान दिखाई दिए
> mujhko chote mâkân dikhâî diye
> (moi-*ko* petit maisons-mp être visibles-mp)
> "j'aperçus de petites maisons"

Si देखना *dekhnâ* peut signifier "voir" dans certains contextes, दिखाई देना *dikhâî denâ* ne peut jamais signifier "regarder". Il en va de même pour सुनना *sunnâ*, "écouter, entendre", et सुनाई देना *sunâî denâ*, "être audible", "s'entendre" (construit toujours avec un "entendeur" au cas oblique avec *ko*).

1.3.3. *Variations de construction*

Certaines locutions idiomatiques acceptent l'expression soit au génitif (possessif) soit au datif de l'"expérient". Ainsi, parallèlement à X-*ko icchâ hè*, on a fréquemment X *kî icchâ hè*, "X a envie" :

रमेश को चाय पीने की इच्छा है ramesh ko cây pîne kî icchâ hè
(Ramesh à thé boire de envie est)
"Ramesh a envie de boire du thé"

रमेश की चाय पीने की इच्छा है ramesh kî cây pîne kî icchâ hè
(Ramesh de thé boire de envie est)
"Ramesh a envie de boire du thé"

La même alternance existe pour les expressions signifiant "avoir l'habitude" (की आदत होना *kî âdat honâ*), "avoir le droit de" (का अधिकार होना *kâ adhikâr honâ*), etc.

Voici quelques expressions idiomatiques, périphrases exprimant le désir, avec lesquelles la personne désirante est toujours au cas possessif :

मेरा दिल जाने को है merâ dil jâne ko hè
"j'ai envie de partir" (litt. mon cœur est à partir)

मेरा मन चाय पीने को नहीं है merâ man cây pîne ko nahîn hè
"je n'ai pas envie de (mon esprit n'est pas à) boire du thé"

मेरा जी भागने को था merâ jî bhâgne ko thâ
"j'avais envie de m'enfuir" (mon âme était à s'enfuir)

ou, avec omission du "sujet", à l'oral :

जी पीने को / का नहीं है jî pîne ko / kâ nahîn hè
"pas envie de boire"

La postposition employée pour introduire l'infinitif est *ko*.
La construction "active" (avec करना *karnâ*, "faire") est fréquente avec मन *man*, जी *jî*, ainsi que तबियत *tabiyat*, "santé / état"), où l'expérient reste au cas possessif :

मेरा मन करता है कि merâ man kartâ hè ki...
"j'ai envie que..."

तबियत चाहती है, दिल चाहता है कि
tabiyat câhtî hè, dil câhtâ hè ki...　　　(même sens)

मेरा मन जाने को नहीं कर रहा है
merâ man jâne ko nahîn kar rahâ hè
(mon esprit aller à pas fait progr) "je n'ai pas envie de partir"

synonyme de la construction avec "être" :
मेरा मन जाने का नहीं है
merâ man jâne kâ nahîn hè
(mon esprit aller de pas est) "je n'ai pas envie de partir"

Parmi les expressions qui se construisent exclusivement avec un "expérient" au cas possessif on trouve aussi "avoir l'intention de", का इरादा होना *kâ irâdâ honâ,* "avoir la capacité ou la compétence de", की सामर्थ्य होना *kî sâmarthya honâ* :

उसका पहाड़ पर जाने का इरादा था
uskâ pahâr par jâne kâ irâdâ thâ
(elle-de montagne sur aller de intention était)
"elle avait l'intention d'aller à la montagne"

D'autres expressions enfin admettent deux constructions, l'une avec le *ko* de l'expérient, l'autre de type locatif ("chez" के पास *ke pâs*) :

मुझे घूमने की फ़ुर्सत नहीं है mujhe ghûmne kî fursat nahîn hè
"je n'ai pas le loisir de me promener"
मेरे पास घूमने की फ़ुर्सत कहाँ है ?
mere pâs ghûmne kî fursat kahân hè ?
"je n'ai absolument pas (où ai-je) le loisir de me promener"

Mais pour "je manque de temps" (litt. à/chez moi carence de temps est), c'est selon la locution utilisée qu'on emploie la construction en *ko* ou en *ke pâs* (respectivement कमी *kamî* ou अभाव *abhâv* "manque") :

मुझे समय की कमी है mujhe samay kî kamî hè
मेरे पास समय का अभाव है mere pâs samay kâ abhâv hè
(à-moi manque de temps est) "je manque de temps"

De même, "avoir du mal" peut se construire avec को *ko* ou *ke lie* selon qu'on emploie la locution formée sur दिक्क़त *diqqat,* ou sur मुश्किल *mushkil* "difficulté" :

उसके लिए समझना मुश्किल है / उसको समझने में दिक़्क़त है
uske lie samajhnâ mushkil hè / usko samajhne men
diqqat hè   "il a du mal à comprendre"

Ces distinctions relèvent largement d'idiomatismes. Mais quelles que soient les variations de détail dans l'expression de l'expérient qui éprouve un sentiment ou un état, le hindi le représente à une forme oblique, à la différence du français où il reste sujet grammatical.

1.4. La phrase d'obligation

Le participant principal, la personne qui doit faire quelque chose, prend aussi la forme oblique suivie de को *ko*.
Il y a trois auxiliaires signifiant "devoir". Leur sens est différent, mais la construction est la même. L'auxiliaire होना *honâ*, "être", caractérise une obligation ponctuelle et orientée vers le futur, चाहिए *câhie* (invariable), une obligation générale et apparentée à un conseil (tu devrais, il vaut mieux, tu ferais mieux), पड़ना *parnâ*, (litt. "tomber"), une obligation stricte et très forte :

बच्चों को अच्छी तरह सोना चाहिए
baccon ko acchî tarah sonâ câhie
(enfants *ko* bonne façon dormir faut)
"il faut que les enfants dorment correctement"

मेहनत से काम करना चाहिए mehnat se kâm karnâ câhie
"il faut travailler avec ardeur"

मुझे कल डाक्टर के यहाँ जाना है
mujhe kal *dâktar* ke yahân jânâ hè
(à-moi demain docteur chez aller est)
"demain je dois aller chez le docteur"

मैं आऊँगी, लेकिन मुझे जल्दी जाना पड़ेगा
mèn âûngî, lekin mujhe jaldî jânâ *paregâ*
"je viendrai, mais je serai obligé de partir tôt"

Si le verbe principal est transitif, l'accord se fait avec son objet,
ce qui rappelle le principe de l'ergativité, sauf pour le lien à
l'aspect (a) est au passé simple, (b) à l'imparfait :

a   उत्तम को बहुत-सी चिट्ठियाँ लिखनी पड़ीं
     Uttam ko bahut-sî ci*tth*iyân likhnî pa*r*în
     (Uttam à beaucoup-intensif lettres-fp écrire-fp devoir-fp)
     "Uttam fut obligé d'écrire quantité de lettres"

b   मुझे और दो साड़ियाँ ख़रीदनी थीं
     mujhe aur do sâ*r*iyân *kh*arîdnî thîn
     (à-moi en-plus deux saris acheter-fp devoir-fp)
     "je devais acheter deux autres sa*r*is"

Il y a une sorte de réaction en chaîne à partir du nom
(ci*tth*iyân, sâ*r*iyân), qui détermine l'accord et du verbe
principal à l'infinitif, et de l'auxiliaire (sauf *câhie*, invariable).
Au féminin pluriel, seul le dernier segment du groupe verbal
reçoit la nasalisation.

Notez que चाहिए *câhie* peut par ailleurs aussi exprimer, comme
en français, la probabilité ou la supputation :

     यह संभव होना चाहिए yah sambhav honâ câhie
     "cela doit être possible"
     गर्मियों में भी वहाँ ठंड होनी चाहिए
     garmiyon men bhî vahân *thand* honî câhie
     "là-bas il doit faire froid même en été"

1.5. La phrase possessive

De même que la phrase "indirecte" recouvre de très nombreux
cas où la traduction française comporte "avoir", la relation
possessive, qui en français correspond typiquement à "avoir",
s'exprime différemment en hindi, parce qu'il n'y a pas de
verbe "avoir". On emploie le verbe "être", mais l'expression du
possesseur dépend du type de la relation possessive, c.à.d. de
la chose possédée.
- Si c'est un objet concret qu'on possède (possession acquise,
contingente ou aliénable), le possesseur est à la forme oblique

suivi de la postposition के पास *ke pâs*, "chez, près de" :

तुम्हारे पास कितना पैसा है? tumhâre pâs kitnâ pèsâ hè ?
(de-toi près combien argent est)
"combien as-tu d'argent ?"

उनके पास एक लाल गाड़ी है unke pâs ek lâl gârî hè
(eux-de près une rouge voiture est)
"ils ont une voiture rouge"

- Si c'est une partie du corps ou une relation familiale, possession donc non contingente et inaliénable, le possesseur est à la forme oblique suivie de la postposition *kâ* (ou *ke* invariable) :

आदमी की दो टाँगें होती हैं âdmî kî do *t*ângen hotî hèn
(homme *kî* deux jambes sont) "l'homme a deux jambes"

राम की / के दो बहनें हैं râm kî / ke do bahanen hèn
"Ram a deux soeurs"

मेरा / मेरे एक भाई है
merâ / mere ek bhâî hè   "j'ai un frère"

- Si c'est une qualité morale, inhérente, le possesseur est à la forme oblique suivie de la postposition में *men*, "dans" :

इस लड़की में साहस है is la*r*kî men sâhas hè
(cette fille dans courage est)   "cette fille a du courage"

1.6. Phrase comportant un absolutif ou un participe adverbial

1.6.1. Le participe conjonctif, dit "absolutif" (-कर -*kar*, voir M. 5.1.3) ne correspond que partiellement aux traductions conventionnelles ("après", "en ...-ant"). En fait, il s'agit essentiellement d'une relation de coordination, le premier verbe se présentant sous une forme non conjuguée, et ayant pour sujet celui du verbe principal, au nominatif, ergatif, datif ou possessif :

उसने उठकर कपड़े पहने usne u*th*kar kap*r*e pahne
(il-erg se lever-*kar* vêtements mit)
"il se leva et s'habilla" (après s'être levé, il mit ses habits)

मैं खाकर आया mèn khâkar âyâ (je manger-*kar* vins)
"j'ai mangé avant de venir"

C'est le verbe principal qui commande la structure de la phrase
(ergative, expérientielle etc.) :

वह चाय बनाकर कमरे से निकली
vah cây banâkar kamre se niklî
(elle thé préparer-*kar* pièce de sortit)
"après avoir préparé le thé elle sortit de la pièce"

मुझे यह सुनकर बड़ी खुशी हुई
mujhe yah sunkar ba*r*î *kh*ushî huî
(à-moi cette nouvelle entendre-*kar* grand bonheur fut)
"je fus très heureux d'apprendre cela"

On voit que la valeur d'antériorité n'est pas la seule implication
de ce type de coordination, mais qu'un rapport de cause à
effet peut découler de la relation entre les deux verbes, ou de
manière :

वह हँसकर बोला vah hanskar bolâ , "il dit en riant"

रानी मंत्री को साथ लेकर खोज में निकली
rânî mantrî ko sâth lekar khoj men niklî
(reine ministre *ko* avec prendre-*kar* quête dans sortit)
"la reine se mit en quête, accompagnée du ministre"

La négation de l'absolutif (न *na*), rare, est plus fréquemment
exprimée par la négation du verbe principal :

वह कोट पहनकर नहीं गया vah ko*t* pahankar nahîn gayâ
(il manteau porter-*kar* pas partit)
"il partit sans mettre son manteau"
et non "après avoir pris son manteau il n'est pas parti"

Nié lui-même, l'absolutif introduit une alternative par rapport
à l'action exprimée par le verbe principal conjugué :

पाठ न पढ़कर वह ताश खेल्ने बैठ गया
pâ*th* na par*h*kar vah tâsh khelne bè*th* gayâ
(leçon pas étudier-*kar* il cartes jouer s'installer alla)
"au lieu d'apprendre sa leçon il se mit à jouer aux cartes"

Enfin le redoublement de l'absolutif, où seul le radical est redoublé en fait, produit des effets très comparables à celui des participes (voir 1.6.2) :

तुम हमें खिला-खिलाकर मार डालोगी
tum hamen khilâ-khilâkar mâr *d*âlogî
(tu à-nous faire manger-faire manger-*kar* tuer verseras)
"tu nous tueras à force de nous gaver"

वह सँभल-सँभलकर आगे बढ़ा
vah sanbhal-sanbhalkar âge bar*h*â
"il avança en faisant bien attention" (contrôler-contrôler-*kar*)

1.6.2. Formes participiales à valeur adverbiale

1.6.2.1. Outre la manière et la concomitance marquées par l'emploi adverbial du participe (suivi ou non de हुए *hue*, voir M.5.1), les participes adverbiaux, suivis d'une particule ou d'une postposition ont divers sens. Avec ही *hî* (toujours sans हुए *hue*), le participe inaccompli indique une action immédiatement suivie de l'action principale ("dès que"), avec भी *bhî*, une concession ("bien que, malgré"), et avec बिना *bînâ* / बगैर *bagèr*, "sans", le participe accompli a une valeur adversative ("sans que") :

आते ही वह बैठ गया âte hî vah bè*th* gayâ
(entrant dès il s'asseoir alla)
"il s'assit dès qu'il entra"

चाहते हुए भी वह बोल न पाया câhte hue bhî vah bol na pâyâ
(voulant bien-que il parler pas put)
"malgré son désir il ne parvint pas à parler"

बगैर / बिना कुछ बोले bagèr / bînâ kuch bole
"sans rien dire"

कोई जवाब दिए बिना भाग गया koî javâb die binâ bhâg gayâ
"il s'enfuit sans rien répondre" (sans donner quelque
réponse)

काम किए बिना जिओगे कैसे ? kâm kie binâ jioge kèse ?
"comment tu vivras sans travailler ?"

Attention : la structure n'est pas toujours à traduire par "sans" :

एक दिन खाए बिना आदमी मर नहीं सकता
ek din khâe binâ âdmî mar nahîn saktâ
(un jour mangeant sans homme mourir pas peut)

ne signifie pas "un homme ne peut pas mourir sans manger"
(sans avoir mangé) un jour", mais "un homme ne peut pas
mourir de ne pas manger un jour, s'il passe un jour sans
manger".

Le sujet du participe est dans ces exemples le même que celui
du verbe principal. Quand ce n'est pas le cas, son sujet distinct
est exprimé au cas possessif, ce qui n'est pas possible pour
celui de l'absolutif :

अध्यापक के आते ही, सभी छात्र खड़े हो गए
adhyâpak ke âte hî, sabhî châtr khaṛe ho gae
(professeur de entrant juste tous élèves debout devinrent)
"dès que le professeur entra tous les élèves se levèrent"

1.6.2.2. Redoublement des participes adverbiaux

En hindi, comme dans les autres langues indiennes, le
redoublement du participe produit des valeurs de simultanéité,
ou de cause à effet, en fonction du sens des verbes
principaux :

ताला खोलते-खोलते उसने कहा tâlâ kholte-kholte usne kahâ
(cadenas ouvrant-ouvrant il-erg dit)
"tout en ouvrant le cadenas il dit"

खाना खाते-खाते मत बोलो khânâ khâte-khâte mat bolo
nourriture mangeant-mangeant pas parle
"ne parle pas la bouche pleine"

वह चल्ते-चल्ते थक गया   vah calte-calte thak gayâ
(il marchant-marchant se fatiguer alla)
"à force de marcher il se fatigua" (il se lassa de marcher)

वह अकेले बैठे-बैठे ऊब गई vah akele bèthe-bèthe ûb gaî
(elle seule assise-assise s'ennuyer alla)
"elle en eut assez de / se lassa de rester seule"

मैं भाषण सुनते-सुनते थक गया
mèn bhâshan sunte-sunte thak gayâ
"j'en eu assez d'écouter ces grands discours (conférence)"

माँ उसे मनाते-मनाते हार गई थी
mân use manâte-manâte hâr gaî thî
(mère à-lui persuadant-persuadant avait échoué)
"la mère avait renoncé à le persuader"

Le redoublement du participe inaccompli produit la valeur
d'évitement ("faillir, manquer"), avec un verbe principal
comme बचना *bacnâ*, "échapper", रह जाना *rah jânâ*, "rester",
ठहरना th*aharnâ*, "attendre, rester" :

वह गिरते-गिरते बच गया vah girte-girte bac gayâ
(tombant-tombant se sauver alla) "il faillit tomber"

alors qu'avec un verbe principal d'action le sens du même
participe serait la simultanéité :

वह गिरते-गिरते रो पड़ा vah girte-girte ro parâ
"tout en tombant il éclata en sanglots" (pleurer tomba)

बारिश होते-होते रह गयी bârish hote-hote rah gayî
pluie étant-étant resta   "il a failli pleuvoir"

Avec -न- *-na-* entre les deux éléments redoublés, l'expression
participiale prend le sens de "à peine" :

पहुँचते-न-पहुँचते वह फिसलकर गिर गया
pahuncte-na-pahuncte vah phisalkar gir gayâ
"à peine arrivé (arrivant-*na*-arrivant) il glissa et tomba"

दो महीने बीतते-न-बीतते ये लोग फिर आए
do mahîne bîtte-*na*-bîtte ye log phir âe
(deux mois passant *na* passant ces gens à nouveau vinrent)
"deux mois étaient à peine passés que ces gens revinrent"

REMARQUE

Avec les expressions indiquant la mesure du temps, des indications météorologiques, et parfois avec un inanimé, un sujet différent est possible sans être exprimé au cas possessif :

शाम के पाँच बजते-बजते गाड़ी छूट गई
shâm ke pânc bajte-bajte gâ*r*î chû*t* gaî
(soir de cinq sonnant-sonnant train partir alla)
"le train partit à 5h pile"

गाँव में पहुँचते-पहुँचते साँझ हो गई थी
gânv men pahuncte-pahuncte sânjh ho gaî thî
(village dans arrivant-arrivant soir était advenu)
"au moment où ils arrivèrent au village le soir était tombé"

घी पड़ते ही लौ भड़क उठी   ghî pa*r*te hî lau bha*r*ak u*t*hî
"dès que le beurre clarifié tomba la flamme se mit à grésiller"

बादल आते ही बूँदा-बाँदी होने लगी
bâdal âte hî bûndâ-bândî hone lagî
"dès l'arrivée des nuages, il se mit à bruiner" (faire bruine)

1.7. L'antécédent du réfléchi

अपना *apnâ* renvoie normalement au sujet de sa proposition (voir M.2.2), mais dans les phrases à agent ergatif (+*ne*), expérient (+*ko*) ou possesseur (+*kâ*), c'est à ces termes (soulignés) qu'il renvoie :

मैंने अपने दोस्त को यह बताया <u>mènne</u> apne dost ko yah batâyâ
"j'ai dit ceci à mon ami"

मुझे अपने लिए डर नहीं है   <u>mujhe</u> apne lie *d*ar nahîn hè
"je n'ai pas peur pour moi"

मेरा अपनी सहेली से मिलने का इरादा है
merâ apnî sahelî se milne kâ irâdâ hè
(de-moi refl amie avec rencontrer de intention est)
"j'ai l'intention d'aller voir mon amie"

Dans les phrases passives, c'est en général à l'agent qu'il renvoie, même si ce dernier n'est pas exprimé, et non au patient :

अपने शरीर पर विजय पायी जा सकती है
apne sharîr par vijay pâyî jâ saktî hè
(refl corps sur victoire peut être obtenue)
"on peut triompher de (maîtriser) son corps"

Dans les propositions participiales (voir S.1.6.2) il renvoie généralement à l'objet de la principale qui sert de sujet au verbe de perception participialisé (a) et soit au sujet soit à l'objet du verbe principal d'ordre qui sert ce sujet à l'infinitif enchâssé (b) :

a सीता ने रमेश को अपनी किताब फेंकते हुए देखा
  sîtâ ne ramesh ko apnî kitâb phenkte hue dekhâ
  "Sita a vu Ramesh jeter son livre" (de Ramesh)

b सीता ने रमेश से अपनी किताब बेचने को कहा
  sîtâ ne ramesh se apnî kitâb becne ko kahâ
  "Sita a dit à Ramesh de vendre son livre" (ambigu)

L'absolutif se comporte de manière analogue, son sujet non exprimé renvoyant à celui du verbe principal ou secondaire dans les mêmes conditions :

मुझे यह सुनकर ख़ुशी हुई mujhe yah sunkar *kh*ushî huî
"j'ai été très heureux d'entendre ça" (en entendant cela)

Au passif, ordinaire ou d'incapacité, c'est en général l'agent, même non exprimé, qui commande antécédent du réfléchi et sujet de l'absolutif :

उससे अपना काम करवाके पैसे भी नहीं दिए गए
usse apnâ kâm karvâke pèse bhî nahîn die gae
(par-lui refl travail faire-faire-kar sous même pas furent donnés)
"il n'a pas pu se résoudre à payer après avoir fait faire

son travail"

Une proposition subordonnée à verbe conjugué ne peut contenir de réfléchi renvoyant au sujet de la principale (voir S. 2.2), son antécédent restant toujours dans les limites de la proposition finie.

2. LA PHRASE COMPLEXE

Le hindi, surtout oral, juxtapose volontiers les deux propositions quand il s'agit d'exprimer la relation complétive, qui peut par ailleurs être introduite par कि *ki* "que", emprunté au persan :

में जानता हूँ (कि) वह कल आएगा
mèn jântâ hûn (ki) vah kal âegâ
"je sais (qu') il viendra demain"

Il en va de même dans le discours indirect, rapporté sans transposition de temps, et avec transposition facultative des pronoms :

उसने कहा (कि) मैं जरूर आऊँगा / वह जरूर आएगा
usne kahâ (ki) mèn zarûr âûngâ / vah zarûr âegâ
"il a dit qu'il viendrait (je viendrai / il viendra) sûrement"

et dans l'interrogation indirecte, également rapportée au style direct :

उसने पूछा (कि) क्या राम आएगा usne pûchâ (ki) kyâ râm âegâ
"il demanda si Ram viendrait" (est-ce que Ram viendra)

2.1. La relative

Le relatif a la même forme pour les deux nombres et les deux genres au cas direct, जो *jo*, "qui / que", mais au cas oblique, avec les postpositions, le singulier जिस *jis* diffère du pluriel जिन *jin*. Si cette postposition est le ने *ne* ergatif, on a au pluriel une forme spéciale, जिन्होंने *jinhonne*, et si c'est को *ko*, on a deux variantes, comme pour les pronoms, जिसे / जिसको *jise* / *jisko*, जिन्हें / जिनको *jinhen* / *jinko*.

La particularité de la relative hindi est d'inclure son antécédent et de précéder la principale, qui utilise le pronom de rappel वह *vah* pour reprendre le groupe relativisé :

> जो आदमी कल तुम्हारे यहाँ आया था वह मेरा दोस्त है
> jo âdmî kal tumhâre yahân âyâ thâ vah merâ dost hè
> (qui homme hier de-toi chez était venu il mon ami est)
> "l'homme qui est venu chez toi hier est mon ami"

> जो आदमी कल तुम्हारे यहाँ आया था उसको मैं जानता हूँ
> jo âdmî kal tumhâre yahân âyâ thâ usko mèn jântâ hûn
> (qui homme hier de-toi chez était venu lui je connais)
> "je connais l'homme qui est venu chez toi hier"

Ce type de relative, le plus spécifique, correspond aux relatives "déterminatives" ou "restrictives", celles qui font partie intégrante du sens de la phrase, et ne sont donc ni omissibles, ni séparables par une pause ou une virgule. La particularité qu'apporte dans ce cas la relative au niveau du sens est de restreindre l'extension du nom, de le limiter à une sous-classe particulière, d'où son nom "relative restrictive" ou "déterminative". Par exemple en français "les Japonais qui travaillent dur sont riches" désigne non pas tout l'ensemble des Japonais, mais une partie seulement, celle qui travaille dur, les autres pouvant fort bien être pauvres. La relative ici apporte une information cruciale, c'est elle qui détermine l'extension du sens de "japonais". Si on disait, "les Japonais, qui travaillent dur, sont riches", il s'agirait de tous les Japonais, qui tous travaillent dur, et tous sont riches, et la relative apporterait une simple précision facultative, comme une apposition, sans restreindre l'extension du sens du nom ; ce serait une relative appositive, ou explicative. Cette distinction ne se signale que par la ponctuation ou l'intonation en français, mais en hindi elle correspond à deux structures différentes :

> जो जापानी मेहनत करते हैं वे अमीर बन जाते हैं
> jo jâpânî mehnat karte hèn ve amîr ban jâte hèn
> (rel Japonais labeur font ceux-là riches deviennent)

"les Japonais qui travaillent dur s'enrichissent"
(ceux des Japonais qui travaillent dur et seulement ceux-là)

Le relatif, placé avant le nom comme un déterminant, et le pronom de rappel *vah* dans la principale, sont caractéristiques de la relative déterminative. En revanche la relative explicative a la même syntaxe qu'en français : l'antécédent n'est pas enclavé, le relatif n'est pas repris par un pronom de rappel dans la principale.

जापानी, जो मेहनत करते हैं, अमीर बन जाते हैं
jâpânî, jo mehnat karte hèn, amîr ban jâte hèn
(Japonais, rel labeur font, riches deviennent)
"les Japonais, qui travaillent dur, s'enrichissent"

C'est seulement dans ce cas (et jamais dans l'emploi restrictif) que le relatif peut être renforcé, à l'oral surtout, par कि *ki* (जो कि *jo ki*) :

कल मुझे दो विदेशी मिले जो (कि) पास ही रहते हैं
kal mujhe do videshî mile jo (ki) pâs hî rahte hèn
(hier à-moi deux étrangers se rencontrèrent qui près juste habitent)
"hier j'ai rencontré deux étrangers, qui habitent tout près"

Comparez avec la relative déterminative correspondante :

जो विदेशी पास रहते हैं वे मुझे कल मिले
jo videshî pâs rahte hèn ve mujhe kal mile
"j'ai rencontré hier les étrangers qui habitent près d'ici"

Quand le nom relativisé est au singulier, les deux types ne se distinguent bien entendu pas par la sélection d'un sous-ensemble dans le groupe ; la différence est analogue à celle qui distingue "ce sympathique étudiant fait du chinois" et "cet étudiant, sympathique, fait du chinois", c'est-à-dire à l'opposition entre une fonction de détermination et une fonction d'apposition. On trouve la relative appositive lorsque l'antécédent est un nom propre, ou précédé d'un indéfini (एक *ek*, कुछ *kuch*, कई *kaî*, कोई *koî*), ou d'un possessif :

मेरी पत्नी से मिलो, जो अभी दिल्ली से आई है
merî patnî se milo, jo abhî dillî se âî hè

"je te présente (rencontre) ma femme, qui arrive (juste est venue) de Delhi"

Remarquez que la relative peut être séparée de son antécédent :

वहाँ एक किसान ने मेरी बड़ी मदद की जिसका नाम बीरू है
vahân ek kisân ne merî barî madad kî, jiskâ nâm Bîrû hè
(là un paysan-erg ma grande aide fit dont nom Biru est)
"là un paysan qui s'appelle Biru m'a beaucoup aidé"

वहाँ एक किसान ने, जिसका नाम बीरू है, मेरी बड़ी मदद की
vahân ek kisân ne, jiskâ nâm Bîrû hè, merî barî madad kî
"là un paysan qui s'appelle Biru m'a beaucoup aidé"

Notez que lorsque le nom relativisé est suivi d'une postposition, le relatif se met à la forme oblique et la postposition à la fin du groupe, quelle que soit sa longueur :

जिन गंदे आदमियों ने तुमसे बात की थी वे कौन हैं
jin gande âdmiyon ne tum-se bât kî thî ve kaun hèn ?
(qui sales hommes erg toi à parole avaient fait ils qui? sont)
"qui sont ces sales types qui t'ont parlé ?"

जिन सुन्दर लड़कियों के बारे में तुमने मुझे बताया है उनको मैं जानता हूँ
jin sundar larkiyon ke bâre men tumne mujhe batâyâ hè, unko mèn jântâ hûn
(qui belles filles au sujet tu-erg à-moi as parlé à-elles je connais)
"je connais les belles jeunes filles dont tu m'as parlé"

La relative peut être sans antécédent :

जो मेहनत नहीं करता वह कभी अमीर नहीं होगा
jo mehnat nahîn kartâ vah kabhî amîr nahîn hogâ
"(celui) qui ne travaille pas dur ne sera jamais riche"

जिन्होंने इस तरह की बात की उनका दिमाग़ ग़ायब हो गया होगा
jinhonne is tarah kî bât kî unkâ dimâg gâyab ho gayâ hogâ
(qui-erg cette sorte de parole firent leur cerveau aura disparu)
"ceux qui ont parlé ainsi doivent avoir perdu la tête"

A côté de la relative déterminative typique (*jo*+nom), on peut avoir une structure différente, la relative suivant la principale. C'est alors l'antécédent qui est précédé de *vah*

वे लोग आए हैं, जिनका मैं इन्तजार कर रहा था
ve log âe hèn jinkâ mèn intazâr kar rahâ thâ
(ces gens sont arrivés dont je attente faisais)
"les gens que j'attendais sont arrivés"

उन बच्चों को बुलाओ जिन्होंने मेरी साइकिल ख़राब कर दी है
un baccon ko bulâo jinhonne merî sâikil *kh*arâb kar dî hè
"appelle les (ces) gamins qui ont esquinté ma bicyclette"

L'ordre est ici marqué, correspondant à une thématisation du nom antécédent, focalisé.

Comme en français, les relatives au subjonctif ont une valeur finale ou virtuelle :

मैं ऐसा नौकर चाहती हूँ जो समय पर आए और अच्छी तरह काम करे
mèn èsâ naukar câhtî hûn jo samay par âe aur acchî tarah kâm kare
"je veux un (tel) domestique qui arrive à l'heure (temps) et travaille bien"

REMARQUE
La relative est nettement moins employée en hindi qu'en français. Ainsi, "le garçon qui est assis en face" peut s'exprimer par la relative (a), mais aussi le participe (b), ou le verbe à l'infinitif oblique suivi du suffixe -वाला -*vâlâ* (c) :

a- जो लड़का सामने बैठा है jo la*r*kâ sâmne bè*th*â hè
b- सामने बैठा (हुआ) लड़का sâmne bè*th*â (huâ) la*r*kâ
c- सामने बैठनेवाला लड़का sâmne bè*thh*nevâlâ la*r*kâ

2.2. Le système hypothétique

La subordonnée est introduite par यदि *yadi* (scr.) ou अगर *agar* (per.) "si", omissible, et la principale par तो *to*, "alors", jamais omissible. La négation est न *na*.

2.2.1. *Hypothèse virtuelle*

Si la condition peut se réaliser ou ne pas se réaliser, et est présentée comme une simple virtualité ou une éventualité, elle est exprimée au subjonctif, ou à l'indicatif, dans la proposition subordonnée, et on a un temps de l'indicatif dans la principale, ou l'impératif.

ठीक है, अगर आपको फ़ुर्सत मिलती है तो ज़रूर आइए
*th*îk hè, agar âpko fursat miltî hè, to zarûr âie
"entendu, si vous avez le temps venez sans faute"
(présent -- impératif)

तू साथ रहेगा तो मेरी हिम्मत बनी रहेगी
tû sâth rahegâ to merî himmat banî rahegî
([si] tu avec resteras alors mon courage fait restera)
"si tu restes je garderai courage" (futur--futur)

अगर जानती हो तो बताती क्यों नहीं ?
agar jântî ho to batâtî kyon nahîn ?
"si tu [le] sais pourquoi ne [le] dis-tu pas ?"
(présent -- présent)

Il se peut aussi qu'on trouve le passé simple dans la subordonnée, sans valeur temporelle mais seulement aspectuelle, si on veut présenter l'action comme globale, la principale étant souvent au futur :

यदि मीरा अपनी किताब लेने आ गई तो बड़ी मुश्किल हो जाएगी
yadi mîrâ apnî kitâb lene â gaî to barî mushkil ho jâegî
(si Mira son livre prendre vint, alors grand difficulté sera)
"si Mira vient chercher son livre, ce sera bien ennuyeux"

माँ को पता चल गया तो फिर क्या होगा ?
mân ko patâ cal gayâ to phir kyâ hogâ ?
(maman à savoir est allé alors ensuite quoi sera ?)
"[si] maman vient à l'apprendre qu'est-ce qui arrivera ?"

Le verbe à l'accompli transitif entraîne la construction ergative :

तुमने पत्र न लिखे तो तुम्हारी माँ जरूर परेशान हो जाएगी
tumne patr na likhe to tumhârî mân zarûr pareshân ho jâegî
tu-erg lettre pas écrivis alors ta mère sûrement inquiète deviendra
"[si] tu n'écris pas de lettres ta mère s'inquiètera
sûrement"

Notez dans ce dernier exemple l'emploi du pronom possessif
et non du réfléchi, car il renvoie au sujet d'une autre
proposition et la règle de réflexivation ne traverse pas les
frontières de proposition.

2.2.2. L'irréel

S'il s'agit d'une condition non réalisée, ou non réalisable, que
la phrase réfère au présent ou au passé, le hindi emploie la
forme de l'"irréel" en -tâ (voir M.5.5) dans les deux
propositions :

अगर राम यहाँ आता तो मुझे आपकी ख़बर देता
agar râm yahân âtâ to mujhe âpkî khabar detâ
"si Ram était venu ici il m'aurait donné de vos nouvelles"
(ou "si Ram venait il me donnerait de vos nouvelles", selon les
contextes, par exemple si l'énoncé comporte "ce soir")

आप कल न आतीं तो मेरे पिताजी से न मिलतीं
âp kal na âtîn to mere pitâjî se na miltîn
"si vous n'étiez pas venue hier vous n'auriez pas
rencontré mon père"

L'emploi de l'irréel composé accompli dans le même contexte
associe l'interprétation passée et la vision globalisante de
l'action :

आप कल न आई होतीं तो मेरे पिताजी से न मिली होतीं
âp kal na âî hotîn to mere pitâjî se na milî hotîn

Si le verbe est transitif à ce temps, la construction est ergative :

अगर मैंने उससे यह बात न कही होती,
agar mènne usse yah bât na kahî hotî
"si je (ergatif) ne lui avais pas dit cette chose,

तो वह अब मेरे साथ घूम रही होती / तो उसने मुझे बुला लिया होता

to vah ab mere sâth ghûm rahî hotî / to usne mujhe bulâ
liyâ hotâ

"elle serait maintenant en train de se promener avec moi
elle (erg) m'aurait invité"

Enfin, dans la phrase suivante, vous constatez que l'explicateur
verbal est compatible avec l'irréel :

यदि वह समय पर आ पहुँचा होता तो उसे पता चला होता कि...

agar vah samay par â pahuncâ hotâ to use patâ calâ hotâ ki...

"s'il était arrivé à temps, il aurait appris que..."

काश *kâsh*, "hélas" introduit aussi des propositions à irréel,
souvent sans principale corrélée :

काश ! वह यहाँ आया होता   kâsh! vah yahân âyâ hotâ...

"hélas ! si (seulement) il était venu ici..., dommage qu'il
ne soit pas venu..."

2.3. La cause

क्योंकि *kyonki*, "parce que", introduit une subordonnée, alors
que इस लिए *is lie*, "pour cette raison, c'est pourquoi", lie deux
propositions indépendantes dans un rapport de cause à effet :

मैं हिंदी नहीं बोल्ता क्योंकि मैं भारत कभी नहीं गया

mèn hindî nahîn boltâ, kyonki mèn bhârat kabhî nahîn gayâ

"je ne parle pas hindi parce que je ne suis jamais allé en
Inde"

वह चीनी जानता है, इस लिए (उसे) आसानी से नौकरी मिल गई

vah cînî jântâ hè, is lie (use) âsânî se naukrî mil gaî

"Il connaît le chinois, c'est pourquoi il a trouvé
facilement du travail" (à lui profession s'est obtenue)

Le hindi dispose aussi d'un "puisque" (चूंकि *cûnkî*) suivi comme
en français de l'indicatif, qui précède la proposition
principale :

चूंकि वह भारतीय है उसे भारत के बारे में मालूम होगा

cûnki vah bhârtîya hè use bhârat ke bâre men mâlûm

hogâ
"puisqu'il est indien il doit connaître l'Inde" (à lui Inde
au sujet savoir sera)

En cas de sujet commun on recourt plutôt à un infinitif suivi
de la postposition "à cause de", के कारण *ke kâra*n, की वजह से *kî
vajah se* :

हिंदी न बोल पाने की वजह से तुम्हें भारत में तकलीफ़ होगी
hindî na bol pâne kî vajah se tumhen bhârat men taklîf hogî
(hindi pas parler pouvoir à cause à-toi Inde dans problème sera)
"tu auras des problèmes en Inde du fait que tu ne parles
pas hindi"

2. 4. La conséquence

Comme en français la proposition finale est au subjonctif (et
donc niée par न *na*), introduite par ताकि *tâki*, "afin que" ou
जिससे (कि) *jisse* (*ki*) "de sorte que, de façon à ce que" :

मैं ठीक समय पर आना चाहता हूँ ताकि उसे घबराहट न हो
mèn *thî*k samay par ânâ câhtâ hûn tâki use ghabrâha*t* na ho
"je veux arriver à l'heure pour qu'il ne s'inquiète pas" (à
lui inquiétude ne soit pas)

... जिससे बॉस मुझे डाँट न सके   jisse bâs mujhe *dâ*n*t* na sake
..."de façon que le patron ne puisse me réprimander"

Si le sujet est commun on préfère infinitif oblique suivi de के
लिए *ke lie*, "pour".

2. 5. Le lieu et le temps

जहाँ *jahâ*n, "où", est souvent "rappelé" dans la principale par
वहाँ *vahâ*n, "là" si la proposition de lieu précède la principale :

जहाँ तुम जाओगे मैं भी (वहाँ) जाऊँगी
jahân tum jâoge, mèn bhî (vahân) jâûngî
(où tu iras, moi aussi j'irai) "j'irai là où tu iras"

दिल्ली जाओ, जहाँ सब कुछ मिलता है
dillî jâo jahân sab kuch miltâ hè
"va à Delhi où on trouve tout"

"D'où" se dit जहाँ से *jahân se*, éventuellement repris par वहाँ से *vahân se*, de même que जब *jab*, "quand" est souvent repris (ou annoncé) dans la principale par तब *tab*, ou तो *to*, "alors" :

जब मैं आऊँगी तब बताऊँगी jab mèn âûngî tab batâûngî
"j'[en] parlerai quand je viendrai"

जब से *jab se* signifie "depuis que" et जब तक *jab tak*, "jusqu'à ce que" éventuellement repris par तब से *tab se*, "dès lors", et तब तक *tab tak* "jusque là, jusqu'alors".

"Avant que" s'exprime avec इससे / इसके पहले कि *isse / iske pahle ki*, suivi de l'indicatif, mais plus souvent, surtout si les sujets des deux propositions sont communs, avec l'infinitif oblique suivi de la postposition से पहले *se pahle*.

"Dès que" s'exprime par जैसे ही... वैसे ही *jèse hî ... vèse hî*, ou ज्यों ही... त्यों ही *jyon hî.... tyon hî*

जैसे ही मेहमान पहुँचे वैसे ही ब्राह्मण खाना खाने लगा
jèse hî mehmân pahunœ vèse hî brâhman khânâ khâne lagâ
"dès que les invités arrivèrent le brahmane se mit à manger"

ज्यों ही माँ घर से निकली त्यों ही बच्चे शोर मचाने लगे
jyon hî mân ghar se niklî tyon hî bacce shor macâne lage
"dès que la mère eut quitté la maison, les enfants se mirent à faire du vacarme".

Mais si le sujet est commun aux deux actions, on préfère la structure participiale suivie de ही *hî* :

आते ही ब्राह्मण खाना खाने बैठ गया
âte hî brahman khânâ khâne bèth gayâ
"dès qu'il arriva le brahmane s'attabla"

2.6. la concession

La subordonnée d'opposition ou de concession est introduite par हालाँकि *hâlânki* (per.) यद्यपि ou *yadyapi* (scr.), "quoique, bien que", suivie de l'indicatif (à la différence du français), et donc niée par *nahîn*. Elle est "reprise" dans la principale par फिर भी *phir bhî*, "pourtant", ou diverses conjonctions de coordination signifiant "mais" (मगर *magar*, लेकिन *lekin*, पर *par*, परंतु *parantu*).

> हालाँकि बच्चा बहुत शैतान था फिर भी माँ उसको प्यार करती थी
> hâlânki baccâ bahut shètân thâ phir bhî mân usko pyâr kartî thî
> "bien que l'enfant fût infernal, [sa] mère l'aimait"

Si le sujet est commun au verbe principal et au verbe secondaire, on préfère la tournure participiale suivie de भी *bhî*, ou l'infinitif suivi de पर भी *par bhî*, et parfois même si le sujet est distinct :

> बहुत काम करते हुए भी, वह सफल नहीं हुआ
> bahut kâm karte hue bhî, vah saphal nahîn huâ
> "bien qu'il ait beaucoup travaillé, il n'a pas réussi"

> न चाहने पर भी उसे जाना पड़ा
> na câhne par bhî, use jânâ parâ
> "bien qu'il n'en eût pas envie, il lui fallut partir"

> मेरे न बुलाने पर भी वह एक दिन अचानक आया
> mere na bulâne par bhî vah ek din acânak âyâ
> (de-moi pas appeler *par bhî* il un jour soudain vint)
> "il débarqua soudain un beau jour bien que je ne l'aie pas invité"

L'expression "avoir beau" s'exprime par le subjonctif précédé de क्यों न *kyon na*, littéralement "pourquoi pas", accompagné ou non de la locution भले ही *bhale hî*, littéralement "bien juste" :

> लड़की ग़रीब क्यों न हो वह हमारी जात-बिरादरी की है
> larkî garîb kyon na ho vah hamârî jât-birâdrî kî hè
> "la fille a beau être pauvre elle est de notre caste (et fratrie)"

2.7. la comparaison

Les propositions de comparaison, introduites par "tel (que)", "comme", "comme si", sont souvent, mais pas toujours, au subjonctif en hindi. Le subjonctif est régulier quand il s'agit d'une métaphore explicitement présentée comme une virtualité imaginée plus que comme une comparaison factuelle. जैसे *jèse* ou मानो *mâno* (souvent annoncé par *èse*) s'emploient aussi pour introduire une proposition comparative avec un verbe conjugué :

वह अचानक रुक गया जैसे किसी दुशमन से डर गया हो
vah acânak ruk gayâ jèse kisî dushman se *d*ar gayâ ho
"il s'arrêta soudain, comme s'il avait craint un ennemi"

मीरा ऐसे रो पड़ी मानो उसे कोई मनहूस ख़बर मिली हो
Mîrâ èse ro pa*r*î mâno use koî manhûs *kh*abar milî ho
"Mira éclata en sanglots, comme si elle avait reçu quelque nouvelle terrible"

मेरे दिल पर मानो बिजली गिरी हो
mere dil par mâno bijlî gi*r*î ho
"[ce fut] comme si la foudre était tombée sur moi (mon coeur)"

जैसा *jèsâ* ou की तरह *kî tarah* peut introduire un comparant de type nominal :

मार्को राजेंद्र की तरह बोल्ता है   mârko râjendra kî tarah boltâ hè
"Marco parle comme Rajendra"

राजेंद्र जैसे मित्र दुनिया में कम मिल्ते हैं
râjendra jèse mitr duniyâ men kam milte hèn
"il y a peu d'amis au monde comme Rajendra"

Le comparatif d'égalité, "autant.. que", s'exprime par des propositions corrélatives, la principale, introduite par उतना *utnâ*, reprenant le जितना *jitnâ* "autant" de la subordonnée :

तुम्हें जितना पैसा चाहिए उतना दूँगी
tumhen jitnâ pèsâ câhie utnâ dûⁿgî
(à-toi autant argent faut autant donnerai)
"je [te] donnerai autant d'argent que tu en voudras"

C'est cette structure qui est aussi utilisée pour indiquer le degré
de l'adjectif (égalité) :

सीता जितनी लंबी है निशा भी उतनी (ही) है
Sîtâ jitnî lambî hè nishâ bhî utnî (hî) hè
(Sita autant grande est Nisha aussi autant (juste) est)
"Nisha est (exactement) aussi grande que Sita"

जितनी औक़ात है, उतनी ही बात करो
jitnî auqât hè, utnî hî bât karo
(aussi grande capacité est, aussi grande parole fais)
"mesure tes paroles"

2.8. L'expression du souhait et de la crainte, en proposition subordonnée ou en indépendante

कहीं (न) *kahîn* (*na*), "pourvu que (ne pas)" s'emploie toujours
avec le subjonctif ; complétant un verbe de crainte il signifie
"(de peur) que" :
कहीं उन्हें देर न हो जाए !
kahîn unhen der na ho jâe !   "pourvu qu'ils ne soient pas
en retard" (à eux retard pas soit)

कहीं बस न चली गई हो kahin bas na calî gaî ho
"pourvu que le bus ne soit pas parti"

मुझे डर लगने लगा कहीं उन्होंने उसे गोली न मार दी हो
mujhe *d*ar lagne lagâ kahî unhonne use golî na mâr dî ho
"la peur me prit qu'ils n'aient tiré (frappé balle) sur lui"

Notez la structure ergative aux temps composés du subjonctif
s'ils marquent l'accompli (participe accompli).

Le verbe "vouloir" (चाहना *câhnâ*) est suivi du subjonctif alors
que l'expression signifiant "espérer que" (आशा होना कि *âshâ
honâ ki*) est suivie de l'indicatif, "souhaiter que" (कामना करना
कि *kâmnâ karnâ ki*) étant comme en français suivie de
subjonctif :

वह चाहता है कि मैं आराम करूँ
vah câhtâ hè ki mèn ârâm karûn
"il veut que je me repose"

मुझे आशा थी कि वे आएंगे
mujhe âshâ thî ki ve âenge
"j'espérais qu'ils viendraient (viendront)"

Là encore si le sujet est commun on emploiera de préférence un infinitif et non une subordonnée :

मुझे तुमसे मिलने की आशा है
mujhe tumse milne kî âshâ hè
"j'espère que je te verrai"
(à-moi te rencontrer de espoir est)

NOTE GÉNÉRALE SUR LA SUBORDINATION EN HINDI

- Elle est moins fréquente qu'en français. Quand cela est possible le verbe secondaire est exprimé à l'infinitif ou au participe, avec diverses postpositions. Au lieu de la relative, c'est souvent au participe ou au nom d'agent (-vâlâ) qu'on a recourt.

- Elle se présente souvent davantage comme une corrélation que comme une subordination. C'est particulièrement frappant pour la relative déterminative, les propositions hypothétiques, concessives, comparatives d'égalité, où la principale commence systématiquement par un "corrélatif" (वह *vah*, तो *to*, फिर भी *phir bhî*, उतना *utnâ*, respectivement). Mais n'importe quelle subordonnée a tendance à être "reprise" ou annoncée dans la principale par un corrélatif, comme le तब *tab* temporel, le इसलिए *islie* causal ou le ऐसे *èse* comparatif. Même une complétive (de verbe ou de nom) en कि *ki* est volontiers "anticipée" par un démonstratif, qui dans ce cas est toujours celui de la proximité :

मैं यह नहीं कह रही हूँ कि तुम पागल हो
mèn yah nahîn kah rahî hûn ki tum pâgal ho
"je ne dis pas (*ceci*) que tu es fou"

मैंने यह बात सुनी कि राय साहब रिटायर होनेवाले हैं
mènne yah bât sunî ki rây sâhab ri*t*âyar honevâle hèn
(je-erg *cette* chose entendis que Ray Sahab 'retired' va être)
"j'ai entendu dire que Ray Sahab allait prendre sa
retraite"

De ces divers systèmes qui permettent de construire des
phrases complexes, on peut dire que le système corrélatif
(*jo ... vah, yadi ... to*) est typiquement indo-aryen, et que le
système à verbe dépendant non conjugué (infinitif ou
participe et postpositions) est typiquement dravidien. En
dravidien en effet une phrase ne comporte en règle générale
qu'un seul verbe conjugué. Ainsi, dans la phrase complexe
aussi, bien qu'à un moindre degré que dans la phrase simple,
la syntaxe du hindi diffère profondément de celle du français.

CULTURE

LA CULTURE ET SES MOTS

1. La société (*samâj* समाज)

1.1. Le système des castes (*jâti-prathâ* जाति-प्रथा)

Il consiste en une hiérarchie de quatre *varna* (वर्ण "couleur"), issus du corps de l'homme primordial Puru*sh*a (पुरुष): les Brahmanes (*brâhman* ब्राह्मण), émanant de la bouche, ont une fonction sacerdotale et transmettent le savoir religieux (en particulier le *Veda* (वेद), les Kshatriyas (*kshatriya* क्षत्रिय), nés de la poitrine, doivent protéger le peuple, les Vaishyas (*vèshya* वैश्य), nés des cuisses, s'occupent du commerce et de l'agriculture, et les Shûdras (शूद्र), sortis des pieds, servent les trois autres *varna*. Les brahmanes sont tenus à la maîtrise de leurs sens, Kshatriyas et Vaishyas au devoir d'aumône, car les brahmanes n'ont en principe pas d'autre source de subsistance, pas plus que les ermites renonçants (*sâdhu* साधु), s'étant affranchis de la hiérarchie des castes. Hors du système des *varna*, les hors-castes dits "parias" ou "intouchables" (*achût* अछूत), dont l'ombre seule suffit à souiller une cuisine, nommés "peuple de dieu", (*harijan* हरिजन), par Gandhi, occupent le bas de la hiérarchie. Les quatre *varna* sont subdivisés en de très nombreuses castes (*jâti* जाति), spécialisées par métiers (*vyavasây* व्यवसाय). La naissance détermine strictement l'appartenance à la caste.

Le système des castes repose sur la pureté, aussi bien pour le partage du repas que pour le mariage (litt. le "lien du pain et de la fille", *rotî-betî-sambandh* रोटी-बेटी-संबंध). Ainsi, le repas *kaccâ* (voir 2.2) ne peut être partagé que par les membres de la même caste, et l'on doit marier sa fille à l'intérieur d'une même caste. Le premier interdit, en voie de disparition, subsiste dans les zones rurales, où se maintient la coutume des festins communautaires (*jâtibhoj* जातिभोज). Quant au mariage inter-castes (*antarjâtîya-vivâh* अंतर्जातीय-विवाह), il reste difficilement accepté, sauf en milieu urbain émancipé où il n'est plus sanctionné par la mise hors caste (*jâti-bahishkâr* जाति-बहिष्कार). Le remariage des femmes est permis dans une large partie de la société, dite *nâtâyat qaum* (नातायत क़ौम, de l'arabe), bien que les groupes qui l'interdisent, le *gèr-nâtâyat qaum* (ग़ैर-नातायत क़ौम), jouissent d'un prestige supérieur au *nâtâyat qaum*.

La réservation d'un certain quota de postes dans la fonction publique pour les basses castes, prévue dans la Constitution, est devenue une pomme de discorde entre hautes (*ûncî* ऊँची) et basses (*nîcî* नीची) castes.

1.2. La vie familiale (*pârivârik jîvan* पारिवारिक जीवन)

La famille "unie" ou étendue (*sanyukt parivâr* संयुक्त परिवार) s'est constituée principalement pour éviter la division des biens familiaux, et il est encore mal vu, pour les fils, de se séparer de leurs parents. Le chef de famille (*mukhiyâ* मुखिया) est responsable de toute la gestion de la famille. Après son décès, c'est le fils aîné qui est investi de cette responsabilité par les chefs de la caste (*panc* पंच) : avoir un fils est donc impératif, d'autant plus que c'est à lui seul d'accomplir les rites des funérailles pour libérer l'âme de son père défunt.

En dépit de la loi, modifiée en faveur des filles, les fils restent en pratique les seuls héritiers, la fille étant le bien de son futur mari, et donc un fardeau (*bhâr* भार) pour ses parents qui doivent en particulier la doter pour la marier. Une fille mariée appartient à sa belle-famille (*sasurâl* ससुराल) à qui elle doit obéissance. Elle ne peut revenir chez ses parents (*pîhar / mèkâ* पीहर / मैका) que sur invitation, par exemple pour certaines cérémonies nécessitant sa présence. Le don de la fille (*kanyâdân* कन्यादान), accompagné de nombreux cadeaux, est un devoir sacré, qui coûte fort cher. Le système du mariage arrangé (*âyojit* आयोजित) est autant un engagement entre les deux familles qu'entre les époux.

Le système de la famille étendue s'est récemment relâché, surtout en milieu urbain, où les difficultés sociales et économiques amènent souvent le couple à se déplacer et où les femmes commencent à s'émanciper. Depuis quelques temps aussi, les cas de divorce (*vivâh-vicched* विवाह-विच्छेद, du sanscrit, ou *talâq* तलाक़, de l'arabe) se multiplient, et le prestige social lié à l'épouse et à la belle-fille commence à s'ébranler.

Le statut d'un individu (*vyakti* व्यक्ति) au sein de sa famille dépend essentiellement de ses relations de parenté (*rishtedârî* रिश्तेदारी). Alors qu'un gendre a toujours droit au respect, une belle-fille doit le respect à toute sa belle-famille, et même aux soeurs cadettes de son mari. La famille du garçon prévaut sur celle de la fille et, malgré toutes les formules de courtoisie réciproques, les deux familles ne se fréquentent guère qu'aux grandes occasions.

1.3. Les noms de parenté

Voici une liste des termes indiquant les principales relations de parenté (*pârivârik-sambandh* पारिवारिक-संबंध). Cousins et cousines n'ont pas de désignation spécifique, étant considérés comme frères et soeurs : *cacerâ bhâî* (चचेरा भाई), fils de l'oncle paternel, signifie littéralement "frère du côté de l'oncle paternel", et *cacerî bahan* (चचेरी बहन), fille de l'oncle paternel, signifie la "soeur" de ce même côté. De l'autre côté, *mamerâ bhâî* (ममेरा भाई) et *mamerî bahan* (ममेरी बहन), le fils et la fille de l'oncle maternel, sont le "frère" et la "soeur" du côté de l'oncle maternel. "Mère", "frère", etc., s'opposent à "belle-mère", "demi-frère" (dans le cas d'un second mariage) par l'adjonction de l'adjectif *sagâ* (सगा), opposé à *sautelâ* (सौतेला) : la mère propre est *sagî mân* (सगी माँ), le frère *sagâ bhâî* (सगा भाई). La belle-mère (deuxième épouse du père) est *sautelî mân* (सौतेली माँ), le demi-frère *sautelâ bhâî* (सौतेला भाई), et la demi-soeur *sautelî bahan* (सौतेली बहन). Les deux épouses sont entre elles *saut* (सौत). Quant aux parents par alliance, ils sont *samdhî* (समधी m.) et *samdhan* (समधन f.) entre eux. Le beau-père est désigné par le mot *sasur* (ससुर) et la belle-mère par *sâs* (सास).

Les autres termes constituent autant de désignations spécifiques pour chaque relation, le tableau étant donc beaucoup plus compliqué que le français qui utilise des composés souvent ambigus, auxquels correspondent plusieurs termes hindi, non ambigus.

père : पिता / बाप *pitâ/ bâp*	mère : माता / माँ *mâtâ / mân*
grand-père paternel : दादा *dâdâ* ;	grand-père maternel : नाना *nânâ* ;
grand-mère : दादी *dâdî*	grand-mère : नानी *nânî*
oncle (frère aîné du père) : ताऊ *tâû* ; tante : ताई *tâî*	oncle (frère de la mère) : मामा *mâmâ* ; tante : मामी *mâmî*
oncle (frère cadet du père) : चाचा / काका *câcâ/ kâkâ* ; tante : चाची / काकी *câcî / kâkî*	tante (soeur de la mère) : मौसी *mausî* ; oncle : मौसा *mausâ*
tante (soeur du père) : बुआ / फूफी *buâ / phûphî* ; oncle : फूफा *phûphâ*	

frère : भाई / भैया *bhâî / bheyâ* ; belle-soeur : भाभी *bhâbhî*	soeur aînée : दीदी / जीजी *dîdî / jîjî* ; beau-frère : जीजा *jîjâ*
neveu (fils du frère) : भतीजा *bhatîjâ* ; nièce : भतीजी *bhatîjî*	soeur : बहन *bahan* ; beau-frère : बहनोई *bahanoî*
	neveu (fils de la soeur) : भान्जा *bhânjâ* ; nièce : भान्जी *bhânjî*

mari : पति *pati*	épouse : पत्नी *patnî*
beau-frère (frère aîné du mari) : जेठ *jeth* ; belle-soeur : जेठानी *jethânî*	beau-frère (frère de l'épouse) : साला *sâlâ* ; belle-soeur : सलहज *salhaj*
beau-frère (frère cadet du mari) : देवर *devar* ; belle-soeur : देवरानी *devrânî*	belle-soeur (soeur de l'épouse) : साली *sâlî* ; beau-frère : साढ़ू *sârhû*
belle-soeur (soeur du mari) : ननद *nanad* ; beau-frère : ननदोई *nandoî*	

fils : बेटा / पुत्र *betâ* / *putr* ; belle-fille / bru : बहू / पुत्रवधू *bahû* / *putravadhû* petit-fils : पोता *potâ* ; petite-fille : पोती *potî*	fille : बेटी / पुत्री *betî* / *putrî* ; gendre : जमाई / दामाद *jamâî*/*dâmâd* petit-fils : नाती *nâtî* ; petite-fille : नातिन *nâtin*

1.4. Les sacrements et rites familiaux (*sanskâr* संस्कार)

Les *sanskâr*, rites ou sacrements qui ponctuent le déroulement complet de la vie humaine, sont particulièrement importants pour les trois premiers *varna* (brahmane, kshatriya et vaishya), les "deux fois nés" (*dvij* द्विज). Des seize *sanskâr* traditionnellement décrits, seuls les plus importants sont encore largement pratiqués, notamment les cérémonies du cordon sacré, du mariage et des funérailles.

La cérémonie du cordon sacré
(*yagyopavît* / *janeû* यज्ञोपवीत / जनेऊ)

C'est par cette cérémonie que l'enfant mâle, considéré à sa naissance comme appartenant à une basse caste (shûdra), devient un "deux fois né" et obtient l'autorisation d'étudier les *Veda*. Le cordon sacré, constitué de trois fils, lui rappelle ses trois dettes (*rin* ऋण) envers les sages (*rishi* ऋषि), les divinités et le père; il représente aussi la trinité divine, et les trois étapes de la vie d'un hindou dans le monde, puisqu'à la quatrième étape, le renonçant ne le porte plus. On accomplit le sacrifice du feu et on initie l'enfant à la *gâyatrî*, mantra védique, avant de lui mettre le cordon sacré.

La cérémonie du mariage (*vivâh* / *shâdî* विवाह / शादी)

Le mariage traditionnel est arrangé entre les deux familles, après consultation de l'astrologue (voir 2.1), et consensus sur la dot (*dahez* दहेज) de la fille, les promis ne s'étant parfois jamais vus. Le problème de la dot tend à devenir une calamité surtout dans les zones urbaines, où il n'est pas rare de voir des belles-filles tracassées ou même brûlées parce qu'elles n'apportent pas les compléments de dot attendus. A la suite d'une première cérémonie de fiançailles (*sagâî* सगाई), le mariage commence par le culte de Ganesh. Puis une procession (*bârât* बारात) conduit le marié (*dûlhâ* दूल्हा) en habits de fête, sur une jument richement parée, de chez lui au domicile de l'épouse. La mère accomplit la cérémonie de départ, puis le cortège s'en va en chantant et en dansant au son d'un orchestre. A l'arrivée de la procession chez la mariée (*dulhan* दुल्हन), la mère de la mariée assure la réception à la porte, puis a lieu un échange de guirlandes (*varmâlâ* वरमाला) entre les mariés, qu'on fait ensuite asseoir sous un chapiteau de feuilles et de fleurs, le *mandap* (मंडप). Le père fait don de sa fille en plaçant la main de celle-ci dans celle du marié. Le brahmane qui conduit les opérations rituelles, nommé *purohit* (पुरोहित), procède alors au rite sacrificiel du feu (*havan* हवन). La mariée pose son pied sur une pierre et promet fidélité au marié. Ils font ensemble sept fois le tour (*pherâ* फेरा) du feu sacré, Agni (अग्नि). A la fin, la mariée fait sept pas (*saptapadî* सप्तपदी), et reçoit du marié, à chaque pas, un droit ou une responsabilité, puis, enfin, le vermillon (*sindûr* सिंदूर) dans la raie de ses cheveux. Les adieux (*vidâî* विदाई) de la fille à ses parents clôturent la cérémonie.

La cérémonie des funérailles (*antyeshti / dâh* अन्त्येष्टि / दाह)

Pour aider un mourant à gagner le royaume de Yama, dieu de la mort, on crée dès son agonie une atmosphère spirituelle, par le don de nourriture et d'une vache (qui lui fera traverser la terrible rivière mythique, la Vètar*nî*). On place dans sa bouche des feuilles de basilic (*tulsî* तुल्सी), plante sacrée, et quelques gouttes d'eau du Gange (*gangâ-jal* गंगा-जल), avant de lui faire la lecture de la *Bhagavad Gîtâ*. Après le décès, on baigne le corps qu'on habille de vêtements neufs et qu'on maquille rituellement si c'est une femme, avant de l'allonger sur une civière (*arthî* अर्थी) de bambou. Cette civière, portée comme un palanquin par les hommes au terrain de crémation (*shmashân* श्मशान), est déposée sur le bûcher funéraire (*citâ* चिता) avec des offrandes de noix de coco, de bois de santal et de beurre clarifié, recouverts de bois. Le fils allume le bûcher et, lorsque le corps est à moitié consumé, perce le crâne avec un morceau de bois pointu pour libérer l'âme (*âtmâ* आत्मा) de son père. Le troisième jour après le décès, les cendres (*bhasmî* भस्मी) et les os (*asthiyân* अस्थियाँ) du défunt sont recueillis et portés à la ville sainte de Haridwar pour être déposés dans le Gange. Pendant les douze jours qui suivent le décès, les cérémonies se succèdent: bain du neuvième jour, grand repas funéraire du douzième jour (*mrityubhoj* मृत्युभोज). La période de deuil (*sog* सोग) peut durer un an pour la famille, en particulier les belles-filles, mais pour la veuve, elle dure toute la vie: ni vêtements de fête, ni chants, ni maquillage.

2. La vie quotidienne (*dènik jîvan* दैनिक जीवन)

2.1. Le calendrier

Il y a plusieurs calendriers en Inde: le calendrier grégorien (*îsvî san* ईस्वी / ई० सन्) et le calendrier indien (*shak* शक), débutant 78 ans après J.C., tous deux solaires. La vie courante est réglée par le calendrier grégorien. Les mois (*mahînâ* महीना) du calendrier grégorien sont transposés de l'anglais. Mais c'est le calendrier luni-solaire (*Vikram sanvat* विक्रम संवत् / वि० सं०) débutant 57 ans avant le calendrier grégorien, qui décide des fêtes religieuses et familiales.

Chaque mois (*mâs* मास), du calendrier lunaire (*pancâng* पंचांग) comporte deux quinzaines (*paksh* / *pakhvârâ* पक्ष / पखवाड़ा), la sombre (*krishna paksh* / *badî* कृष्ण पक्ष / बदी), et la claire (*shukla paksh* / *sudî* शुक्ल पक्ष / सुदी). Chaque date (*tithi* तिथि) est nommée, en sanscrit, par son rang de 1 à 14 (*ekam* एकम्, *dvitîyâ* द्वितीया, *tritîyâ* तृतीया, *caturthî* चतुर्थी, *pancamî* पंचमी, qui signifient 1er, 2ème, 3ème, 4ème, 5ème, etc.), le quinzième portant le nom de la pleine lune (*pûrnimâ* पूर्णिमा) ou de la nouvelle lune (*amâvasyâ* अमावस्या) selon la quinzaine.

Les jours de la semaine (*vâr* वार) portent les noms, communs aux deux calendriers, de divers astres comme en français. De la lune, *Som*, (nom de la libation sacrificielle lié à la lune), vient le nom de lundi (*somvâr* सोमवार), de Mars, *Mangal*, fils de la Terre et de Shiva, mardi (*mangalvâr* मंगलवार), de Mercure, *Budh*, mercredi (*budhvâr* बुधवार), du maître (*guru*) des divinités, nommé *Brihaspati*, jeudi (*guruvâr* गुरुवार ou *brihaspativâr* बृहस्पतिवार), de la planète Venus, maître spirituel des démons, *Shukrâcârya*, vendredi (*shukravâr* शुक्रवार), de Saturne, *Shani*, samedi (*shanivâr* शनिवार), et de son père, *Ravi*, le Soleil, dimanche (*ravivâr* रविवार, dit aussi *itvâr* इतवार).

Les douze mois du calendrier lunaire sont les suivants:
1. *cètr* / *chèt* चैत्र / चैत (mars-avril)
2. *vèshâkh* / *bèsâkh* वैशाख / बैसाख (avril-mai)
3. *jyeshtha* / *jeth* ज्येष्ठ / जेठ (mai-juin)
4. *âshârh* / *asârh* आषाढ़ / असाढ़ (juin-juillet)
5. *shrâva*n / *sâvan* श्रावण / सावन (juillet-août)
6. *bhâdrapad* / *bhâdon* भाद्रपद / भादों (août-septembre)
7. *âshvin* / *âsoj* आश्विन / आसोज (septembre-octobre)
8. *kârtik* / *kâtik* कार्तिक / कातिक (octobre-novembre)
9. *mârgashîrsh* / *aghan* मार्गशीर्ष / अगहन (novembre-décembre)
10. *paush* / *pûs* पौष / पूस (décembre-janvier)
11. *mâgh* माघ (janvier-février)
12. *phâlgun* / *phâgun* फाल्गुन / फागुन (février-mars)

A ces douze mois s'ajoute un mois intercalaire ou supplémentaire, *adhik-mâs* अधिक-मास, dit aussi le mois de Puru*sh*ottam (le dieu Vishnou), tous les 30 ou 32 mois, pendant lequel on ne peut se fiancer ni se marier.

On attache beaucoup d'importance à l'astrologie (*jyoti*sh ज्योतिष) et à l'astrologue (*jyotish*î ज्योतिषी), qui connaît astres (*grah* ग्रह) et constellations (*naksha*tra नक्षत्र) et prépare les horoscopes (*janm-patrikâ* जन्म-पत्रिका). Ainsi, un décès lors de la conjonction des cinq constellations lunaires, *pancak*, est néfaste, car on craint qu'il ne soit suivi de quatre autres. On conjure donc cette éventualité par des rituels tantriques où figurent les symboles de quatre personnes. Inversement, un décès survenu au onzième jour lunaire est signe que le trépassé ira directement en "paradis" (*svarg* स्वर्ग). La première lettre du prénom est déterminée par la constellation lunaire sous laquelle naît l'enfant. Certaines de ces 27 constellations, toutes épouses du dieu Lune, portent malheur, comme la dix-neuvième, *mûl*. Ainsi, la mère du célèbre poète Tulsî Dâs mourut après l'avoir mis au monde sous cette constellation et l'enfant fut rejeté. On s'efforce d'apaiser les planètes adverses, comme Saturne, par divers actes pieux, des jeûnes, des récitations de formules sacrées (*mantra* मंत्र). Bien entendu, le moment propice à des actions importantes, comme le mariage, est déterminé par les horoscopes des futurs époux. Bref, il suffit de faire confiance à son astrologue, qui aura toujours des solutions en fonction des moyens financiers de l'intéressé.

2.2. Les repas (*bhojan* / *khânâ* भोजन / खाना)

Brahmanes et Vaishyas sont normalement végétariens (*shâkâhârî* शाकाहारी), s'abstenant de viande (*mâns* / *gosht* मांस / गोश्त), poisson (*machlî* मछली), et oeuf (*andâ* अंडा), en vertu du principe de la non-violence (*ahinsâ* अहिंसा), qui interdit de tuer pour se nourrir. Par contre, on peut consommer des produits laitiers, d'autant plus appréciés que la vache est sacrée pour les Hindous : dans n'importe quel *varna*, il est hors de question de consommer sa viande.

La notion de pureté (*pavitratâ* पवित्रता) et d'impureté, au coeur de l'idéologie de la caste, est fondamentale à la cuisine (*rasoî* रसोई), où ne doit pénétrer aucun objet impur, particulièrement cuir ou chaussures. Dans les familles strictement traditionnelles, les membres des autres castes et les non-Hindous ne sont pas autorisés à y entrer. Pendant le repas, une personne ne doit jamais rien toucher d'autre que ses aliments avec la main qu'elle utilise pour manger, de crainte de souiller l'ensemble du repas. La cuisine ainsi que la réserve d'eau potable sont des endroits sacrés et leur pureté est compromise par une éclipse du soleil ou de la lune, ainsi que

par une naissance (pour dix jours) ou un décès (onze jours)
dans la famille. La femme devient impure par ses règles
(quatre jours) et l'accouchement (quarante jours) : elle ne doit
alors pas entrer dans la cuisine ni participer au repas
commun.

Il y a deux catégories de repas, le repas *kaccâ* (कच्चा,
"cru"), qui doit être consommé dans l'enceinte de la cuisine
(*caukâ* चौका), et le repas *pakkâ* (पक्का, "cuit"), que l'on peut
prendre à l'extérieur et même avec d'autres castes. Le repas
kaccâ comporte des lentilles (*dâl* दाल), du riz (*câval* चावल), des
galettes de pain (*rotî* रोटी), et diverses céréales (*anâj* अनाज)
bouillies. La plupart des sucreries, tous les légumes verts, les
gâteaux salés, les galettes frites, les produits laitiers et les fruits
sont considérés comme *pakkâ*.

Traditionnellement, on s'assoit par terre sur un petit tapis
(*âsan* आसन) pour prendre le repas, servi sur un plateau en
métal (*thâlî* थाली), avec les sauces dans de petits gobelets
(*katorî* कटोरी) métalliques. On mange avec les doigts de la
main droite, bien que depuis quelques années, la cuillère
(*cammac* चम्मच) s'utilise aussi. Le pain quotidien est la *capâtî*
(चपाती), galette de farine (*âtâ* आटा) de blé complet. Le
parânthâ (परांठा), autre espèce de galette revenue au beurre
clarifié, est considéré comme plus raffiné. Quant à la *pûrî*
(पूड़ी) plus riche, elle est frite. Les restaurants offrent des
galettes de pâte levée, les *nân* (नान) cuites au four en terre, le
tandûr (तंदूर). De nombreuses variétés de lentilles servent à
préparer le *dâl*, qui forme avec le riz la base de l'alimentation.
S'y ajoutent divers légumes (*sabzî* सब्जी) dont la pomme de
terre (*âlû* आलू), l'oignon (*pyâz* प्याज) et le chou-fleur (*gobhî*
गोभी), ainsi qu'une grande variété de condiments aux légumes
et aux fruits (*acâr* अचार).

On achète en général chez le pâtissier (*halvâî* हल्वाई) les
sucreries (*mithâî* मिठाई), à base de farine de céréales (*jalebî* ou
*lad*dû), de légumes (*pethâ* à base de courge ou *halvâ* de
carottes), de fruits secs (*barfî* de noix de cajou ou d'amandes,

bâdâm बादाम), ou encore de produits laitiers (*khîr, ras-malâî, ras-gullâ*). Les plus communs des gâteaux salés (*namkîn* नमकीन) sont les *samosâ* (समोसा), chaussons aux légumes ou à la viande hachée, les *pakaurî* (पकौड़ी), beignets de légumes ou de fromage blanc (*panîr* पनीर), accompagnés d'une sauce (*catnî* चटनी). On cuisine à l'huile (*tel* तेल) et au beurre clarifié (*ghî* घी), avec une grande variété d'épices (*masâlâ* मसाला), dont l'asafoetida (*hîng* हींग), le cumin (*zîrâ* जीरा), le piment rouge (*lâl mirc* लाल मिर्च), le curcuma (*haldî* हल्दी), la coriandre (*dhaniyâ* धनिया), les quatre épices (*garam masâlâ* गरम मसाला), le laurier sauce (*tezpattâ* तेजपत्ता), les graines de moutarde (*râî* राई), la poudre de mangues vertes séchées (*amcûr* अमचूर). Le safran (*kesar* केसर), la noix de muscade (*jâyphal* जायफल) et son écorce (*jâvitrî* जावित्री) servent à parfumer les sucreries.

Les gens préfèrent de loin l'eau (*pânî* पानी) à l'alcool (*sharâb* शराब), mais en dehors du repas, ils prennent du citron pressé (*shikanjî* शिकंजी), du yaourt liquide sucré ou salé (*lassî* लस्सी), et des fruits plutôt que des jus (*ras* रस). Le thé (*cây* चाय) est longuement bouilli et épicé à la cardamome (*ilâycî* इलायची), au clou de girofle (*laung* लौंग), au poivre (*kâlî mirc* काली मिर्च), à la cannelle (*dâlcînî* दालचीनी), et au gingembre (*adrak* अदरक).

A la fin du repas, pour se parfumer la bouche, on mâche une feuille de bétel (*pân* पान), remplie de cachou, chaux, noix d'arec (*supârî* सुपारी), anis (*saunph* सौंफ), tabac (*tambâkû* तंबाकू), etc.

Il y a toute une gamme de restaurants (*restoren*t / *bhojnâlay* रेस्टोरेंट / भोजनालय), du palace offrant une cuisine panjabie et moghole, aux gargotes populaires (*dhâbâ* ढाबा). Dans les restaurants de catégorie moyenne, on peut commander un plateau (*thâlî* थाली) à prix fixe et manger à volonté. De nombreux restaurants sont végétariens. Des vendeurs de rue proposent en outre des aliments, surtout des plats salés (*cât* चाट) généralement très pimentés, sur une sorte de charrette (*the*lâ ठेला).

On retrouve cette hiérarchie dans les hôtels (होटल) du fabuleux palace de *mahârâjâ* à l'humble *dharmshâlâ* (धर्मशाला), abri pour les pèlerins (*yâtrî* यात्री), au prix dérisoire, conçu dans un esprit de charité, sans restriction quant au nombre d'occupants de la chambre (*kamrâ* कमरा). Certains sont réservés à telle caste ou religion, et refusent souvent les femmes seules. Toilettes (*shaucâlay* शौचालय) et salle de bain (*gusal* गुसल) sont généralement communes et, en vertu des préceptes brahmaniques, viande, poisson, oeufs et alcool y sont interdits.

2.3. Les vêtements (*kapre / vastra* कपड़े / वस्त्र)

Les gens accordent une très grande importance à leurs couleurs (*rang* रंग) et motifs. Les couleurs vives sont considérées comme fastes alors que le noir ou le bleu foncé sont néfastes et liés au deuil. La soie est très prisée pour les saris comme pour les habits masculins. Sont particulièrement élégants les broderies de Lucknow, nommées *cikan* (चिकन), les cotons imprimés à Sângâner, près de Jaipur, les motifs "*tie and dye*" (*bandhej* बंधेज) du Rajasthan, les châles en laine du Cachemire, les saris de soie (*reshmî* रेशमी) et les brocards (*zarî-pârcâ* जरी-पारचा) de Bénarès.

Le *sârî* (साड़ी), vêtement hindou féminin par excellence, est une pièce de tissu d'un mètre vingt de large sur cinq mètres et demi de long, qu'on porte avec une blouse et un jupon long. Dans certaines régions et surtout au Rajasthan, la femme porte une jupe longue plissée (*lahangâ* लहँगा), un corsage à manches courtes et se couvre la tête d'un voile (*orhnî* ओढ़नी). La domination moghole (musulmane) a répandu le *salvâr* (सल्वार) et le *cûrîdâr pajâmâ* (चूड़ीदार पजामा), pantalon de tissu léger serré à la cheville, ainsi que la *kurtî* (कुर्ती), sorte de tunique tombant jusqu'aux genoux. Par ailleurs, les femmes se couvrent aussi la poitrine avec un tissu léger, *cunnî* (चुन्नी) ou *dupattâ* (दुपट्टा), dont les pans retombent dans le dos.

Le vêtement hindou masculin typique est le *dhotî* (धोती),

tissu blanc d'un mètre dix sur quatre mètres et demi, porté avec une chemise (*qamîz* क़मीज़) ou une tunique longue, *kurtâ* (कुर्ता). Mais dans les villes, le style occidental contemporain prédomine. Les *shervânî* (शेरवानी) et *ackan* (अचकन), tuniques longues tombant jusqu'aux genoux, sont d'origine moghole. Les couvre-chefs vont du turban court ou long, *sâfâ* (साफ़ा) ou *pagrî* (पगड़ी), au calot blanc, *gândhî topî* (गाँधी टोपी), porté par les partisans du Congrès. Bien que l'usage des turbans se perde de plus en plus et tende à se limiter aux cérémonies telles que le mariage, l'honneur d'un homme se marque encore à son habit de tête.

Fêtes et célébrations sacramentelles comportent souvent l'obligation de porter des vêtements neufs et non lavés.

2.4. Les bijoux (*zevar* / *gahnâ* जेवर / गहना)

Ce sont les biens personnels de la femme, reçus lors de son mariage, de la naissance puis du mariage de ses enfants. L'or (*sonâ* सोना), lié à la déesse de la richesse Lak*sh*mî, est très prisé et, il n'y a pas encore si longtemps, seuls les membres de la famille royale, ses privilégiés et les Kshatriyas avaient le droit d'en porter aux pieds. Les pierres précieuses (*ratn* रत्न) étant liées à un astre, leur port est dicté par l'astrologue.

La gamme des bijoux est variée: petites boucles d'oreille incrustées de perles ou de pierres précieuses en forme de clou de girofle (*laung* लौंग), anneaux d'oreille (*bâlî* बाली), pendants d'oreilles (*bundâ* बुंदा); pour la narine, diamant (*hîrâ* हीरा), perle (*motî* मोती) ou autre pierre incrustée dans une tige d'or aussi appelée *laung*, anneau avec des perles enfilées ou incrusté de pierres précieuses (*nath* नथ); collier (*hâr* हार), dont le plus typique est le *mangal-sûtr* (मंगल-सूत्र), fait de grains noirs enfilés sur un fil métallique, avec un pendentif. Les bracelets (*cûrî* चूड़ी) peuvent être d'or, d'argent (*cândî* चाँदी), de laque, d'ivoire (*hâthîdânt* हाथीदांत), de verre (*kânc* काँच), voire de plastique, et sont ronds, *karâ* (कड़ा) ou plus épais, *kangan* (कंगन). Bague (*angûthî* अंगूठी), et bracelet de cheville simple (*pâzeb* पाजेब), ou à grelots (*pâyal* पायल), et anneaux pour les orteils (*bichuâ* बिछुआ) complètent la série.

Si la fille célibataire peut tout porter sauf le *mangal-sûtr* et le *bichuâ*, la veuve ne peut mettre ni bijoux de tête, ni *nath*, ni *mangal-sûtr*, ni bracelets de laque ou d'ivoire, ni anneaux aux orteils, ni bijoux à grelots (*ghunghrû* घुंघरू) qui tintent, car ils sont tous liés au bonheur conjugal.

2.5. Le maquillage (*singâr* सिंगार)

Il est symbolique et sacré pour la femme, qui reçoit pour la première fois à ses fiançailles des produits de maquillage, offerts par la future belle-famille. Elle devra cesser de se maquiller dès son veuvage, et si elle quitte ce monde avant son mari, elle sera parée et maquillée comme pour un mariage.

Lors des fêtes, les femmes doivent se parer et se maquiller, sauf en cas de veuvage et de deuil dans la famille, afin que la cérémonie reste faste. Il y a seize manières de se maquiller, dont voici les principales: tous les jours se mettre du vermillon (*sindûr* सिंदूर) dans la raie (*mâng* मांग) des cheveux (sauf les célibataires), un point rouge (*bindî* बिंदी) sur le front et du khôl (*surmâ* सुरमा ou *kâjal* काजल) aux yeux; lors des fêtes, se tracer sur les mains et les pieds des motifs variés et symboliques avec du henné (*mehandî* मेहंदी), et se colorer la plante du pied avec une solution rouge (*altâ / mahâvar* अल्ता / महावर). Le point sur le front et les bracelets peuvent être de couleurs variées selon les vêtements, mais le rouge est le symbole du bonheur conjugal.

2.6. Le système de transport (*parivahan* परिवहन)

L'Inde possède un vaste réseau routier et ferroviaire, parmi les plus importants du monde. C'est l'un des rares pays à fabriquer la totalité de son parc automobile. En ville, on trouve bus, taxis, voitures, trois-roues motorisés (three-wheelers), cyclo-pousse (*rikshâ* रिक्शा), et voitures à cheval (*tângâ* तांगा). Dans les régions rurales, malgré l'apparition des vélomoteurs, scooters, ou motocyclettes et malgré l'omniprésence de la bicyclette (*sâikil* साइकिल), le moyen de transport (*yâtâyât* यातायात) le plus courant reste toujours le char à boeufs (*bèlgârî* बैलगाड़ी).

2.7. Le système médical (*cikitsâ pranâlî* चिकित्सा प्रणाली)

Si la médecine occidentale est bien développée, le gouvernement reconnaît aussi l'importance de la médecine Ayurvédique (codifiée dans la *Caraka Samhitâ* et la *Sushruta Samhitâ* au deuxième millénaire avant J.C., et attribuée au médecin divin Dhanvantari). Environ 10 000 dispensaires et 1500 hôpitaux (*aushadhâlay / aspatâl* औषधालय / अस्पताल) occupent quelque 300 000 médecins ayurvédiques (*vèdya* वैद्य), et cette discipline fait l'objet d'un enseignement universitaire. Les médicaments (*davâ / aushadhi* दवा / औषधि) ayurvédiques sont le plus souvent à base de plantes. L'homéopathie et surtout la naturopathie (*prâkritik cikitsâ* प्राकृतिक चिकित्सा) sont par ailleurs en plein essor, ce qui n'empêche pas les gens d'aller voir les guérisseurs (*ojhâ* ओझा), ou de s'en remettre à certaines divinités ou héros déifiés comme Tejâjî pour la morsure de serpent, ou la déesse Âvrîmâtâ pour la paralysie.

2.8. L'éducation (*shikshâ* शिक्षा)

L'Inde avait en 1951 un taux d'alphabétisation (*sâkshartâ* साक्षरता) de 16,67%. Depuis la fin des années 60, l'instruction (*shikshan* शिक्षण) est gratuite et obligatoire jusqu'à 14 ans, et un programme d'alphabétisation pour les adultes (*praurhshikshâ* प्रौढ़-शिक्षा) est mis en place. Presque tous les grands villages sont maintenant pourvus d'une école (*skûl / pâthshâlâ* स्कूल / पाठशाला). Le taux d'alphabétisation avait atteint environ 52,11% en 1991 (dont 63,86% d'hommes et 39,42% de femmes), mais beaucoup d'enfants travaillent encore à plein temps. Etant donné la réticence de certains parents devant la mixité, des écoles de filles coexistent avec des écoles mixtes jusqu'au niveau supérieur (*ucca star* उच्च स्तर). Les établissements privés concurrencent de plus en plus le secteur public.

L'enseignement primaire (*prâthamik* प्राथमिक) et secondaire (*mâdhyamik* माध्यमिक) dure douze ans. Les universités (*vishvavidyâlay* विश्वविद्यालय) délivrent le B.A. (Bachelor of Arts) après trois ans d'études, le M.A. (Master of Arts) après deux autres années, des quotas, ou réservations, garantissant un pourcentage de places pour les basses castes. Le troisième cycle universitaire est analogue à celui de la France. L'Inde a le deuxième rang mondial pour le nombre de chercheurs scientifiques de haut niveau. L'Indira Gandhi National Open University, à Delhi, est l'une des plus grandes universités "ouvertes" du monde, et offre un vaste choix d'études à ceux qui ne peuvent assister aux cours.

Devant la situation de multilinguisme qui prévaut en Inde, le gouvernement avait envisagé un système de trois langues dans les écoles: pour la région hindiphone, le hindi, une autre langue indienne, et une langue étrangère, le plus souvent l'anglais. Mais la "*three languages formula*" reste difficile à appliquer. La diffusion du hindi, langue officielle de l'Union Indienne, est assurée par l'Institut Central de Hindi, Kendrîya Hindî Sansthân (à Agra), qui forme les enseignants (*adhyâpak* अध्यापक) de hindi pour les Etats non hindiphones, et propose aussi des cours aux étudiants étrangers. Les grandes vacances scolaires tombent aux mois les plus chauds, mai et juin.

3. La vie artistique

3.1. La peinture, la sculpture et l'architecture
(*citr-kalâ* चित्र-कला, *mûrti-kalâ* मूर्ति-कला et *vâstu-kalâ* / *shilp-kalâ* वास्तु-कला / शिल्प-कला)

Né dans les temples, l'art (*kalâ* कला) est influencé dès la période Maurya aux IVème et IIIème siècles av. J.C. par le bouddhisme, dont témoignent les piliers d'Ashoka et les *stûpa*, à Sanchi, dans le Madhya Pradesh, et à Sarnath, près de Bénarès.

Les siècles suivants marquent la fusion d'un renouveau du brahmanisme et de l'influence bouddhiste, simultanément à Mathura et au nord-ouest de l'Inde, avec une statuaire, de pierre ou de bronze, privilégiant les êtres célestes féminins ou *yakshinî*, à son apogée entre le IIIème et le VIème siècles après J.C., pendant la période Gupta, mais bien vivant pendant les cinq siècles suivants. Les temples de Khajuraho (Madhya Pradesh), célèbres pour leurs statues érotiques, les temples jain de Dilwârâ (Mont Âbû), ou les grottes d'Ajanta et d'Ellora en sont autant de témoignages.

L'arrivée des musulmans, malgré leur refus, parfois destructeur, des idoles, marque avec la période moghole (surtout de 1556 à 1658), l'âge d'or de l'art indien, notamment de l'architecture, avec la construction de palais (*mahal* महल) et de forteresses (*qilâ* क़िला), comme les Forts Rouges (*lâl qilâ* लाल क़िला) de Delhi, Agra, ou Fatehpur Sikri, de tombeaux (*maqbarâ* मक़बरा), comme celui d'Humayun, à Delhi, et de nombreux palais fortifiés du Rajasthan (Amber, Jodhpur, Chittorgarh). Cette architecture atteint son apogée avec la construction du Taj Mahal à Agra, et se prolonge dans les réalisations plus récentes comme le palais des vents (*havâ-mahal* हवा-महल) de Jaipur. Après les Moghols, la veine authentiquement indienne est tarie, la colonisation britannique apportant son modèle culturel qu'on peut apprécier dans l'architecture des bâtiments officiels, des gares et des églises.

La peinture de miniatures (*laghucitr* लघुचित्र) est aussi une tradition moghole, même si d'autres écoles en ont repris les techniques (école de Kângrâ, et plus récemment, de Nâthdwârâ, au Rajasthan, consacrée à la description de la vie de Krishna), ignorant la perspective, mais reflétant tous les aspects de la vie urbaine et rurale. Comme l'école de Kishangarh, au Rajasthan, elle a trouvé une relance dans le tourisme dès les années soixante.

Un art populaire traditionnel consiste à montrer les épisodes de la vie de héros régionaux, comme Dev Nârâyan, Pâbûjî, peints sur des toiles (*par* पड़), qu'on déroule en les accompagnant de récits chantés. Il y a aussi de nombreuses formes picturales spécifiques, des dessins muraux (*thâpâ* थापा), représentant diverses divinités, peintures de femmes sur le sol (*alpnâ* / *mândnâ* अल्पना / माँडना) à la farine de riz ou à la chaux, tous liés à divers symboles, ainsi que les dessins au henné sur les mains et les pieds, ou les motifs des saris et des turbans. Les triangles, pointés vers le haut, représentent le Feu, la montagne et le dieu Shiva, et, pointés vers le bas, ils représentent l'eau et Shakti. Le cercle représente la roue et le cycle de la vie; les cinq dés, les cinq éléments de la nature; le perroquet et le paon, les maris, les soupirants et les frères; le scorpion représente un amant ou un séducteur; la croix gammée (*svastika* स्वस्तिक) est liée à la prospérité et au dieu Ganesh; le poisson, au dieu de l'amour, et la fleur de lotus à la déesse Laksʰmî, à la matrice et à la vie.

3.2. La musique (*sangît* संगीत)

La musique hindoustanie classique (*shâstrîya* शास्त्रीय)

Issue de la notion du "son primordial inaudible" (*nâd brahma* नाद ब्रह्म), la musique indienne est dès l'origine sacrée et liée au système hindouiste, faisant d'emblée l'objet d'une complexe tradition musicologique avec le *nâtya-shâstra* (नाट्य-शास्त्र), traité classique des arts de la scène: comme la danse ou la connaissance, c'est un des moyens d'accéder au principe cosmique. La musique hindoustanie (de l'Inde du nord) s'est toutefois fixée dans la forme qu'on lui connaît grâce à la synthèse culturelle hindou-musulmane: influencée par la tradition savante persane, elle a ses figures légendaires, le poète musicien Amîr *Kh*usrau Dihalvî (1253-1325) étant la plus ancienne, et le musicien de cour Tânsen (1556-1605), au temps d'Akbar, la plus fameuse. Le mécénat princier qui a subsisté jusqu'à l'indépendance, chez les rajas de Gwalior, Indore, Jaipur, Darbhanga, Lucknow, structure la production et la performance musicale (la notion de concert public est très récente), ainsi que le mode d'enseignement: transmis personnellement, l'art musical s'apprend dans les grandes lignées, les *bânî* (बानी) ou *gharânâ* (घराना, de *ghar*, "maison"), de façon héréditaire, comme celle des Dagar de Jaipur, toujours vivante. Aujourd'hui encore, la plupart des sarodistes et des sitaristes se réclament de Tânsen. L'enseignement passe par une transmission personnelle du maître à l'élève, la *guru-shishya-paramparâ* (गुरु-शिष्य-परंपरा), et déborde largement la technique puisqu'il est en même temps une véritable ascèse spirituelle. On en trouve une description émouvante dans deux récits de *Narmada Sutra* de Geeta Mehta. L'existence de centres publics d'enseignement, dans les universités ou à la Sangît Kalâ Akâdemî (Académie des Arts plastiques et musicaux), et le développement de salles de concert à l'occidentale est en passe de modifier fondamentalement ces modes d'apprentissage et de performance. Mais les grandes lignées familiales et artistiques survivent encore, acceptant toutefois de plus en plus d'étudiants extérieurs à la famille.

Qu'elle soit vocale (*maukhik* मौखिक), ou instrumentale (*vâdya* वाद्य), la musique hindoustanie, qui n'est ni harmonique ni symphonique, se fonde sur une gamme de sept notes (*svar* स्वर), avec 24 micro-tons ou *shruti* (श्रुति) inégaux, et ses harmoniques, de hauteur relative: d'où le temps consacré à accorder les instruments au début de la performance. Le terme de *râga* (राग), souvent utilisé pour désigner une pièce de musique, désigne en fait le mode musical, choisi en fonction de l'heure, du jour et de la saison. Seul le schéma de base est donné, et la performance est la libre improvisation de l'interprète, porté par les réactions de l'auditoire et de ses accompagnateurs, dans le cadre toutefois minutieusement codifié des figures du répertoire. Voix ou instrument soliste sont accompagnés d'une percussion (*tablâ* तबला ou *pakhâvaj* पखावज) qui marque le rythme (*tâl* ताल), élément capital du *râga*, souligné par les gestes de l'interprète, et marqué parfois aussi par le public. Un *tâmpurâ* (तामपुरा), sorte de *sitâr* (सितार) sans touche, sert de bourdon.

S'il est difficile de réduire la musique instrumentale à quelques grands noms, dont vous trouverez aisément les enregistrements chez tout disquaire, on peut citer parmi les plus connus ceux de Ravi Shankar (1920-) et Nikhil Banerjee (1931-86) pour le *sitâr*, Ali Akbar Khan (1922-) et Amjad Ali Khan (1945-) pour le *sarod* (सरोद), deux instruments semblables à de grands luths, Zia Mohiuddin Dagar (1929-90) et Asaf Ali Khan (1937-) pour la *rudra vînâ* (रुद्र वीणा), instrument à cordes à deux caisses de résonance, Hari Prasad Chaurasia (1938-) pour la flûte (*bansî* बंसी), Bismillah Khan (1916-) pour la *shahnâî* (शहनाई), sorte de hautbois, et Shiv Kumar Sharma (1938-) pour le *santûr* (संतूर).

La musique vocale la plus prestigieuse, la plus ancienne (XVIème siècle) et la plus rigoureuse est le *dhrupad* (ध्रुपद), caractérisé par la longueur de son prélude ou *âlâp* (आलाप), illustré notamment par la *Dâgarbânî* (les deux couples ou *Jugalbandî* des Dagar Brothers, puis du Dagar Duo, les solistes Fahimuddin Khan Dagar, Fariduddin Khan Dagar, et aujourd'hui Wasifuddin Khan Dagar), et celle de Ram Catur Mallik. Le khy*âl* (ख्याल), plus populaire du fait de sa brillance, et le th*umrî* (ठुमरी), poème d'amour plus léger, ont aussi eu des interprètes légendaires, tels Bade Gulam Ali Khan (1901-68) et Bhimsen Joshi (1922-).

La musique populaire (*loksangît* लोकसंगीत)

Outre la musique savante, les formes populaires traditionnelles restent très vivantes, comme les *bhajan* (भजन) et *kîrtan* (कीर्तन), chants religieux typiques de la dévotion (*bhakti* भक्ति). Les Vallabhites, secte vishnouïte, ont maintenu la tradition plus sophistiquée des *havelî sangît* (chants de palais); le répertoire des *qavvâl* (क्व्वाल) spécialistes de chant soufi, chanté dans les *dargâh*, contient des pièces en persan, ourdou, hindi, panjabi, ainsi que certains poèmes préservés dans l'*Âdi Granth*, livre sacré des Sikhs, toujours chanté, où se trouvent des poèmes de Kabîr. De nombreuses ballades littéraires ont gardé la vitalité de la performance populaire, chantées par des professionnels tels les ahîrs pasteurs dans le Bhojpur au Bihar. Sans compter, bien entendu, les chansons de femmes, liées aux travaux domestiques, ou au sacrement nuptial. Les rites de toute cérémonie sont accompagnés de tambour (dh*ol* ढोल) et de chants (*gît* गीत) de femmes, spécialisés selon les occasions: naissance ou mariage, passage des saisons, chansons des douze mois ou des quatre mois (Bârahmâsâ बारहमासा, ou Caumâsâ चौमासा), exprimant l'angoisse de la séparation (*virah* विरह). La saison des pluies et le printemps sont les saisons de l'amour, de l'amitié, de la joie et des fêtes. Dans les chants du printemps, Phâg et Rasiyâ, domine le thème de l'amour, dans ceux de Jog*îrâ* et Kabîr, l'érotique, voire l'obscénité.

Et, plus récemment, les chansons de films (*filmî gâne* फ़िल्मी गाने), fredonnées par les jeunes de sept à soixante-dix-sept ans, reprennent volontiers les chants populaires.

3.3. Le folklore et le théâtre populaire

Ils sont indissociables de la musique, surtout la littérature folklorique (*lok-sâhitya* लोक-साहित्य), du reste difficilement distincte de la littérature tout court à date ancienne.

Les histoires populaires consistent en *kathâ* (कथा), liées aux divinités et marquant la fin d'une fête ou d'un jeûne, et *gâthâ* (गाथा) chantées (gestes épiques ou *vîrgâthâ* वीरगाथा), comme celles du héros mythique populaire Tejâjî, de Galâleng ou d'Âlhâ, personnages historiques ; histoires d'amours romantiques (*prem kathâtmak*), comme celle de *Dh*olâ-Mârû; histoires romanesques, mêlant amour, sentiment religieux, aventure et légende, comme celle de la princesse Nihâlde et du prince Sultân ; histoires mythologiques (*paurâ*n*ik*) plus ou moins réinterprétées.

Le théâtre populaire (*lok-nâtya*) est inspiré de la religion et de la mythologie. La pièce commence par des prières sur une scène (*manc* मंच) près d'un temple et est soutenue par la foi des spectateurs (*darshak* दर्शक). Les deux types les plus importants sont les *Lîlâ* (लीला) et les *Khy*âl (ख्याल). Le *Râs-Lîlâ* traduit les aventures amoureuses de Râdhâ et de Krishna avec les vachères ou *gopî* (région du Braj notamment, en Uttar

Pradesh). Le *Râm-Lîlâ*, lié au célèbre *Râmâyana* de Tulsî Dâs,
est joué presque partout pendant les dix jours qui précèdent la
fête de Dashahrâ, les plus célèbres représentations étant celles
de Delhi, et de Ramnagar à Bénarès.

Les *Khyâl* sont plus récents, originaires de la région
d'Agra, à connotation moderne, plus chantés que dansés, à
thème religieux, historique ou social. Le style le plus célèbre
est le *Nautankî*, qui évoque les amours de la princesse
Nautankî (en glorifiant le sentiment nationaliste), le *Rammat*
du Rajasthan, joué au moment de la fête de Holî, plein de
sarcasme et de plaisanteries à résonances socio-économiques,
comme le *Cauhân* du Chattîsgarh. Enfin, les théâtres de rue
(*nukkar nâtak* नुक्कड़ नाटक), récents et très en vogue, bien que
toujours joués dans le style original des villages, évoquent les
problèmes quotidiens, souvent politisés.

3.4. La danse (*nritya* नृत्य)

La danse classique est liée à Shiva, roi de la danse (*natrâj*)
qui, outragé par la mort de son épouse, Satî, exécuta la danse
de la destruction (*tândav-nritya* तांडव-नृत्य), tandis que Satî,
réincarnée en Pârvatî, exécuta une danse gracieuse nommée
lâsya-nritya (लास्य-नृत्य). Ce mythe instaure ainsi la danse de
l'homme et de la femme, de l'amour, qu'on retrouve sous une
forme différente, le *Râs* रास, exécutée par Krishna avec les
vachères. Le sage Bharat en traite ainsi que de la musique dès
le IIIème siècle avant J.C. dans le *nâtya shâstra* (नाट्य शास्त्र).
C'est sous le règne des Gupta (IVème siècle) que la danse se
développa sous sa forme classique, dansée en solo, dont les
styles purement hindous ne sont pas propres à la région
hindiphone (*bhârat nâtyam* au Tamil Nadou ; *odissî*, en
Orya). Pendant la période moghole (1526 à 1857), sous
l'influence de la culture persane, la danse devient un art de
cour, associé aux courtisanes au statut social ambigu. Le
katthak (कत्थक), où domine le travail du rythme (*lay* लय) et
des pieds, en est la plus haute expression, généralement dansé
par un homme, comme aujourd'hui le célèbre Birju Maharaj,

et toujours dans un véritable dialogue avec le percussionniste au *tablâ* (voir musique). A la même époque, se développait la danse dévotionnelle dans les temples.

La danse classique se fonde sur trois composantes : le *nritta*, éléments rythmiques liés au *tâl* (ताल), rythme; le *nritya*, combinaison de rythme et d'expression, *abhinay* (अभिनय); et le *nâtya*, élément dramatique. Le *nritya* est exprimé par les yeux, les gestes des mains et les mouvements du visage, tandis que le *nâtya* est fondé sur les légendes et les histoires de la mythologie, essentiellement krishnaïte.

Traditionnellement enseignée en privé dans la tradition maître-disciple, la danse est aujourd'hui enseignée dans des conservatoires et académies, dont la Lalit Kalâ Akâdemî à Delhi. Télévision et cinéma en popularisent des versions souvent commerciales.

Les danses folkloriques (*lok nritya* लोक नृत्य)

Limitées aux fêtes sociales ou religieuses comme Holî et Navrâtri (voir 6.4), elles se caractérisent par des figures de groupe où domine le thème de l'amour. Le *ghûmar* (घूमर), particulièrement apprécié des femmes, se danse en ronde au moment de fêtes telles que Holî et Gangaur. Depuis quelques années, le *garbâ*, originaire du Goujarat, à l'occasion de la fête des neuf nuits (Navrâtri) consacrées à la déesse Ambâ, est devenu très populaire partout dans le nord de l'Inde. Diverses danses, à arrière-plan social et religieux, comme la *Gavrî*, liée à Gaurî l'épouse de Shiva, ou celles du *Râs-Lîlâ* et du *Râm-Lîlâ*, ont un caractère plus théâtral. En outre, les *bhopâ*, véritables dévots des héros populaires divinisés comme Gogâjî ou Pâbûjî, dansent avec des grelots aux pieds pour accompagner leur chanson de geste. Il est même apparu des castes de danseurs professionnels qui dansent ou font danser leur femme afin d'assurer leur subsistance. Au moment de la naissance d'un fils, les eunuques (*hijrâ* हिजड़ा), considérés comme porte-bonheur, viennent danser et chanter dans les foyers qui les rétribuent en vêtements et en dons.

3.5. Le cinéma (*calcitr* চলচিত্র)

C'est un art déjà traditionnel en Inde, puisqu'il y est né en 1913. Aujourd'hui, l'Inde est le plus grand producteur mondial de films (फ़िल्म / *calcitr* চলচিত্র): en 1994, sur 753 films en 18 langues indiennes, 155 étaient en hindi, produits à Madras, Calcutta, mais surtout à Bombay, surnommée Bollywood. Les films à succès traitent surtout de l'amour pur, mettant en scène le classique triangle d'amoureux et l'opposition d'un ou plusieurs parents. La misère n'y est à peu près jamais évoquée, puisqu'il faut entraîner le spectateur dans le rêve. Certains réalisateurs ont des ambitions plus élevées sur le plan des contenus et de la forme, comme Guru Dutt (*Kâgaz ke phûl*, "fleurs de papier", *Pyâsâ*, "l'assoiffé"), Mrinal Sen, Mani Kaul, Shyam Benegal, voire Satyajit Ray qui a aussi fait des films en hindi (*Shataranj ke khilârî*, "les joueurs d'échec", d'après une nouvelle de Premcand), mais ces films d'artiste ne font guère recette en Inde. Dans un registre un peu plus populaire, des films tels que *Mother India*, dans les années cinquante et *Tamas*, "Obscurité", dans les années quatre-vingts sont de grands films sur la genèse de l'Inde moderne.

Quant au film commercial classique, très influencé dans les années cinquante par la comédie américaine (*Shrî 420*, "Monsieur 420", c'est-à-dire "l'escroc", littéralement, le spécialiste de l'article 420 contre l'escroquerie), il s'adapte à l'évolution des mentalités, ajoutant un autre triangle, où politiciens, policiers et gangsters se retrouvent complices dans le milieu corrompu de la contrebande, de l'argent facile ou de l'exploitation des pauvres. Les scènes de violence et de viols y prennent une grande importance. Face à cette corruption et à l'impuissance du peuple, l'apparition d'un justicier, puissant et protecteur, voire patriote, est présentée comme la solution indispensable. Le cinéma montre des pauvres honorables, courageux et honnêtes, (*Coolie* de Ram Mohan Desai, avec le célèbre Amitabh Bachchan), entraînant la sympathie à l'égard des personnes socialement inférieures voire avilies, telles les prostituées dans le film *Mandî*, "le marché de gros", fustigeant les faiblesses des hautes castes et des dirigeants politiques comme dans *Râm terî Gangâ mèlî*, "Ô Râma ton Gange est sale". La malhonnêteté, l'hypocrisie et les actions diaboliques des riches, des sacerdotes hindous prétendant défendre la religion, sont mises à nu alors qu'un musulman, un chrétien, une personne de basse caste et même un ivrogne sont présentés sous un meilleur jour. On voit les héros positifs s'opposer aux traditions et au système des castes, au mariage arrangé, à l'hypocrisie religieuse, à la dot, au triste sort des belles-filles brûlées (*Yah Âg kab bujhegî*, "quand ce feu s'éteindra-t-il?") et défendre les enfants naturels (*Mâsûm*, "innocent").

Ces films commerciaux mettent plus en vedette les acteurs, que le réalisateur, et les vedettes de cinéma sont les dieux du monde bollywoodien: pas un indien qui ne connaisse les actrices (*abhinetrî* अभिनेत्री) Smita Patil, Shabana Azmi, Nargis, Rekha, ou les acteurs (*abhinetâ* अभिनेता) Om Puri, Sanjay Kumar, les Kapur et surtout Amitabh Bachchan.

Quant aux héros et aux héroïnes, ils savent tous danser dans ces films où les séquences de danse et de chant sont plus importantes que le thème lui-même. Mais ils sont doublés par des chanteurs professionnels, dont la plus célèbre est Lata Mangeshkar: on trouve ses cassettes plus facilement que celles de Ravi Shankar.

4. Les médias

4.1. La presse

Le journalisme (*patrakâritâ* पत्रकारिता) hindi commença à Calcutta avec la publication, en devnâgarî, de l'hebdomadaire (*sâptâhik* साप्ताहिक) *Udant-mârtand*, litt. "soleil des informations", en 1826, qui n'obtint pas la subvention du gouvernement britannique comme c'était le cas pour les revues en bengali et en persan. Le premier véritable journal (*samâcârpatr* / *akhbâr* समाचारपत्र / अख़बार) en hindi, *Banâras-akhbâr*, fut publié en 1844. Parmi les nombreuses revues en hindi de la fin du dix-neuvième siècle, les revues littéraires

Kavi-Vacan-Sudhâ, litt. "ambroisie de la parole du poète", publiée par le célèbre écrivain nationaliste Bhârtendu Harishchandra, et, en 1900, *Sarasvatî*, dirigée par Mahâvîr Prasâd Dwivedî, jouent un rôle important dans l'histoire des médias, de la langue et de la littérature. Ces journaux s'intéressaient essentiellement aux problèmes sociaux, et l'information (*samâcâr* / k*h*abar समाचार / ख़बर) n'y occupait qu'une place secondaire.

Au XXème siècle, le journalisme en hindi vient au premier rang en Inde pour le nombre de ses publications. Sur les quelque 3 500 quotidiens (*dènik* दैनिक) et 10 300 hebdomadaires, en plus de vingt langues, 1 500 quotidiens et 5 500 hebdomadaires sont en hindi (Uttar Pradesh, Delhi, puis Rajasthan en tête). Les principaux quotidiens sont le *Nav Bharat Times*, *Hindustan*, les principaux périodiques sont *Saritâ* ("la rivière"), *India Today* (revue, *patrikâ* पत्रिका, autrefois uniquement éditée en anglais), *Kâdambinî* ("file de nuages"), *Sarvottam* ("*le meilleur*"), version hindi du *Reader's digest*.

Quatre agences de presse (Samachar Bharti, Hindustan Samachar et, depuis 1982 et 1986 respectivement, United News of India et Press Trust of India) assurent un service en hindi.

4.2. La radio (रेडियो)

Les émissions, initiées en 1927 par deux sociétés privées, furent reprises par le gouvernement en 1936, sous le beau nom, depuis 1956, de "voix du ciel", Âkâshvân*î* (आकाशवाणी). Les programmes, qui touchent environ 90% de la population, comportent informations, pièces de théâtre, musique (relayant ainsi l'ancien patronage princier), et émissions éducatives pour la population rurale. Certaines émissions sont diffusées à l'étranger par un service spécial.

La télévision (*telîvijan* टेलीविजन)

Elle fit ses débuts en 1959, mais c'est en 1975 que naquit

officiellement la télévision nationale Doordarshan (दूरदर्शन),
"vision à distance". Une deuxième chaîne, Metro Channel
(चैनल), en 1984, marque le début d'une ascension
spectaculaire, jusqu'à toucher aujourd'hui 80% des foyers.
Câbles et antennes paraboliques sont courants dans les
métropoles. L'arrivée dans le ciel indien de Star T.V. et de ses
chaînes diffusées depuis Hongkong par satellite, dont la très
populaire Zee T.V. en hindi, a bousculé le monopole de
Doordarshan, qui a dû se résoudre à diversifier ses chaînes, et
à diffuser, depuis 1994, vers l'Europe et l'Afrique du Nord
(sous l'impulsion des émissions (*prasâra*n प्रसारण) de T.V.
Asia destinées à l'Europe). La montée des chaînes privées a eu
pour effet de détrôner le "hindi officiel" sanskritisé en faveur
d'une forme de hindi intégrant mots et tours anglais.

L'arrivée de la radio et de la télévision a dans un premier
temps largement contribué à l'éveil populaire, par des
programmes où dominait le message social, mais, depuis peu,
ce sont les divertissements (*manora*ṇjan मनोरंजन), les téléfilms,
la politique et même le sexe qui sont à la une. Les très
populaires téléfilms fleuve sur le *Râmâyana* (रामायण) et le
Mahâbhârata (महाभारत), ont encore autant d'audience que les
feuilletons à l'américaine.

5. La vie politique et juridique

5.1. Les partis politiques (*râjnètik dal* राजनैकित दल)

Les États du nord de l'Inde ont dominé la vie politique
(*râjnètik* राजनैतिक) depuis l'Indépendance (*svatantratâ* / *âzâdî*
स्वतंत्रता / आज़ादी) en 1947. Le parti du Congrès, dont le
Mahâtmâ Gandhi (la "grande âme") prend la tête en 1920, a
longtemps dominé la politique indienne : Jawahar Lal Nehru
fut premier ministre de 1947 à 1964, sa fille Indira Gandhi
(après Lal Bahadur Shastri de 1964 à 1966) de 1966 à 1977,
puis de 1980 à 1984, enfin son fils Rajiv Gandhi de 1984 à
1989, les deux derniers assassinés respectivement en octobre
1984 et en mai 1991. Avec Narsimha Rao, premier ministre
jusqu'à avril 1996, le parti du Congrès est resté au pouvoir

presque sans interruption de 1947 à 1996, donnant à l'Inde une certaine stabilité (*sthâyitva* स्थायित्व) politique au niveau du gouvernement central (*kendrîya sarkâr* केन्द्रीय सरकार).

Cependant, l'image du parti du Congrès s'étant considérablement détériorée ces dernières années, c'est le B.J.P., *Bhâratîya Janatâ Pârty* (भारतीय जनता पार्टी), parti nationaliste hindouiste, né en 1980, lié à l'organisation culturelle et activiste du *Râshtrîya Svayam Sevak Sangh* (राष्ट्रीय स्वयं सेवक संघ) ou R.S.S., qui a pris le pouvoir en 1998, faisant du Congrès le plus grand parti d'opposition (*virodhî dal* विरोधी दल).

Les deux partis communistes (*sâmyavâdî* साम्यवादी), le C.P.I. (Communist Party of India) et le C.P.I.M. (Communist Party of India Marxist) ont peu d'audience dans la zone hindiphone. Le second représente la fraction la plus révolutionnaire, en faveur de la lutte armée, comme les "Naxalites", de tendance pro-maoiste, actifs à Naxal Bârî au Bengale à la fin des années soixante. En revanche, le B.J.P. est de plus en plus présent dans la zone hindiphone. Pendant longtemps, les partis socialistes (*samâjvâdî dal* समाजवादी दल) sont restés marginaux. Plusieurs facteurs, comme le problème des quotas (*ârakshan* आरक्षण) réservés aux castes inférieures dans les postes de la fonction publique, l'exploitation des basses castes, la domination de la scène politique par les hautes castes, et l'éveil général de la conscience politique, ont contribué à l'arrivée au pouvoir d'une coalition (*gathbandhan* गठबंधन) de plusieurs partis, dont la plupart de gauche, le Front Uni (*Sanyukta Morchâ* संयुक्त मोर्चा) contre le B.J.P. Cela n'empêcha pas ce dernier, après la destruction de la mosquée d'Ayodhyâ par ses militants (*kâryakartâ* कार्यकर्ता) en décembre 1992, de gagner de plus en plus de popularité jusqu'à sa prise de pouvoir, avec Atal Bihari Vajpayee comme premier ministre depuis 1998. En 1999, c'est de nouveau le parti du Congrès (Sonia Gandhi) qui semble reprendre le pouvoir.

La dualité droite / gauche s'exprime approximativement à

travers l'opposition *râmo* रामो (Râ*sh*trîya Morchâ, litt. front
national) et *vâmo* वामो (Vâm Morchâ, "front de gauche").
Voici les principaux partis, avec les sigles qui les désignent,
indispensables pour comprendre la presse :

1. Bhâratîya Janatâ Pârñ, "parti du peuple indien", B.J.P., ou
Bhâjpâ भाजपा (Atal Bihari Vajpayee)
2. Congress I (Congrès Indira) ou *Inkâ* इंका, qui commence à
regagner de la popularité (Sonia Gandhi)
3. Râ*sh*trîya Janatâ Dal (litt. parti national du peuple), ou
Râjad राजद, créé récemment et particulièrement fort au Bihar
(Laloo Prasad Yadav)
4. Janatâ Dal (litt. parti du peuple), ou *Jad* जद (Sharad Yadav)
5. *Samtâ* समता (litt. égalité), créé récemment (George
Fernandes)
6. Bahujan Samâj Pârñ (litt. parti représentant la majorité de
la société), ou *Baspâ* बसपा, qui défend les basses castes et est
bien implanté en Uttar Pradesh (Kansi Ram)
7. Samâjvâdî Pârñ, "parti socialiste", ou *Sapâ* सपा ; (Mulayam
Singh Yadav)
8. Communist Party of India, C.P.I., ou *Bhâkpâ* भाकपा,
Bhâratîya Kamyûnist Pârtî (A.V. Gyanvardhan)
9. Communist Party of India (Marxiste), C.P.I.M., ou *Mâkpâ*
माकपा, *Mârksvâdî Kamyûnist Pârtî*, (Jyoti Basu, Harkishan
Singh Surjit)
Parmi les partis régionaux, l'A.I.A.D.M.K. ou *Annâdramuk*
(Jaya Lalita), au Tamil Nadu, a soutenu le B.J.P. en 1998,
contrairement au D.M.K. (Dravida Munnetra Kazhagam), et à
la National Conference, du Cachemire.

5.2. Les institutions

L'Inde est une république (*gantantra* गणतंत्र) fédérale
parlementaire, découpée en vingt-cinq Etats et sept Territoires
de l'Union (dont Pondicherry et Delhi). La plupart des Etats
ont été créés sur une base linguistique (Panjab panjabiphone,
Goujarat goujaratiphone, etc.).

La constitution (*sanvidhân* संविधान) indienne, du 26 janvier 1950, est l'une de plus longues du monde, avec ses 395 articles. L'exécutif est responsable devant les représentants élus par le peuple (*jantâ* जनता). Le parlement (*Sansad* संसद) est composé de deux chambres : la Chambre Haute, Râjya-Sabhâ (राज्यसभा), et la Chambre Basse, Lok-Sabhâ (लोक-सभा). La Chambre Haute, de 250 membres (*sadasya* सदस्य) au maximum, ne peut être dissoute, et est renouvelée par tiers tous les deux ans. Elle est élue par les représentants des Assemblées Législatives, Vidhân-Sabhâ (विधान-सभा), de chaque état, à l'exception de douze membres désignés par le Président de la République. La Chambre Basse, de 545 membres, est élue pour cinq ans, mais le Président peut la dissoudre.

Chaque Etat possède sa propre Assemblée Législative, une Chambre Basse (Vidhân-Sabhâ) élue au suffrage universel pour cinq ans et, dans cinq Etats, une Chambre Haute régionale, Vidhân-Pari*sh*ad (विधान-परिषद), qui fonctionne sur le modèle de la Chambre Haute nationale.

Le Président de la République (*râshtrapati* राष्ट्रपति), élu pour cinq ans, cumule les fonctions de chef de l'Etat, de commandant en chef de l'armée (*senâ* सेना) de terre, de mer et de l'air, et est seul à pouvoir déclarer la guerre (*yuddha* युद्ध).

Après les élections (*cunâv* चुनाव), le Président de la République désigne comme Premier Ministre (*pradhân mantrî* प्रधान मंत्री) la personne soutenue par la majorité (*bahumat* बहुमत) à la Chambre Basse, puis, sur son conseil, nomme les autres ministres. Le président n'agit que sur l'avis du Conseil des Ministres, présidé par le Premier Ministre et collectivement responsable devant la Chambre Basse. En cas de problème institutionnel grave, le Président de la République peut déclarer l'état d'urgence, comme ce fut le cas en 1975, dissoudre la Chambre Basse et appliquer dans un Etat la férule (*shâsan* शासन) présidentielle jusqu'aux élections suivantes.

Dans chaque Etat, le pouvoir est exercé par le Conseil des Ministres, présidé par le Ministre en chef (*mukhya mantrî* मुख्य मंत्री) responsable devant la Chambre Basse de l'Etat.

Au niveau local, la plupart des grandes villes ont des "Corporations Municipales" (Nagar-Nigam नगर-निगम) présidées par un maire élu. Les petites villes ont des Comités Municipaux (Nagar-Pâlikâ नगर-पालिका) composés de membres élus. Dans les régions rurales, le Conseil du Village (Grâm-Panchâyat ग्राम-पंचायत), introduit en 1959, est un système de gouvernement local au niveau du "district" (*zilâ* जिला), de sa subdivision le "block", et du village (*gânv* गाँव), élu tous les cinq ans par les villageois. A la tête du Conseil du village est le chef (*sarpanc* सरपंच), qui, avec les autres membres, traite les problèmes liés au développement du village (*grâmîn-vikâs* ग्रामीण-विकास) : éducation, santé (*svâsthya* स्वास्थ्य), irrigation (*sincâî* सिंचाई), stockage et distribution des semences (*bîj-vitaran* बीज-वितरण), électrification (*vidyutîkaran* विद्युतीकरण), réseau routier (*sarkon kâ jâl* सड़कों का जाल), petite industrie (*laghu udyog* लघु उद्योग), etc. Là encore, un quota est réservé aux classes dites arriérées (*pichrî jâti* पिछड़ी जाति) et aux femmes.

5.3. La justice (*nyây* न्याय)

Le pouvoir judiciaire est relativement indépendant de l'exécutif. La Cour Suprême (*sarvocca nyâyâlay* सर्वोच्च न्यायालय) est la juridiction nationale la plus élevée, et chaque Etat a une Haute Cour (*ucca nyâyâlay* उच्च न्यायालय). C'est le Président de la République qui nomme le président de la Cour Suprême, le "Chief Justice of India", et, sur son conseil, les autres juges (*nyâyâdhîsh* न्यायाधीश) de la Cour Suprême et des Hautes Cours. Les codes civil et pénal sont communs à toute l'Inde et le code familial varie selon les religions.

Le nombre très élevé de procès (*muqaddmâ* मुक़द्दमा) et le nombre relativement limité des juges ralentissent beaucoup la justice. Aussi, pour une conciliation et un règlement rapide

des affaires de famille, mariages ou petits accidents, sont
instituées des "family courts". De même, pour accélérer la
justice dans les affaires civiles (*dîvânî* दीवानी) et criminelles
(*faujdârî* फ़ौजदारी) de peu d'importance, les régions rurales
disposent de panchayats ou conseils : Conseils de juridiction
au niveau des districts (*nyây-pancâyat* न्याय-पंचायत), des
groupements de villages (*pancâyat-adâlat* पंचायत-अदालत), et
des villages (*grâm-kacahrî* ग्राम-कचहरी). Les notables locaux,
directeurs d'écoles, médecins, etc., traitent des petites affaires
(*mâmle* मामले) : problèmes de partage des terres, disputes
familiales, divorces ou séparations, bagarres... Cette procédure
de règlement (*niptârâ* निपटारा) amiable vise à éviter aux
villageois pauvres les dépenses et les longues attentes de la
justice plus formelle.

6. La vie religieuse et sociale (*dhârmik va sâmâjik* धार्मिक व सामाजिक)

6.1. La religion (*dharm* धर्म)

L'Union indienne, État laïque (*dharmnirpek*sh धर्मनिरपेक्ष)
n'a pas de religion officielle. L'Inde est le berceau de
l'Hindouisme (हिंदू धर्म *hindû dharm*), du Bouddhisme
(*bauddha dharm* बौद्ध धर्म), du Jaïnisme (*jèn dharm* जैन धर्म) et
du Sikhisme (*sikh dharm* सिख धर्म). Si le bouddhisme, qui s'est
répandu dans toute l'Asie orientale et sud orientale, ne subsiste
plus que dans les confins himalayens, en revanche l'islam, qui
a pénétré massivement dans l'Inde à partir du Xème siècle de
notre ère (et qui est la religion quasi unique du Pakistan et du
Bangladesh), forme dans l'Inde une importante minorité
(environ 13% de la population). Il y a aussi des communautés
chrétiennes (*îsâî* ईसाई), catholiques et protestantes, et quelques
milliers de zoroastriens (*pârsî* पारसी) et de juifs (*yahûdî* यहूदी).
Mais plus de 80% des Indiens sont hindous.

L'hindouisme est un ensemble de croyances, de doctrines
et de manières de vivre très diversifiées mais qui ont en
commun de se rattacher en principe à une même tradition

textuelle (nous en transcrivons les termes essentiels, sanscrits, à la façon traditionnelle, notant la voyelle d'appui après les consonnes finales) : à la base il y a le *Veda* वेद (les *Samhitâ* संहिता, recueils d'hymnes, de prières, de formules rituelles en sanscrit archaïque, dont les plus anciens ont dû être composés vers 1500 avant notre ère ; les *Brâhmana* ब्राह्मण, traités du rituel et surtout du sacrifice ; les *Âranyaka* आरण्यक et les *Upanishad* उपनिषद्, exposés, parfois en forme de dialogue, sur l'identité du "soi" individuel, *âtman* आत्मन्, et de l'âme cosmique ou absolu, *brahman* ब्रह्मन्). Le *Veda* immémorial, d'origine divine ou surnaturelle, ou même existant de toute éternité, révélé à des "voyants" (*rishi* ऋषि), est la *shruti* (श्रुति) "audition" : il doit en principe se transmettre de la bouche du maître à l'oreille du disciple. Seuls les garçons des trois premiers *varna* de la société ont en principe le droit et le devoir d'apprendre le *Veda*. Sur la *shruti* prend appui la *smriti* (स्मृति "mémoire"), ensemble de textes attribués à des auteurs humains, composés, pense-t-on, dans les siècles qui précèdent et suivent immédiatement le début de notre ère : ce sont essentiellement des "codes", recueils de préceptes religieux, moraux, juridiques dont le plus célèbre est "l'enseignement de Manu sur la loi" (*mânava-dharma-shâstra* मानवधर्मशास्त्र ou *manu-smriti*). Font partie aussi de la *smriti* les deux Epopées, "la Grande [guerre] des descendants de Bharat" (*Mahâbhârata* महा-भारत), et la "Geste de Râma" (*Râmâyana* रामायण), dont l'original sanscrit, attribué à Vâlmiki, a donné lieu à de nombreuses versions vernaculaires, dont celle, en hindi, de Tulsî Dâs, au XVIème siècle.

A quoi il faut ajouter les grands exposés narratifs sur la cosmologie, la cosmogonie, la mythologie et l'histoire légendaire que sont les *Purâna* (पुराण) "Antiquités", véritables encyclopédies de l'hindouisme dont la composition s'est échelonnée au cours du moyen-âge. Les principes enseignés dans ces textes portent sur le *dharma*, à la fois ordre du monde et ensemble des règles de conduite. Outre les observances et les vertus qui valent pour toute l'humanité, il y a des dispositions propres à chaque homme suivant le *varna* dans lequel il est né et l'âge de la vie (*âshrama* आश्रम) dans lequel il se trouve : c'est le *varna-âshrama-dharma* (वर्णाश्रमधर्म). Quand on accomplit son "devoir propre" (*svadharma* स्वधर्म), on peut accéder, après la mort, à une naissance heureuse dans une vie future ; c'est l'inverse si on transgresse telle règle de son *dharma*. Et ainsi à l'infini. Telle est la loi du *karma* (कर्म), de l'acte qui nécessairement produit des conséquences et maintient en mouvement le flot (*samsâra* संसार) incessant des renaissances. Si le but de tout homme est de se comporter de manière à accumuler un bon *karma* et à gagner du mérite (*punya* पुण्य) afin de jouir du bonheur (*sukha* सुख) dans les vies qui viendront après celle-ci, il peut espérer aussi se dégager de cette suite infinie de naissances et de morts et parvenir à la "délivrance" (*mok*sha मोक्ष ou *mukti* मुक्ति). Pour atteindre ce but, qui succède ou se substitue aux autres "motifs d'agir de l'homme" (aux autres *purusha-artha* पुरुषार्थ), plusieurs voies (*mârga* मार्ग) sont enseignées : l'ascèse (*tapas* तपस) qui consiste à agir le moins possible et à éliminer par toute sorte d'abstinences le poids des actes passés ; la connaissance (*jñâna* / hindi *gyân* ज्ञान) qui permet de percevoir comme apparence et non réalité le monde de l'expérience ordinaire (*vyâvahâra* व्यवहार) ; la règle de conduite enseignée dans la *Bhagavad-Gîtâ* (poème qui fait partie du *Mahâbhârata*), fondée sur l'idée que ce qui maintient l'homme dans le flot des naissances et des morts, ce n'est pas l'action elle-même mais le désir (*kâma* काम) des "fruits" (*phala* फल) de l'action : il faut donc agir conformément à son *dharma* mais de façon désintéressée (*nishkâma* निष्काम) ; enfin il y a la voie de la *bhakti* (भक्ति), de la dévotion totale à la divinité dans laquelle on aspire à se fondre et qui, par sa pure grâce, apportera la délivrance. La voie de la *bhakti* autorise diverses formes de mystique dont certaines ne sont pas sans points communs avec certains mouvements de l'islam (soufisme). La quête de la délivrance dans l'hindouisme est surtout le fait des "renonçants" (*sannyâsî* संन्यासी) ou "parfaits" (*sâdhu* साधु) qui mènent une vie ascétique, errante ou du moins à l'écart du monde, le plus souvent isolés mais parfois aussi groupés en "ermitages" (autre sens de *âshram*) ou en monastères (*math* मठ).

Sur le plan idéologique et mythologique, l'hindouisme considère que la divinité (*îshvar, îsh* ईश्वर, ईश), toute puissante, se manifeste en une multiplicité de dieux, chacun ayant sa personnalité et son domaine d'action propres. A cet égard on distingue deux versants : il y a les Hindous qui voient la divinité suprême dans le dieu Vishnou (*vishnu* विष्णु), et ceux qui l'identifient au dieu Shiva (शिव). Les vishouïtes, à leur tour, se subdivisent en "sectes' (*sampradây* संप्रदाय) ou courants suivant qu'ils s'attachent à telle ou telle incarnation de Vishnou : ce dieu, en effet, lors des grandes crises cosmiques qui marquent le passage d'un âge (*yug* युग) à un autre, fait des "descentes" (*avatâr* अवतार) dans le monde des hommes sous la forme d'un héros salvateur ; les *avatâr* majeurs de Vishnou sont Râma et Kri*sh*na, Shiva, de son côté, à la fois ascétique et violent, a pour emblème principal le phallus (*linga* लिंग) ; il est aussi le roi de la danse (*natrâj* नटराज) qui écrase de son pied les forces démoniaques. Il est révéré comme l'époux de la déesse des montagnes Pârvatî, Umâ, et comme le père de Ganesh, le dieu ventru à tête d'éléphant, très populaire, régulièrement invoqué comme celui qui écarte les obstacles chaque fois que l'on entreprend une action ou que l'on entre dans une phase nouvelle de l'existence. Avec le dieu Brahmâ, Vishnou et Shiva forment une triade (*trimûrti* त्रिमूर्ति) où les rôles de chacun, selon la théologie savante, sont répartis : Brahmâ est le créateur, Shiva le destructeur, Vishnou le protecteur. L'hindouisme fait une large place au culte de "la" déesse (*devî* देवी), tantôt épouse d'un des dieux de la *Trimûrti*, tantôt divinité autonome et dominatrice, à la fois secourable et terrible (Kâlî, Durgâ). Certaines formes, plus ou moins hétérodoxes et ésotériques du culte de la Déesse comme *shakti* (शक्ति), "puissance" ou "énergie", constituent l'aspect "tantrique" (fondé sur des textes appelés *tantra* तंत्र) de l'hindouisme.

6.2. Le temple et le culte

Le temple hindou (*mandir* मंदिर) est là maison d'un dieu principal, qui en est juridiquement le propriétaire mais peut faire une place à des divinités secondaires. C'est un édifice ou un complexe d'édifices de pierres ou de briques (rarement de bois) construit sur une hauteur ou une plateforme surélevée, en règle générale à proximité d'un cours d'eau et faisant face à l'est. Il existe aussi des temples grottes aménagés ou creusés dans le roc. Le plan s'inscrit dans une forme géométrique (*vâstumandal* वास्तुमंडल, "schéma du site") qui symbolise le cosmos (ब्रह्माण्ड *brahmând*, litt. "l'oeuf de Brahma"). L'élément central est le sanctuaire dit *garbhagriha* (गर्भगृह), "maison de l'embryon", "matrice", qui abrite la représentation ou "image" (*mûrti* मूर्ति) principale et fixe de la divinité (il existe aussi des images mobiles, de dignité moindre, que l'on sort pour les fêtes et processions (ce sont les *utsavamûrti*). Entouré de murs épais, le *garbhagriha* n'a qu'une ouverture étroite ; elle laisse passage aux desservants (*pujârî* पुजारी) qui seuls ont le droit d'approcher et de toucher l'image, les fidèles doivent seulement la contempler (ils viennent pour en avoir la vue, le *darshan* दर्शन). Le *garbhagriha* est entouré d'une galerie pour la circumambulation rituelle (*pradakshinâ* प्रदक्षिणा). Prenant appui sur les murs du sanctuaire et de la galerie se dresse une tour (*shikhar* शिखर), souvent curviligne et ornée de sculptures : le temple est ainsi identifié à la montagne sacrée. Devant le *garbhagriha*, il y a une salle couverte, spacieuse, le *mandap* (मंडप), où les fidèles peuvent circuler et s'asseoir. Souvent le sanctuaire est bordé de *mandapa* latéraux. Dans les temples à Shiva, une statue du taureau Nandî est placée entre le *mandapa* et le *garbhagriha*, faisant face au *linga* dans une posture d'adoration.

La tâche du *pujârî* (qui n'est pas nécessairement brahmane) est de prendre soin des images divines et de célébrer les *pûjâ* quotidiennes. Le culte, auquel les dévots participent par leur présence, leurs prières (*prârthnâ* प्रार्थना) et leurs offrandes (*carhâvâ* चढ़ावा), n'est jamais accompagné de

sermons ou d'explications : le desservant du temple n'est pas
un guide spirituel. Du reste, bien qu'il y ait toujours foule
devant le *garbhagriha* au moment des *pûjâ* et surtout lors des
grandes fêtes (*utsav* उत्सव), la fréquentation des temples n'est
pas une obligation de l'hindouisme. Et les brahmanes les plus
traditionnels tiennent que l'essentiel de leur vie religieuse (y
compris les rites du cycle de vie, les *sanskâr*) se déroulent
dans la solitude ou dans le sanctuaire domestique.

Les rites du culte (*pûjâ* पूजा) consistent à vénérer la divinité
avec certains ingrédients. Pour une *pûjâ* quotidienne, voici les
éléments indispensables : de l'eau (*jal* जल), de la pâte de bois
de santal (*candan* चंदन), de la poudre rouge préparée à base
de curcuma (*kunkum* कुंकुम), des grains de riz, des fleurs (*phûl*
फूल), de la nourriture (fruits, sucreries, etc.), et des bâtons
d'encens (*agarbattî* अगरबत्ती). L'adorateur fait sonner une petite
cloche (*ghantî* घंटी) pour réveiller la divinité, il lui fait prendre
un bain, l'habille, met une marque, le *tilak* (तिलक), de santal
ou de *kunkun* sur son front, et y colle des grains de riz, la
parfume avec des fleurs, lui offre un repas, allume des bâtons
d'encens pour purifier et parfumer l'atmosphère, chante sa
louange et enfin se prosterne devant elle.

Lors des jours de fête associés à une divinité, à l'occasion
de cérémonies particulières ou pour célébrer le culte dans un
temple, le nombre d'ingrédients réservés au rituel sera
augmenté et, aux objets mentionnés ci-dessus, on ajoutera une
lampe (*dîpak* दीपक), une noix de coco (*nâriyal* नारियल), des
noix de bétel (*supârî* सुपारी), des feuilles de bétel (*pân* पान), de
l'essence de fleurs (*itra* इत्र), du tissu ou des vêtements, du
camphre (*kapûr* कपूर), de la poudre d'encens (*dhûp* धूप). Dans
un temple, il y a un ministre du culte (*pujârî* पुजारी) spécialisé,
et chez un particulier, on confie cette fonction à un *pandit /
purohit* (पंडित / पुरोहित). A la fin de la *pûjâ*, est pratiqué l'*ârtî*
(आरती), qui consiste à faire tourner devant la divinité une
lampe spécialement préparée avec plusieurs mèches, dans le
sens des aiguilles d'une montre, en chantant ses louanges et en
agitant une clochette. A la fin, l'assistance partage l'offrande

du gâteau béni par la divinité (*prasâd* प्रसाद), on boit quelques gouttes de l'eau qui a servi à laver ses pieds sacrés (*carnâmrit* चरणामृत), et on la laisse se reposer.

Outre les grandes divinités mentionnées ci-dessus, bien d'autres sont objet de culte : ainsi Bhairava (autre manifestation de Shiva), Hanumân (le dieu singe), Shîtlâ la déesse de la variole, quelques autres divinités locales et ancestrales (*lokdevtâ* लोकदेवता et *pitar* पितर) jouissent d'une grande popularité.

Le pèlerinage (*tîrth-yâtrâ* तीर्थ-यात्रा) vers certains lieux sacrés (*tîrth-sthân* तीर्थ-स्थान) tient une place importante dans la pratique de l'hindouisme : Badrînâth (temple de Vishnou), Kedârnâth pour Shiva, ainsi que Gangotri aux sources du Gange (*gangâ* गंगा) dans l'Himâlaya.

6.3. Les croyances populaires et les superstitions

Lokvishvâs (लोकविश्वास), litt. croyance du peuple, et *andhvishvâs* (अंधविश्वास), litt. croyance aveugle, sont innombrables, et toujours liées aux notions de faste (*shubh* शुभ) et de néfaste (*ashubh* अशुभ) omniprésentes dans la vie quotidienne. Ce n'est pas à n'importe quel moment qu'on peut mettre en service un nouveau balai ou une nouvelle jarre, porter de nouveaux vêtements, se faire couper ou laver les cheveux...

Les voyages commencés un mardi vers le nord (*uttar* उत्तर), un jeudi vers le sud (*dakshin* दक्षिण), un lundi et un samedi vers l'est (*pûrv* पूर्व), et un dimanche et un vendredi vers l'ouest (*pashcim* पश्चिम) sont néfastes. La première personne rencontrée juste après un départ en voyage est un présage : rencontrer, par exemple, une femme mariée, une vache, une personne avec de la verdure, des fruits, une noix de coco et du yaourt est de bon augure (*shubh shakun* शुभ शकुन). Par contre, croiser une personne avec une jarre vide ou un chat oblige à s'arrêter quelque temps avant de reprendre son voyage. Prêter serment sur une vache ou un bœuf, une divinité ou une personne aimée est éminemment fiable. L'éternuement (*chînk*

ठीक) est signe d'obstacles et d'échec. Les actions importantes doivent être accomplies au moment propice (*shubh muhûrt* शुभ मुहूर्त) calculé et fixé par l'astrologue (voir 2.1).

Regarder une personne ou un objet et en dire du bien peut attirer le mauvais oeil (*nazar* नज़र). On peut conjurer le mauvais sort en mettant un point noir sur le front d'un enfant, ou en le rendant impur, ou encore à l'aide d'amulettes (*tâvîz* तावीज़) consacrées par une formule sacrée (*mantra* मंत्र), ou grâce à la sorcellerie (*jâdû-tonâ* जादू-टोना). Si l'on est frappé par un mauvais esprit, il faut se rendre dans un temple de Bhairava, de Hanumân, ou au mausolée d'un saint.

6.4. Les fêtes (*tyauhâr* त्यौहार)

Elles ont une importance capitale, qu'elles soient sociales, en l'honneur de saints hommes, ou de divinités, réservées aux femmes ou liées aux grandes foires. Quatre d'entre elles sont particulièrement importantes : Râkhî, Dashahrâ, Dîpâvalî / Divâlî et Holî.

Râkhî / Rak*sh*â-bandhan (राखी / रक्षाबंधन) est célébrée le dernier jour de la quinzaine claire du mois de Sâvan, en juillet-août (voir 2.1). La soeur attache un fil protecteur, le *raksh*â *sûtra* ou *râkhî*, au poignet de son frère, et prie afin qu'il ait une longue vie, en lui rappelant son devoir de protection envers elle. Le fil de *râkhî* ne connaît pas les frontières de caste ou de religion. Ce jour-là, les brahmanes aussi se rendent chez leur client, le *yajmân* (यजमान), à qui ils donnent leur bénédiction en attachant ce fil protecteur à leur poignet, recevant en échange des honoraires, la *dakshinâ* (दक्षिणा). Cette fête est également associée à Shrava*n* Kumâr, le fils exemplaire, vénéré par les femmes qui dessinent son image de chaque côté de leur porte.

Dashahrâ (दशहरा) a lieu le dixième jour, *dashmî*, de la quinzaine claire du mois d'Âshvin (octobre-novembre), en souvenir de la victoire du Dieu Râma (incarnation de Vishnou) sur le démon du mal, Râva*n*a. Ce jour-là, Râma tua

Râva*n*a qui avait enlevé son épouse Sîtâ. Aussi, sur de nombreuses places publiques, on brûle des effigies (*putlâ* पुतला) de Râva*n*a lors de cette fête.

Divâlî ou Dîpâvalî (दिवाली / दीपावली), dont le nom signifie "rangée de lampes", est célébrée en grande pompe le jour de la nouvelle lune du mois de Kârtik (octobre-novembre). Les gens blanchissent et décorent leur maison et leur boutique, puis allument des centaines de petites lumières dans des lampes (*diyâ* दिया) à huile. Ils préparent un repas de fête et honorent Ga*n*esh, le dieu leveur d'obstacles, Lak*sh*mî, épouse de Vishnou et déesse de la richesse, et Sarasvatî, déesse de la connaissance et des beaux-arts. Cette fête est d'abord la célébration du couronnement de Râma, rentré victorieux après quatorze années d'exil dans la forêt. Ses sujets avaient alors illuminé la ville pour fêter l'occasion. C'est aussi le jour de la naissance de Lak*sh*mî, sortie du barattage de l'océan de lait. Enfin, le dieu Vâman, autre incarnation de Vishnou, avait accordé au roi des démons Balî, qui lui avait offert son royaume, la faveur que quiconque allumerait les lampes pendant ces trois jours ne subirait jamais les tourments de l'enfer (*nark* नर्क), et que Lak*sh*mî ne quitterait jamais sa maison. Pour les marchands, ce jour marque le nouvel an commercial.

Le lendemain de Divâlî, est célébrée la fête d'Annakû*t* (अन्नकूट), litt. "mont de céréales", liée au mont sacré de Govardhan que souleva le dieu Krishna. On prépare le plus de plats possible, qu'on dispose en forme de mont pour l'offrande, surtout dans les temples. Le jour suivant, lors de la fête de Bhèyâdûj (भैयादूज), la sœur invite ses frères (*bhèyâ*) à manger chez elle, seul jour de l'année où cela leur est permis. Yamunâ, la fille du Soleil, avait invité chez elle son frère Yamrâj, le dieu de la mort, et obtenu la faveur qu'une sœur qui invite son frère ce jour-là n'aille jamais en enfer.

La fête de Holî (होली) est célébrée le jour de la pleine lune du mois de Phâlgun (février-mars). Plusieurs mythes sont associés à Holî, notamment celui de Holikâ, tante de Prahlâd :

Hira*n*yakashipu, le roi des démons, détestait le Dieu Vishnou. Il décida de tuer son fils, Prahlâd, sectateur de Vishnou. Pour aider son frère, Holikâ qui, grâce à une faveur divine, ne risquait pas d'être brûlée, s'assit sur le bûcher en prenant Prahlâd dans ses bras pour qu'il soit brûlé vif. Mais grâce au pouvoir de Vishnou, l'enfant fut sauvé et Holikâ brûlée. Quelques jours avant la fête de Holî on pose à un carrefour un tronc d'arbre représentant Holîkâ, auquel on rend le culte avant d'y mettre le feu. Le lendemain, le jour de Dhule*nd*î (धुलेंडी), litt. "de la poussière qui vole", les gens jouent à s'envoyer un mélange d'eau et de poudre colorée, le *gulâl* (गुलाल). Certains consomment du chanvre indien (*bhâng* भाँग) qui les met dans un état de grande gaieté. Tout le monde danse et chante des chansons de Holî, qui renvoient souvent à l'amour de Râdhâ, Krishna et des vachères (*gopî*).

Les autres fêtes importantes sont essentiellement en l'honneur de Vishnou, de Shiva et de son épouse Durgâ.

La naissance de Krishna, Janmâs*h*tamî, se fête le huitième jour de la quinzaine sombre du mois de Bhâdrapad (août-septembre), dans les temples de Vishnou et de Krishna : ses amours ludiques avec Râdhâ et les *gopî* font alors l'objet de pièces de théâtre, le *Râs Lîlâ* (voir 3.3.). Ce jour-là, les gens gardent le jeûne aussi longtemps qu'ont duré les douleurs de l'enfantement pour la mère de Krishna et prennent leur repas après minuit, heure de sa naissance.

Navrâtri (नवरात्रि), "les neufs nuits", est la fête de Durgâ, épouse de Shiva et déesse de l'énergie, Shakti (शक्ति), sous ses diverses formes, Kâlî, Ambikâ, etc. On la célèbre deux fois par an, du premier au neuvième jour de la quinzaine claire du mois de Cètra (mars-avril), et du mois d'Âshvin (septembre-octobre). Shiva, chagriné par la mort de son épouse Satî, se promenait partout avec son corps. Pour le calmer, Vishnou déchiqueta le corps, dont les morceaux s'éparpillèrent en 52 endroits, devenus aujourd'hui des lieux sacrés connus sous le nom de Shakti Pî*th*. Dans ces 52 temples sont honorés Shakti et Shiva (sous sa forme de Bhairava). Cette fête étant

également associée au dieu Râma, on récite le *Râmâya*n*a* : le
jour de son anniversaire (Râm-navamî) a lieu le dernier jour
de la Navrâtri du mois de Cètra, et le dernier jour de la
Navrâtri du mois d'Âshvin commémore le jour où il tua le
démon Râva*n*a.

Il est des fêtes qui ne sont célébrées que par les femmes,
qui observent le jeûne (*vrat* व्रत) pour conserver le bonheur
d'un enfant, d'un frère, et surtout le bonheur conjugal (*suhâg*
सुहाग) : ainsi la fête de Ga*n*gaur, autre figure de Pârvatî, de
Karvâ Cauth, de Tîj.

6.5. Les grandes foires sacrées (*melâ* मेला)

Pendant la saison des pluies ont lieu près des jardins et des
lacs de nombreuses foires, souvent à caractère religieux. Elles
peuvent coïncider avec des éclipses (*graha*n ग्रहण), qu'on
associe au barattage de l'océan de lait par les dieux et les
démons. Le Soleil et la Lune signalèrent la présence du
démon Râhu qui, déguisé en dieu, était occupé à boire
l'ambroisie céleste. Vishnou lui coupa la tête, mais comme il
avait déjà bu, il était devenu immortel. Aussi, pour se venger,
le jour de la pleine lune et celui de la nouvelle lune, Râhu
essaye de les avaler.

Kumbh melâ : c'est la foire la plus importante et la plus
sacrée, en l'honneur du barattage de l'océan primordial. En
effet, de la jarre (*kumbh* कुंभ) d'ambroisie (*amrit* अमृत),
tombèrent quelques gouttes, à quatre endroits différents : à
Prayâg, ou Allahabad, confluent du Gange, de la Yamunâ et
de la Sarasvatî invisible, à Haridwar, à Nasik et à Ujjain. C'est
pourquoi le Kumbh melâ est célébré dans ces quatre villes,
par rotation de trois ans, revenant ainsi tous les douze ans au
confluent sacré de Prayâg, où se rassemblent des millions de
personnes.

Makar-sank**rânti** a lieu le 14 janvier, quand le soleil arrive à
la constellation du Capricorne (*makar*) et commence à
tourner vers le nord. La foire se tient à Gangâ Sâgar,

embouchure du Gange, où se trouvait l'ermitage (*âshram* आश्रम) du sage Kapil Muni. C'est dans cet *âshram* qu'Indra, le roi des dieux, avait caché le cheval du roi Sagar, cheval sacré promis au sacrifice védique de l'*ashvamedha*. Les fils du roi Sagar ayant traité le sage de voleur, ce dernier les avait réduits en cendres. Et c'est pour leur salut que Bhagîrath, l'un des descendants du roi, fit descendre le Gange (Gangâ गंगा) du ciel sur la terre. La foire commémore cette légende.

Pushkar melâ : c'est à Pushkar, au Rajasthan, du onzième au dernier jour de la quinzaine claire du mois de Kârtik (octobre-novembre), que se déroule le plus grand marché aux chameaux, près du lac sacré. Les nombreuses festivités qui l'accompagnent et le pittoresque du décor en font aussi une attraction touristique. C'est également à Pushkar que se trouve l'un des rares temples de Brahmâ (ब्रह्मा), le dieu créateur.

7. Les noms propres

Ils sont comme partout signifiants, mais leur sens est resté particulièrement transparent en Inde, notamment pour les patronymes.

7.1. Les noms de personnes

Le terme *Veda* (वेद), lui-même formé sur la base verbale qui signifie connaître, fournit les patronymes répandus de Caturvedî, Trivedî, Dvivedî, respectivement (qui possède, connaît) les quatre *Veda*, les trois *Veda*, les deux *Veda*. En principe, les Sharmâ (शर्मा), Varmâ (वर्मा) et Guptâ (गुप्ता), correspondent respectivement aux trois premiers *varna* qu'ils représentent comme protégés (qui a la protection : *sharmâ*, celui qui a la cuirasse pour protection : *varmâ*, et celui qui est soustrait aux attaques : *guptâ*). De même, en principe, les patronymes en Dâs, signifient l'esclave, le serviteur, donc de basse caste, mais Devdâs, "esclave de Dieu", n'a pas de connotation dévaluante. Les Kâyastha (कायस्थ) sont littéralement les nés du corps (*kâyâ*) de Brahmâ. Les Brahmanes Nâgar (नागर) sont des ressortissants des villes (*nagar* नगर), particulièrement stricts sur les règles de pureté, alors que les Brahmanes Sârasvat (सारस्वत) sont liés à la rivière Sarasvatî (l'allongement de la voyelle initiale indique qu'il s'agit d'un dérivé).

La caste professionnelle des cordonniers, les Camâr (चमार) doit son nom au travail de la peau (*camrâ* चमड़ा), celle des jardiniers, les Mâlî (माली), aux guirlandes (*mâlâ* माला) de fleurs qu'ils enfilent. Les Joshî, anciennement *Jyotishî*, sont à l'origine, comme le signifie leur nom, des astrologues, les Ojhâ des guérisseurs, les Pan*d*it des savants ou des prêtres. Comme les noms sont des indices d'appartenance de caste, certains groupes soucieux de promotion dans la hiérarchie sociale modifient leur nom en imitant les usages brahmaniques (phénomène dit de sanscritisation) : ainsi les potiers Kumhâr (कुम्हार) en ajoutant "Prajâpati", nom du dieu qui créa les hommes avec son corps.

Quant au prénom, les anciens textes de la *Shruti* stipulent qu'il doit révéler le *varna* de la personne qui le porte (pour un Brahmane, le bon augure, pour un Kshatriya, la puissance, pour un Vaishya, la richesse, pour un Shûdra, l'abjection). Le second élément du prénom doit indiquer respectivement pour les quatre *varna* la félicité, la protection, la libéralité, et la dépendance. En outre, certains prénoms sont liés aux divinités (Râma / Shiva / Vi*shn*u Prasâd, "offrande bénie par Râma, Shiva ou Vishnou"), aux astres (Sûraj "le soleil", Candâ "la lune", Pûr*n*imâ "la pleine lune"), à des qualités (Nirmal "pur", et Nirmalâ pour les filles, Komal "doux", Karu*n*â "compassion"), à des fleurs comme le lotus (Kamal pour les garçons, Kamlâ pour les filles), à des biens précieux (motî "perle", javâhar "pierre précieuse", lâl "rubis / enfant chéri". Jawâhar Lâl, prénom de Nehru, signifie donc "enfant chéri pierre précieuse".

Bien entendu, les noms des dieux aussi sont chargés de sens : Shiva (शिव) signifie "bon, propice, qui accorde le bonheur", sous le nom de Bhole Nâth, il veut dire "le Maître au coeur pur", et sous celui de Mahâdev (महादेव), "Grand

Dieu". Le nom de Lak*sh*mî. (लक्ष्मी), déesse de la richesse, vient de *lak*sha, "signe, marque *auspicieuse*", qui a ensuite pris le sens de "cent mille", chiffre propice et lié à la prospérité. Sous le nom de Shrî (श्री), elle signifie l'éclatante. Sarasvatî (सरस्वती), déesse de la connaissance et des beaux arts, signifie littéralement "qui possède" (*vati*), "le suc, délice" (*ras*) avec ou en elle (*sa*). Le nom de Ga*n*esh (गणेश), dieu leveur d'obstacles, signifie "Seigneur" (*îsh*) des serviteurs (*gan*) de Shiva. *Kri*shna (कृष्ण) signifie "le sombre" (bleu foncé), et Kâlî (काली), "la Noire", quant à Durgâ (दुर्गा), autre figure de Kâlî, son nom a le sens d'"inaccessible". Pârvatî (पार्वती) est la fille de la montagne (*parvat* पर्वत). Sîtâ (सीता), compagne de Râma, porte dans son nom l'allusion au sillon duquel elle est apparue lorsque son père adoptif, le roi Janak, labourait le champ. Mais elle a aussi le nom de Jânkî, "fille de Janak", et de Mèthilî, "la mithilienne", de la région du Mithilâ (le degré plein de la voyelle initiale marquant la dérivation).

7.2. Les toponymes

Le nom même de l'Inde, Bhârat (भारत), désigne le pays du roi Bharat, ancêtre des héros du *Mahâbhârata* ; Râjasthân signifie littéralement "lieu des rois", et Hindustân (हिंदुस्तान), "le lieu des Hindous". Panjâb veut dire qui a cinq (*panc*) rivières (*âb* désigne l'eau en persan). Beaucoup de noms de villes rappellent leur histoire : Ayodhyâ signifie "l'invincible", car c'était la capitale de Râma, incarnation de Vishnou, invincible. Prayâg qui est l'autre nom d'Allâhâbaâd ("ville d'Allah"), est un nom lié aux rites sacrificiels (*yâg* / *yagya*, याग / यज्ञ) qu'on fait à un confluent, lieu particulièrement sacré ; et les Prayâg se trouvent à des confluents, le plus célèbre étant celui de la Yamunâ et du Gange. Mais en remontant le Gange on trouve Devprayâg, Rudraprayâg, Kar*n*aprayâg, confluents liés à une divinité particulière, et autant d'étapes sacrées sur la route du pèlerin. Gangotrî, village saint à la source du Gange, vient de *utrî* "sortie, source, descente", et de Gangâ. De même, Yamunotrî est la source de la Yamunâ (यमुना), le nom de

Yamunâ venant du roi des enfers, Yâmrâj, dont elle est la soeur.

Divers suffixes se retrouvent dans les toponymes, dont les plus courants sont *-pur* (-पुर), "ville" (Jaipur, ville du Mahârâjâ Jay Singh, *jay* signifiant par ailleurs victoire), son diminutif *-purâ* (-पुरा, Jangpurâ est un quartier de Delhi), *-nagar* (-नगर), "grande ville" (Vijay Nagar "ville de la victoire") avec son diminutif *-nagarî*, *-garh* (-गढ़), "forteresse" (Cittorgarh, Râmgarh), et son diminutif *-garhî*. Les suffixes *-sâgar* (-सागर), *-sar* (-सर), *-samudra* (-समुद्र) ou *-samand* (-समंद), "océan, mer", se trouvent souvent dans les noms de lacs : Jay Samand, Udaysâgar, Gharsîsar (près de Jaisalmer).

Comme dans Allâhâbâd, ou sa variante Illâhâbâd (इल्लाहाबाद), c'est souvent un mot d'origine arabe qui est à la base du nom : ainsi Fatehâbâd, "ville de la victoire" (comme Jaipur), Shâhjahânâbâd, "ville de Shah Jahan". Parfois encore, les noms sont hybrides : Fatehpur "ville (scr.) de la victoire (ar.).

Tapovan (तपोवन), bois sacrés où se réfugièrent les ermites de tout temps (de *tapas* तपस, "ascèse, ardeur ascétique", et *van* वन, "bois"), se retrouve en maint endroit de l'Inde du Nord.

8. Les proverbes et expressions imagées
(*kahâvaten va muhâvare* कहावतें व मुहावरे)

La plupart des proverbes concernent les castes et les femmes. Ils révèlent parfois une opinion tout à fait opposée à celle des textes sacrés et reflètent les défauts de telle ou telle caste même supérieure. Par exemple :

गाय, भाई, बामन, भाज्या ही भला
gây, bhâî, bâman, bhâjyâ hî bhalâ
(vache, frère, brahmane, [qu'on] s'enfuie même mieux)
"Mieux vaut rester à l'écart des vaches, des frères, et des Brahmanes"

car même en tort, ils ne peuvent être battus ;

आख़िर जात अहीर की *âkhir jât ahîr kî*
(enfin caste éleveurs-de-bovins de)
"après tout, il est de la caste des ahîrs"

proverbe qui se réfère à une personne imprévisible et basse d'esprit, mais qu'on a également employé contre Krishna : il appartenait à la caste des Ahîr et, dans l'épopée du *Mahâbhârata*, n'était intervenu que sur le tard pour sauver l'honneur de Draupadî, épouse des Pândavas, en augmentant la longueur du pan de son sari après que les Kauravas l'eurent déshonorée publiquement en tentant de la déshabiller.

Les textes sacrés portent certes les femmes en grande estime : "les divinités séjournent dans un foyer où l'on adore sa femme"
जहाँ नारी की पूजा होती है वहाँ देवता निवास करते हैं
jahân nârî kî pûjâ hotî hè vahân devtâ nivâs karte hèn,
(là-où femme de culte est là divinités séjour font)

Cependant, les femmes sont souvent méprisées et ravalées au rang d'imbéciles :
त्रिया चरित्र जाने नहिं कोय, ख़सम मारके सती होय
triyâ caritr jâne nahin koy, khasam mârke satî hoy
(femme caractère sait pas personne, mari tuant *satî* devient) "personne ne peut deviner ce qu'il y a dans l'esprit d'une femme, elle est capable de tuer son mari comme de se faire *satî* en s'immolant avec lui (pour prouver son innocence)"
ou encore :
आख़िर औरत जात है *âkhir aurat jât hè*
(enfin femme caste est)
"enfin, elle appartient à la caste (catégorie) des femmes",
(on ne peut donc rien attendre d'elle).

Voici quelques proverbes et expressions liés à la vie courante :

- "il y a anguille sous roche" : दाल में कुछ काला होना *dâl men kuch kâlâ honâ* (lentille dans quelque chose noir être)
- "mettre des bâtons dans les roues" : काम में अड़ंगा लगाना *kâm men arangâ lagânâ* (travail dans obstacle appliquer)

- "faire marcher quelqu'un" : पागल / उल्लू बनाना *pâgal / ullû banânâ* (fou / hibou faire)
- "bailler aux corneilles" : मक्खी / झख मारना *makkhî / jhakh mârnâ* (mouche / poisson tuer)
- "faire la tête" : मुँह बनाना *munh banânâ* (visage faire)
- "tout vient à point à qui sait attendre" : सब्र का फल मीठा होता है *sabra kâ phal mîthâ hotâ hè* (patience de fruit sucré est)
- "avoir les yeux plus gros que le ventre" : तृष्णा का अंत नहीं होता *trishnâ kâ ant nahîn hotâ* (soif de fin pas est)
- "X a bonne mine" : x के चेहरे पर रौनक़ है *X ke cehre par raunaq hè* (X de visage sur splendeur est)
- "dévorer des yeux" : आँखें सेंकना *ânkhen senknâ* (yeux griller)
- "faire un clin d'oeil" : आँख मारना *ânkh mârnâ* (oeil frapper)
- "remuer ciel et terre" : आकाश-पाताल एक करना *âkâsh-pâtâl ek karnâ* (ciel-monde souterrain un faire)
- "jeter un coup d'oeil sur..." : ...पर नजर डालना *...par nazar dâlnâ* (...sur regard verser)
- "X a l'aplomb de..." : x की...मजाल है *X kî...majâl hè* (X de...audace est)
- "X fait une tête d'enterrement" : x का मुँह लटका है *X kâ munh latkâ hè* (X de visage suspendu est).

श्रीगणेशाय नम : *shrî ganeshây namah*

salutation à Shri Ganesh

FORMULES DE POLITESSE

1. Soyons polis

Avant de commencer à dialoguer, sachons être poli, car l'étiquette (*shishtâcâr* शिष्टाचार, *tamîz* तमीज़), fondamentale en Inde, est aussi complexe que la stratification sociale.

Comment s'adresser aux gens ?

D'abord, en règle générale, on marque son respect (*âdar* आदर) aux supérieurs ou aux égaux en ajoutant la particule *jî* (जी) : *pitâjî*, "père", *mâtâjî*, "mère", *Sharmâ jî, Mohan jî*, particule qui marque aussi la simple correction quand elle est affixée à "oui" ou "non" (*jî-hân* / *hân-jî, jî-nahîn*). Mais en contexte ourdouisé, ou après un nom de profession, un nom terminé lui-même par *jî* ou un prénom étranger, on ajoute *sâhab* (साहब) : *Mâthur / Dâirektar / Muhammad / Boris sâhab*.

Si l'on veut être plus formel, on fait précéder les noms ou prénoms masculins par le mot *shrî* (श्री), "monsieur", *shrîmân* (श्रीमान) ou *shrîyut* (श्रीयुत), "noble monsieur" : *Shrî Mohan Lâl Sharmâ / Shrîyut Mohan Lâl jî*, ou l'on fait suivre son titre du très honorifique *mahoday* (महोदय), "altesse" : Monsieur le Ministre, *mantrî mahoday*. Pour les dames, on fait précéder le nom ou le prénom de *shrîmatî* (श्रीमती), "madame", *Shrîmatî Gândhî, Shrîmatî Indirâ jî*, de sa variante plus honorifique *sushrî* (सुश्री), ou de *kumârî* (कुमारी), "mademoiselle", *Sushrî Gândhî, Kumârî Mîrâ*. Pour plus de respect encore, on ajoute au prénom *devî* (देवी), "déesse", *Sîtâ*

Devî.

Une épouse traditionnelle n'appelle pas son mari par son prénom, car on croit que la longévité·de l'époux s'en trouverait diminuée. Elle le vouvoie (*âp* आप), et parle de lui à la troisième personne du pluriel (ou encore avec *âp*), ou par périphrase : "père de + nom d'un fils" (*ramesh ke pitâjî* रमेश के पिताजी). En général, on s'adresse à un homme inconnu en lui disant "grand frère", *bhâî sâhab / bhèyâ*, à une femme inconnue, "soeur", *bahanjî*, et, si elle est âgée, "mère", *mâtâjî*, ou, si elle est étrangère ou moderne, *mem sâhab* (मेम साहब) ou *mèdam* (मैडम). Ceux qui se considèrent hiérarchiquement inférieurs (un marchand de légumes, un serviteur, etc.) s'adressent à un supérieur en disant *sâhab* ou *bâbûjî* (बाबूजी) à un homme, et *bîbîjî* (बीबीजी) à une dame.

Outre le traditionnel *namaste* (नमस्ते), et *namaskâr* (नमस्कार), plus formel et archaïque, pour saluer une personne extérieure à la famille en inclinant la tête et en joignant les mains, on dit aussi dans les campagnes *Râm-Râm* (राम-राम), formule associée au gandhisme. Entre hommes, surtout avec un étranger, il est courant de se serrer la main dans un contact non traditionnel. On peut même toucher les pieds d'une personne supérieure pour lui demander sa bénédiction (*âshîrvâd* आशीर्वाद).

Les formules de bénédiction sont variées. A une femme mariée, on dira : "conservez le bonheur conjugal", सौभाग्यवती रहो *saubhâgyavatî raho* (pourvue-du-bonheur-conjugal restez). A toute autre personne, on dira :

croissez et multipliez-vous, soyez heureux
फूलो-फलो, सुखी / खुश रहो *phûlo-phalo, sukhî / khush raho*
(épanouissez-vous-fructifiez, heureux / contant restez),
ou bien :

ayez une longue vie
आयुष्मान (आयुष्मती) / चिरंजीव हो / जीते (जीती) रहो
âyushmân (âyushmatî-f) / ciranjîv ho / jîte (jîtî) raho
(à longue-vie / à-longue-vie soyez / vivant[e] restez),

ou encore :

que tous vos souhaits soient réalisés
भगवान तुम्हारी सब मनोकामनाएँ पूरी करे
bhagvân tumhârî sab manokâmnâen pûrî kare
(Dieu vos tous souhaits accomplis fasse).

A la question traditionnelle
"Comment allez-vous ?" आप कैसे (कैसी) हैं ?
âp kèse (kèsî) hèn ? (vous comment [comment-f] êtes)
on répond :

Je vais bien मैं ठीक / अच्छा (अच्छी) हूँ
mèn th*îk / acchâ (acchî) hûn* (je bien / bon [bonne] suis)

ou

मैं मजे में हूँ *mèn maze men hûn* (je joie dans suis)

ou

tout va bien par la grâce de Dieu
भगवान की दया से सब ठीक है *bhagvân kî dayâ se sab* th*îk hè*
(dieu de grâce par tout bien est)

ou encore, à une personne hiérarchiquement supérieure :

Tout va bien grâce à votre bénédiction
आपकी कृपा है / आपके आशीर्वाद से सब ठीक है।
âpkî kripâ hè / âpke âshîrvâd se sab th*îk hè*
(votre grâce est / votre bénédiction par tout bien est)

Les formules de souhaits et de voeux sont aussi nombreuses. On souhaite bon voyage en disant "auspicieux voyage !" शुभ यात्रा *shubh yâtrâ*, ou "que votre voyage soit réussi" आपकी यात्रा सफल हो *âpkî yâtrâ saphal ho*. Pour un mariage ou un anniversaire on adresse ses "félicitations", शादी / जन्मदिन की बधाई *shâdî / janmadin kî badhâî*, (mariage / anniversaire de félicitations), ou ses "voeux sincères", जन्मदिन पर हार्दिक शुभकामनाएँ *janmadin par hârdik shubh kâmnâen* (anniversaire sur cordiaux désirs-fastes). Il en va de même pour la nouvelle année (*nav varsh* नव वर्ष). On peut aussi choisir le tour plus ourdouisé : "mariage / nouvel an soit chanceux", शादी / नया साल मुबारक हो ! *shâdî / nayâ sâl mubârak ho* !

Pour fêter une occasion heureuse, la coutume étant d'offrir des sucreries, on félicitera quelqu'un ainsi :

- Quand allez-vous arroser / fêter votre succès à l'examen ?
पास होने की मिठाई कब खिला रहे हैं ?
pâs hone kî mi*th*âî kab khilâ rahe hèn ?
(réussi être de confiserie quand faites-manger)

Pour une occasion malheureuse comme un deuil (*shok* शोक), on exprime ainsi sa peine :

- J'ai appris la triste nouvelle du décès de Monsieur X. Cela m'a beaucoup peiné / chagriné (e)
x जी के स्वर्गवास का दुखद समाचार मिला, मुझे बहुत दुख हुआ
x jî ke svargvâs kâ dukhad samâcâr milâ, mujhe bahut dukh huâ
(X monsieur de séjour-au-paradis de pénible nouvelle s'obtint, à-moi beaucoup chagrin fut)

- Veuillez accepter nos sincères condoléances
हमारी हार्दिक संवेदना स्वीकार करें
hamârî hârdik sanvedanâ svîkâr karen
(notre cordial sympathie acceptiez)

Remercier et s'excuser

Le mot pour dire "merci" est शुक्रिया / धन्यवाद *shukriyâ / dhanyavâd*, souvent développé en "Dieu merci", भगवान का शुक्र है *bhagvân kâ shukra hè*. Voici quelques autres formules de remerciement :

- Comment puis-je vous remercier ?
मैं आपका शुक्रिया कैसे अदा करूँ ?
mèn âpkâ shukriyâ kèse adâ karûn ?
(je votre merci comment paiement fasse)

- Merci pour le mal que vous vous êtes donné (pour moi)
कष्ट के लिए धन्यवाद । ka*sht* ke lie dhanyavâd
(peine pour merci)

- Il n'y a pas de quoi. इसमें धन्यवाद की क्या बात है ?
ismen dhanyavâd kî kyâ bât hè ?
(ceci-dans remerciement de quelle chose est)

- Je vous suis très reconnaissant. Je vous dois beaucoup
मैं आपका बहुत एहसानमंद हूँ / आपके मुझ पर बहुत एहसान हैं
mèn âpkâ bahut ehsânmand hûn / âpke mujh par bahut ehsân hèn
(je votre beaucoup reconnaissant suis / vos moi sur
beaucoup obligations sont)

- Je vous serai reconnaissant toute ma vie
मैं जीवन भर आपका आभारी / ऋणी रहूँगा
mèn jîvan bhar âpkâ âbhârî / rinî rahûngâ
(je vie pleine votre obligé / endetté resterai)

Les formules d'excuse signifient littéralement "faites
pardon", माफ़ / क्षमा कीजिएगा *mâf / kshamâ kîjiegâ*, ou "je regrette /
je suis désolé", मुझे दुख / अफ़सोस है *mujhe dukh / afsos hè* (à-moi
chagrin / regret est).

- Vous m'excuserez si j'ai mal agi
कोई ग़ल्ती हुई हो तो माफ़ कीजिएगा
koî galtî huî ho to mâf kîjiegâ
(quelque erreur ait été alors pardon faites)

- Ne vous excusez pas, ce n'est pas grand chose
माफ़ी माँगकर मुझे शर्मिंदा मत कीजिए
mâfî mângkar mujhe sharmindâ mat kîjie
(pardon demandant à-moi honteux pas faites)

Ecrire une lettre (patr पत्र)

La rédaction d'une lettre à la famille suppose le respect
de la hiérarchie. Ainsi lorsqu'on s'adresse à un membre moins
âgé, il faut commencer par la formule "cher X", प्रिय x *priya* x,
et finir par :

Avec toutes mes bénédictions affectueuses / cordiales, ton...
सस्नेह-शुभाशीष / हार्दिक आशीर्वाद, तुम्हारा...
sasneh-shubhâshîsh / hârdik âshîrvâd, tumhârâ...
(avec-affection-faste-bénédiction / cordiale bénédiction,
ton...)

Lorsqu'on s'adresse à un aîné. on doit commencer plus

solennellement, par le terme पूज्य *pûjya* (पूज्या *pûjyâ*-f),
"adorable / vénérable" ou आदरणीय *âdarnîya* (आदरणीया
âdarnîyâ-f), "respectable" suivi du terme de parenté, puis :
"Mes salutations respectueuses", सादर प्रणाम *sâdar pranâm*, "je
touche vos pieds avec égards", सादर चरण-स्पर्श *sâdar caran-*
sparsha, et l'on doit finir par la formule "votre obéissant",
आपका आज्ञाकारी *âpkâ âgyâkârî* (आपकी आज्ञाकारिणी *âpkî*
âgyâkârinî-f).

De même, si la lettre comporte un message pour un
autre que le destinataire, la formulation doit tenir compte des
rapports hiérarchiques :
- Bien des choses de ma part à X, x को मेरी तरफ़ से याद करना,
x ko merî taraf se yâd karnâ, (X à mon côté de souvenir faire)

- Mes respectueuses salutations à ma vénérable mère
पूज्या माँ को मेरा सादर-प्रणाम कहिएगा
pûjyâ mân ko merâ *sâdar-pranâm* kahiegâ
(vénérable mère à ma respectueuse salutation direz)

   Pour finir, la politesse passe par le respect des
interdictions, affichées en maint endroit :

- Entrée interdite / Prière de ne pas entrer
प्रवेश निषिद्ध / भीतर आना मना है / भीतर प्रवेश न करें
pravesh ni*sh*iddha / bhîtar ânâ manâ hè / bhîtar pravesh na karen
(entrée interdite / dedans venir interdit est / dedans entrée pas fassiez)

- Silence, s'il vous plaît कृपया, शोर न करें / मेहरबानी करके धीरे बोलिए
kripayâ, shor na karen / meharbânî karke dhîre bolie
(de-grâce bruit pas fassiez / grâce faisant doucement parlez)

- Interdiction de cracher / d'uriner / de stationner
यहाँ थूकना   / पेशाब करना / गाड़ी खड़ी करना   मना है
yahân thûknâ / peshâb karnâ / gâ*r*î kha*r*î karnâ manâ hè
(ici cracher / urine faire / véhicule debout faire interdit est)

- Défense de fumer यहाँ सिगरेट पीना / धूम्रपान करना मना है।
yahân sigre*t* pînâ / dhûmrapân karnâ manâ hè
(ici cigarette boire / fumer faire interdit est)

- Les boissons alcoolisées et les narcotiques sont interdits
नशीले पदार्थों का सेवन करने की मनाई है
nashîle padârthon kâ sevan karne kî manâî hè
(intoxicants produits de consommation faire de interdiction est)

2. Soyons impoli

Il y a néanmoins des situations qui imposent un comportement et un langage moins civilisé (voir dialogue 14), voire impoli (*ashi*sht अशिष्ट / *badtamîz* बदतमीज़). Les injures (*gâlî* गाली) ont aussi leur place dans la famille hindoue. Elles sont même ritualisées en certains contextes, à l'égal de formules sacrées capables de conjurer des effets néfastes (lors de la cérémonie de *tûntyâ* pendant la nuit de noces du fils, ou encore dans des chansons injurieuses, *gâlî-gît*, adressées au gendre et aux parents par alliance). Comme le dit le proverbe : सास-ननद की गालियाँ, घी की नालियाँ *sâs-nanad kî gâliyân, ghî kî nâliyân*, (belle-mère-belle-soeur d'injures, beurre-clarifié de canaux), "les injures venant de la belle-mère et des belles-soeurs sont comme un flot de beurre clarifié". Voilà pourquoi la belle-fille ne doit pas s'en froisser. La plupart des gros mots sont liés au sexe (réservés aux hommes, y compris de haute caste), au bonheur conjugal, au bonheur du fils, et à la continuité de la lignée. Ainsi on peut désigner toute femme, même célibataire, par le terme de *rând* (राँड), qui signifie à la fois "veuve" et "putain". On injurie volontiers, comme partout, en souhaitant la mort de l'intéressé, ou en stigmatisant son origine, la vertu de sa mère, son comportement sexuel, et, si c'est une femme, en mettant en doute sa chasteté.

Voici quelques termes gradués : *badmâsh* बदमाश, "voyou" ; *ganvâr* गँवार, litt. villageois, "rustre, mufle" ; *gadhâ* गधा, "âne" ; *bevkûf* बेवक़ूफ़, "imbécile" ; *ullû (kâ patthâ)* उल्लू (का पड्ठा), litt. hibou (fils de), "débile" ; *sâlâ* साला (*sâlî* साली-f), litt. beau-frère, "salaud / salopard (salope)" ; *harâmzâdâ* हरामज़ादा, "bâtard / jean-foutre" ; *kambakht* कमबख़्त, "maudit / malchanceux" ; *kamînâ* कमीना, litt. vil, "ignoble", "dégueulasse" ; kh*asmân khânî* ख़समाँखानी, litt. "dévoreuse de mari" ; et quelques emplois en contexte : *cal h*at चल हट, "dégage" ; *phût / caltâ ban* फूट / चल्ता बन, "fous le camp".

DIALOGUES

1. A la gare (रेल्वे-स्टेशन पर *relve-steshan par*)

- Je dois me rendre à Udaipur. Où se trouve la gare ?
मुझे उदयपुर जाना है, स्टेशन कहाँ है ?
mujhe udaypur jânâ hè, *s*teshan kahân hè ?
(à-moi Udaipur aller est, gare où est)

- Vous irez à pied ? Ce n'est pas très loin d'ici.
आप पैदल जाएँगे ? यहाँ से ज़्यादा दूर नहीं है ।
âp pèdal jâenge? yahân se zyâdâ dûr nahîn hè.
(vous à-pied irez ? ici de plus loin pas est)

- Allez tout droit dans cette direction. Ensuite à gauche.
इस तरफ़ सीधे जाइए, फिर बाईं तरफ़ । is taraf sîdhe jâie, phir bâîn taraf.
(ce côté tout-droit allez, ensuite gauche côté)

- Un peu plus loin, près du carrefour, prenez à droite.
कुछ दूर चौराहे के पास दाईं ओर मुड़िएगा ।
kuch dûr chaurâhe ke pâs dâîn or mu*r*iegâ.
(un-peu loin carrefour près de droite côté tournez-vous)

* * *

- Donnez-moi un billet pour Udaipur.
मुझे एक टिकट दीजिये उदयपुर का । mujhe ek *t*ika*t* dîjiye udaypur kâ.
(à-moi un billet donnez Udaipur de)

- Une place assise ou une couchette ? बैठने की सीट या सोने की ?
bè*th*ne kî sî*t* yâ sone kî ? (s'asseoir de siège ou dormir de)

- Je vais voir. Non, il n'y a aucune place disponible.

मैं देखता हूँ। नहीं, कोई सीट ख़ाली नहीं है।

mèn dekhtâ hûn. nahîn, koî sî*t kh*âlî nahîn hè.

(je regarde. non, aucun siège vide n'est)

- Resterait-il une place dans le contingent réservé aux touristes ?

टूरिस्ट कोटे में कोई सीट बची है? *t*ûris*t* ko*t*e men koî sî*t* bacî hè ?

(touriste quota dans quelconque siège est sauvé)

- Vous en parlerez au coolie qui vous trouvera une place.

क़ुली से बात कीजिएगा, वह सीट दिलवा देगा।

qulî se bât kîjiegâ, vah sî*t* dilvâ degâ.

(coolie avec parole faites, il siège faire-donner donnera)

2. Au guichet des renseignements

(पूछताछ की खिड़की पर *pûchtâch kî khirkî par*)

- A quelle heure y a-t-il un bus pour Jaipur ?

जयपुर की बस कितने बजे जाती है? jaypur kî bas kitne baje jâtî hè ?

(Jaipur de bus combien heure va)

- Il y en a toutes les heures. हर घंटे में जाती है।

har gha*nt*e men jâtî hè. (chaque heure dans va)

- Je voudrais prendre un bus "de-luxe".

मैं डीलक्स बस लेना चाहता हूँ। mèn *d*îlaks bas lenâ câhtâ hûn.

(je "de-luxe" bus prendre veux)

- Celui-là ne partira pas avant deux heures de temps.

वह तो दो घंटे पहले नहीं जाएगी। vah to do gha*nt*e pahle nahîn jâegî.

(celui-là *to* deux heures avant pas ira)

3. Un voyageur et un conducteur de voiture à cheval
(यात्री और तांगेवाला *yâtrî aur tângevâlâ*)

(L'un dit *tum*, l'autre *âp*, situation courante dans les relations
asymétriques : voir grammaire M.2)

- Eh bien, Monsieur, pourriez-vous aller à la gare ?
हाँ भाई, तुम स्टेशन चलोगे ? hân bhâî, tum *s*teshan caloge ?
(oui frère, vous gare irez)

- Ça vous fera dix roupies. (आपके) दस रुपये लगेंगे।
(âpke) das rupaye lagenge. (de-vous dix roupies seront mises)

- C'est un trajet de cinq minutes, je donnerai cinq roupies.
पाँच मिनट का रास्ता है, मैं पाँच रुपये दूँगा।
pânc mina*t* kâ râstâ hè, mèn pânc rupaye dûngâ.
(cinq minutes de chemin est, je cinq roupies donnerai)

- Parlez plus bas, si le cheval vous écoute, il refusera de manger l'herbe.
धीरे बोलिए, घोड़ा आपकी बात सुनेगा तो घास नहीं खाएगा।
dhîre bolie, gho*r*â âpkî bât sunegâ to ghâs nahîn khâegâ.
(doucement parlez, cheval votre parole écoutera alors herbe
pas mangera)

4. A l'hôtel (होटल में *hotal men*)

- Auriez-vous une chambre libre ? आपके यहाँ कमरा ख़ाली होगा ?
âpke yahân kamrâ *kh*âlî hogâ ? (vous chez chambre libre sera)

- Quel type de chambre voulez-vous ?
आपको कैसा कमरा चाहिए ? âpko kèsâ kamrâ câhie ?
(à-vous quel-[type de] chambre faut)

- Une chambre double, quel est le prix de la chambre ?
डबल बेडवाला, कमरे की रेट क्या है ?
*d*abal bè*d*vâlâ, kamre kî re*t* kyâ hè ?
(double lit-*vâlâ*, chambre de tarif quel est)

- Cent roupies par jour pour une chambre avec toilettes et salle de bain.

लैटरीन-बाथरूमवाले कमरे के सौ रुपये रोज़।

lè*t*rîn-bâthrûmvâle kamre ke sau rupaye roz.

(W-C. salle-de-bain-*vâlâ* chambre de cent roupies jour)

- Pourriez-vous mettre un lit supplémentaire pour l'enfant ?

बच्चे के लिए एक्सट्रा खाट / चारपाई लगा देंगे ?

bacce ke lie eks*t*râ khâ*t* / cârpâî lagâ denge ?

(enfant pour supplémentaire lit placer donnerez)

- Est-ce que je peux voir la chambre ? कमरा देख सकता हूँ ?

kamrâ dekh saktâ hûn ? (chambre voir peux)

- Je vais changer les draps et je mettrai une carafe d'eau.

चद्दरें मैं अभी बदलूँगा और पानी का जग रखूँगा।

caddaren mèn abhî badlûngâ aur pânî kâ jag rakhûngâ.

(draps je tout-à-l'heure changerai et eau de carafe mettrai)

- Si la chambre vous plaît, remplissez ce formulaire.

कमरा पसंद आया हो तो यह फ़ॉर्म भरिए।

kamrâ pasand âyâ ho to yah fârm bharie.

(chambre goût soit venu alors ce formulaire remplissez)

- On paye d'avance. Veuillez signer ici.

पैसे एडवांस में देते हैं। यहाँ हस्ताक्षर / दस्तख़त कीजिए।

pèse e*d*vâns men dete hèn. yahân hastâk*sh*ar / dasta*kh*at kîjie.

(argent avance dans donnent. ici signature / signature faites)

* * *

- J'ai quelques vêtements à faire laver.

मुझे कुछ कपड़े धुलवाने हैं। mujhe kuch kap*r*e dhulvâne hèn.

(à-moi quelques vêtements faire-laver sont)

- Le blanchisseur va bientôt passer ; vous lui donnerez.

अभी धोबी आएगा, आप उसे दीजिएगा। abhî dhobî âegâ, âp use dîjiegâ.

(tout-à-l'heure blanchisseur viendra, vous à-lui donnez)

- J'en ai besoin aujourd'hui même.

मुझे इनकी आज ही ज़रूरत है। mujhe inkî âj hî zarûrat hè.

(à-moi ceux-ci-de aujourd'hui même besoin est)

- Dans ce cas, vous les porterez au pressing en face.

तो सामने ड्राई-क्लीनर के यहाँ ले जाइए।

to sâmne *d*râî-klînar ke yahân le jâie.

(alors en-face pressing chez prenant allez)

5. Location d'un appartement
(एक फ़्लेट किराए लेना / देना *ek flet kirâe lenâ / denâ*)

- Je dois louer un appartement, pourriez-vous m'aider ?

मुझे एक फ़्लेट किराए लेना है, आप मेरी मदद कर सकते हैं ?

mujhe ek fle*t* kirâe lenâ hè, âp merî madad kar sakte hèn ?

(à-moi un appartement en-location prendre est, vous mon aide
faire pouvez)

- Mon voisin a un appartement à louer.

मेरे पड़ोसी को एक फ़्लेट किराए देना है। mere pa*r*osî ko ek fle*t* kirâe denâ hè.

(mon voisin à un appartement en-location donner est)

- Si cela peut se faire, ce sera très gentil de votre part.

अगर यह हो सके तो आपकी बड़ी मेहरबानी होगी।

agar yah ho sake to âpkî ba*r*î meharbânî hogî.

(si ceci être puisse alors votre grande miséricorde sera)

Le propriétaire et l'ami
(*makân-mâlik va mitr* मकान-मालिक व मित्र)

- Combien d'argent gagne-t-il ? उसको कितने रुपये मिल्ते हैं ?

usko kitne rupaye milte hèn ?

(à-lui combien roupies s'obtiennent)

- Il gagne neuf mille roupies. Quel est le montant du loyer ?

उसको नौ हज़ार रुपये मिल्ते हैं। किराया कितना है ?

usko nau hazâr rupaye milte hèn. kirâyâ kitnâ hè ?

(à-lui neuf mille roupies s'obtiennent. loyer combien est)

- Mille cinq cents roupies par mois, plus les charges pour l'eau
et l'électricité.

पंद्रह सौ रुपये महीना, नल-बिजली के पैसे अल्ग।

pandrah sau rupaye mahînâ, nal-bijlî ke pèse alag.
(quinze cents roupies mois, robinet-électricité d'argent séparé)

- Vous vous êtes renseigné au sujet de sa famille, et tout ?
आपने इनके परिवार वगैरह के बारे में पता लगा लिया है?
âpne inke parivâr vagèrah ke bâre men patâ lagâ liyâ hè ?
(vous-erg sa famille, etc. à propos de se renseigner avez pris)

- Pourquoi ne demandez-vous pas vous-même ?
आप ख़ुद क्यों नहीं पूछते? âp *kh*ud kyon nahîn pûchte ?
(vous même pourquoi pas demandez)

Le locataire et le propriétaire
(किरायेदार व मकान-मालिक *kirâyedâr va makân mâlik*)

- Écoutez, les boissons alcoolisées ne sont pas autorisées.
देखो, पीना-पिलाना नहीं चलेगा। dekho, pînâ-pilânâ nahîn calegâ.
(regardez boire-faire-boire pas marchera)

- Vous ne pourrez pas inviter n'importe qui à la maison.
हर किसी को घर नहीं बुला सकोगे। har kisî ko ghar nahîn bulâ sakoge
(chaque quelqu'un à maison pas inviter pourrez)

- Écoutez, moi aussi, je suis père de famille.
देखिये, मैं भी परिवारवाला हूँ। dekhiye, mèn bhî parivârvâlâ hûn.
(regardez, je aussi famille-*vâlâ* suis)

- J'ai mes parents, un frère et deux soeurs.
मेरे माता-पिता हैं, एक भाई है और दो बहनें।
mere mâtâ-pitâ hèn, ek bhâî hè aur do bahanen.
(mes mère-père sont, un frère est et deux soeurs)

- Je suis marié, j'ai deux enfants, une fille et un fils.
मैं शादीशुदा हूँ, मेरे दो बच्चे हैं, एक बेटी और एक बेटा।
mèn shâdîshudâ hûn, mere do bacce hèn, ek be*t*î aur ek be*t*â.
(je marié suis, mes deux enfants sont, une fille et un fils)

6. Au restaurant (रेस्टोरेन्ट में *restaurent men*)

- Venez Monsieur, asseyez-vous. Que prendrez-vous ?

आइए साहब, बैठिए। क्या लेंगे? âie sâhab, bèthie. kyâ lenge ?

(venez monsieur, asseyez-vous. quoi prendrez)

- Ici le repas est à la carte ou au menu (plateau) ?

यहाँ खाना प्लेट के हिसाब से मिलता है या थाली के हिसाब से?

yahân khânâ plet ke hisâb se miltâ hè yâ thâlî ke hisâb se ?

(ici repas plat selon se trouve ou "*thâlî*" selon)

- Qu'est-ce qu'il y a dans le plateau du menu ?

थाली में क्या-क्या देते हो? thâlî men kyâ-kyâ dete ho ?

(*thâlî* dans quoi-quoi donnez)

- Des lentilles, du riz, deux légumes, du yaourt, de la salade et des *capâtî*.

दाल, चावल, दो सब्ज़ियाँ, दही, सलाद और चपाती।

dâl, câval, do sabziyân, dahî, salâd aur capâtî.

(lentilles, riz, deux légumes, yaourt, salade et *capâtî*)

- Apportez-nous un plat de brochettes, un plat d'épinards au fromage et des *parânthâ tandûrî*.

एक प्लेट कबाब, एक प्लेट पालक-पनीर और तंदूरी परांठे लाओ।

ek plet kabâb, ek plet pâlak-panîr aur tandûrî parânthe lâo.

(un plat *kabâb*, un plat épinards-fromage et *tandûrî parân*thâ apportez)

- Apportez-nous un verre d'eau et aussi l'addition.

एक गिलास पानी और बिल भी लेते आना

ek gilâs pânî aur bil bhî lete ânâ.

(un verre eau et addition aussi apportant venir)

- Voilà, cent roupies, gardez la monnaie.

लो ये सौ रुपये, बाक़ी पैसे रख लेना।

lo ye sau rupaye, bâqî pèse rakh lenâ.

(prenez ces cent roupies, restant argent garder prendre)

Au marché (बाज़ार में *bâzâr men*)

7. Chez le marchand de fruits
(फल्वाले के यहाँ *phalvâle ke yahân*)

- Que désirez-vous ? आपको क्या चाहिए ?
âpko kyâ câhie ? (à-vous quoi faut)

- Quel est le prix des pommes et des bananes ?
सेब और केले क्या भाव हैं ? seb aur kele kyâ bhâv hèn ?
(pommes et bananes quel prix sont)

- Les pommes sont à dix roupies le kilo et les bananes à huit
roupies la douzaine.
सेब दस रुपये किलो और केले आठ रुपये दर्जन हैं ।
seb das rupaye kilo aur kele âth rupaye darjan hèn.
(pommes dix roupies kilo et bananes huit roupies douzaine
sont)

- Les bananes sont très chères ! Baissez un peu le prix.
केले बहुत महँगे हैं ! भाव कुछ कम करो ।
kele bahut mahange hèn ! bhâv kuch kam karo.
(bananes très chères sont. prix un-peu moins faites)

- Elles sont toutes fraîches. Nous ne vendons pas de fruits
pourris.
ये बिल्कुल ताज़ा हैं । हम सड़े फल नहीं बेचते ।
ye bilkul tâzâ hèn. ham sare phal nahîn becte.
(celles-ci complètement fraîches sont. nous pourris fruits pas vendons)

- Faites-moi un prix raisonnable. वाजिब दाम बताओ ।
vâjib dâm batâo. (correct prix dites)

- Je vous prendrai sept roupies la douzaine.
मैं आपसे सात रुपये दर्जन ले लूँगा । mèn âpse sât rupaye darjan le lûngâ.
(je de vous sept roupies douzaine prendre prendrai)

8. Chez le marchand de tissu
(कपड़ेवाले के यहाँ *kaprevâle ke yahân*)

- Montrez-moi des saris, en soie et en coton.
मुझे साड़ियाँ दिखाइए रेशमी और सूती।
mujhe sâ*r*iyân dikhâie reshmî aur sûtî.
(à-moi saris montrez en-soie et en-coton)

- Montrez-moi aussi des châles brodés en laine.
कढ़ाईवाले ऊनी शॉल भी दिखाइए। ka*rh*âîvâle ûnî shâl bhî dikhâie.
(broderie-*vâlâ* en-laine châles aussi montrez)

- Quel est le prix de ce sari et de ce châle "kashmîrî" ?
इस साड़ी और कश्मीरी शाल की क़ीमत क्या है?
is sâ*r*î aur kashmîrî shâl kî qîmat kyâ hè ?
(ce sari et *kashmîrî* châle de prix quel est)

- Le sari coûte neuf cents et le châle sept cents, ça fait mille six cents.
साड़ी नौ सौ की और शॉल सात सौ का, सोलह सौ हुए।
sâ*r*î nau sau kî aur shâl sât sau kâ, solah sau hue.
(sari neuf cents de et châle sept cents de, seize cents furent)

- Ça, c'est trop, baissez un peu. Disons mille cinq cents.
यह तो बहुत ज़्यादा है, कुछ कम कीजिए। पंद्रह सौ लगाइए।
yah to bahut zyâdâ hè, kuch kam kîjie. pandrah sau lagâie.
(ceci *to* beaucoup trop est, un-peu moins faites. quinze cents mettez)

- Chez nous le prix est fixe. हमारे यहाँ एक दाम है।
hamâre yahân ek dâm hè. (de-nous chez un prix est)

9. Allons voir un film (फ़िल्म देखने चलें *film dekhne calen*)

- Je voudrais voir un bon film. कोई अच्छी फ़िल्म देखना चाहता हूँ।
koî acchî film dekhnâ câhtâ hûn. (quelconque bon film voir veux)

- Allez voir *Rudâlî*. C'est un très bon film.
रुदाली देखने जाइए। बहुत अच्छी फ़िल्म है।
rudâlî dekhne jâie. bahut acchî film hè.
(*Rudâlî* voir allez. très bon film est)

- Quelles sont les stars ?

कौन-कौन से एक्टर / अभिनेता, एक्ट्रेस / अभिनेत्री हैं ?

kaun-kaun se ek*t*ar / abhinetâ, ek*t*rès / abhinetrî hèn ?

(quel-quel acteur, actrice sont)

- Raj Babbar est le héros, et Dimpal l'héroïne, ils jouent bien.

राज बब्बर हीरो है और डिम्पल हीरोइन, अच्छा अभिनय करते हैं।

râj babbar hîro hè aur *di*mpal hîroin, acchâ abhinay karte hèn.

(Raj Babbar héros est et Dimpal héroïne, bon expression font)

- Les chansons de ce film sont très populaires.

इस फ़िल्म के गाने बहुत चल रहे हैं। is film ke gâne bahut cal rahe hèn.

(ce film de chansons beaucoup marchent-progr)

- Il passe dans quel cinéma ? Vous viendrez aussi ?

किस सिनेमाघर में चल रही है ? आप भी चलिएगा ?

kis sinemâghar men cal rahî hè ? âp bhî caliegâ ?

(quelle salle-de-cinéma dans marche-progr ? vous aussi viendrez)

- On ira à la séance de six heures du soir.

शाम के छह बजे वाले शो में चलेंगे।

shâm ke chah baje vâle sho men calenge.

(soir de six heures-*vâlâ* séance dans irons)

10. Au bureau de poste (डाकघर में *dâkghar men*)

- Il y a une lettre recommandée et une autre lettre.

एक रजिस्ट्री आई है और एक दूसरी चिट्ठी

ek rajis*t*rî âî hè aur ek dûsrî ci*tt*hî.

(une recommandée est venue et une autre lettre)

- Je vais poster la lettre, je vais manquer la dernière levée.

मैं चिट्ठी डाल्ने जाता हूँ, आख़िरी डाक निकल जाएगी।

mèn ci*tt*hî *d*âlne jâtâ hûn, â*kh*irî *d*âk nikal jâegî.

(je lettre verser vais, dernier courrier sortir ira)

- Je dois acheter des enveloppes, envoyer une lettre recommandée et un télégramme.

मुझे लिफ़ाफ़े ख़रीदने हैं, रजिस्ट्री करवानी है और तार देना है।

mujhe lifâfe *kha*rîdne hèn, rajis*trî* karvânî hè aur târ denâ hè.

(à-moi enveloppes acheter sont, recommandé faire-faire est et télégramme donner est)

- A combien il faut affranchir une lettre pour Paris ?

पेरिस के लिए कितने का टिकट लगता है?

peris ke lie kitne kâ *ti*ka*t* lagtâ hè ?

(Paris pour combien de timbre s'applique)

11. Le mois, la date, le jour et l'heure
(महीना, तारीख़, वार और समय *mahînâ, târî*kh, *vâr aur samay*)

- En quel mois sommes-nous ?

कौन-सा महीना है? / आजकल कौन-सा महीना चल रहा है?

kaun-sâ mahînâ hè ? / âjkal kaun-sâ mahînâ cal rahâ hè ?

(quel mois est ? / actuellement quel mois marche-progr)

- Quelle est la date d'aujourd'hui ? Quel jour sommes-nous ?

आज क्या तारीख़ है? क्या वार है? âj kyâ târî*kh* hè ? kyâ vâr hè ?

(aujourd'hui quelle date est ? quel jour est)

- C'est le mois d'avril. C'est le premier avril. C'est mardi.

अप्रैल है। / अप्रैल चल रहा है। एक अप्रैल है। मंगलवार है।

aprèl hè. / aprèl cal rahâ hè. ek aprèl hè. mangalvâr hè.

(avril est. / avril marche-progr. un avril est. mardi est)

- Je suis arrivé ce matin / hier / il y a deux jours.

मैं आज सबेरे / कल / दो दिन पहले   आया हूँ।

mèn âj sabere / kal / do din pahle   âyâ hûn.

(je aujourd'hui matin / hier / deux jours avant suis venu)

- Je vais rester jusqu'à mercredi prochain / juin.

मैं इस बुधवार / जून तक रहूँगा। mèn is budhvâr / jûn tak rahûngâ.

(je ce mercredi / juin jusque resterai)

- Je vais rester plusieurs jours / semaines / mois / années.

मैं कई दिन / हफ़्ते / महीने / साल रहूँगा।

mèn kaî din / hafte / mahîne / sâl rahûngâ.

(je plusieurs jours / semaines / mois / ans resterai)

- Je dois partir cette nuit / dans deux jours.

मुझे आज रात को / दो दिन में जाना है।

mujhe âj rât ko / do din men jânâ hè.

(à-moi aujourd'hui nuit à / deux jours dans aller est)

- Quelle heure est-il ? Il est une heure / une heure moins le quart. Il est une heure et quart / une heure et demie.

कितने बजे हैं ? एक / पौन बजा है। सवा / डेढ़ बजे हैं।

kitne baje hèn ? ek / paun bajâ hè. savâ / *derh* baje hèn.

(combien est sonné ? un / trois-quarts est sonné. un-et-quart / un-et-demi sont sonnés)

- Il est deux heures et demie / trois heures et quart / trois heures et demie / quatre heures moins le quart / quatre heures.

ढाई / सवा तीन / साढ़े तीन / पौने चार / चार   बजे हैं।

*dh*âî / savâ tîn / sâ*rh*e tîn / paune câr / câr   baje hèn.

(deux et demie / trois et quart / trois et demie / quatre moins-le-quart / quatre   sont sonnés)

- Il est midi / minuit. Il est assez tard.

दिन के / रात के बारह बजे हैं। काफ़ी रात हो गई।

din ke / rât ke bârah baje hèn. kâfî rât ho gaî.

(jour de / nuit de douze sont sonnées. assez nuit devint)

- Il est une heure dix. Il est une heure moins dix.

एक बजकर दस मिनट हुए हैं। एक बजने में दस मिनट (बाक़ी) हैं।

ek bajkar das mina*t* hue hèn. ek bajne men das mina*t* (bâqî) hèn.

(une étant-sonné dix minutes ont été. une sonner dans dix minutes [restantes] sont)

- Dépêchez-vous. Je suis pressé. Je vais être en retard.

जल्दी कीजिए। मैं जल्दी में हूँ। मुझे देर हो जाएगी।

jaldî kîjie. mèn jaldî men hûn. mujhe der ho jâegî.

(vite faites. je hâte dans suis. à-moi retard deviendra)

- Attendez cinq minutes. Je vous ai retardé.

पाँच मिनट ठहरिये। मैंने आपको लेट कर दिया।

pânc mina*t* *th*ahariye. mènne âpko le*t* kar diyâ.

(cinq minutes arrêtez-vous. je-erg à-vous en-retard faire donnai)

12. Chez un ami (एक मित्र के यहाँ *ek mitr ke yahân*)

(Jean salue la mère de son ami en lui touchant les pieds, elle lui donne sa bénédiction)

- Ayez une longue vie. N'enlevez pas vos chaussures, maintenant tout est admis...

जीते रहो। जूते मत उतारो, अब सब चलता है...

jîte raho. jûte mat utâro, ab sab caltâ hè...

(vivant restez. chaussures pas descendez, maintenant tout marche)

- sauf dans la cuisine et la pièce réservée au culte.

केवल चौका और पूजा का कमरा बचा रह गया है।

keval caukâ aur pûjâ kâ kamrâ bacâ rah gayâ hè.

(seulement cuisine et culte de pièce épargné est resté)

- Faites comme chez vous, ne faites pas de formalités.

आपका ही घर है, तकल्लुफ़ मत कीजिएगा।

âpkâ hî ghar hè, takalluf mat kîjiegâ.

(votre même maison est formalité pas faites)

- Je vous présente ma famille.

मैं आपको अपने परिवार से मिलवाती हूँ।

mèn âpko apne parivâr se milvâtî hûn.

(je à-vous refl famille avec fais-rencontrer)

- Rama et la "belle-soeur" ne sont pas à la maison ?

राम और भाभी घर में नहीं हैं? râm aur bhâbhî ghar men nahîn hèn ?

(Rama et belle-soeur maison dans pas sont)

- Ils sont sortis tous les deux. Ils ne devraient pas tarder à rentrer.

वे दोनों बाहर गए हैं। आनेवाले होंगे।
ve donon bâhar gae hèn. ânevâle honge.
(ils tous-deux dehors sont allés. venir-*vâlâ* seront)

- On ne voit pas Père. पिताजी दिखाई नहीं दे रहे।
pitâjî dikhâî nahîn de rahe.
(père-honorifique vision pas donne-progr)

- Il a dû sortir. On ne sait pas pourquoi il tarde à rentrer.
कहीं बाहर निकले होंगे। पता नहीं क्यों देर कर दी।
kahîn bâhar nikle honge. patâ nahîn kyon der kar dî.
(quelque-part dehors sorti sera. sait pas pourquoi retard faire donna)

- Alors, je pars. Je reviendrai une autre fois.
तो मैं चलूँ फिर कभी आऊँगा। to mèn calûn, phir kabhî âûngâ.
(alors je m'en aille de-nouveau une-fois viendrai)

-Partez après manger. Je ne vous laisserai pas partir comme ça.
खाना खाकर जाना। ऐसे नहीं जाने दूँगी।
khânâ khâkar jânâ. èse nahîn jâne dûngî.
(repas ayant-mangé aller. ainsi pas aller donnerai)

- Les voilà. Ils (Rama et son épouse) sont arrivés.
लो, आ गए वे लोग। â gae ve log. (prenez, venir allèrent ces gens)

- (Elle leur dit :) "Regardez qui vous attend."
(उसने उनसे कहा:) देखो, कौन बैठा है तुम्हारे लिए।
(usne unse kahâ :) dekho, kaun bè*th*â hè tumhâre lie.
(elle à-eux dit : regardez, qui est assis vous pour)

- Lavez-vous les mains et installez-vous ; je vous sers le repas.
तुम हाथ धोकर बैठो, मैं खाना लगा देती हूँ।
tum hâth dhokar bè*th*o, mèn khânâ lagâ detî hûn.
(vous mains ayant-lavé asseyez-vous, je repas place donne)

- Maintenant permettez-moi de partir. अब मुझे आज्ञा दीजिए।
ab mujhe âgyâ dîjie. (maintenant à-moi permission donnez)

- Venez plus souvent. Si vous avez besoin de quoi que ce soit,
n'hésitez pas à le dire.
आते रहिएगा। कोई भी काम हो तो निस्संकोच बताइएगा।
âte rahiegâ. koî bhî kâm ho to nissankoc batâiegâ.

(venant restez. quelconque travail soit alors sans-hésitation
dites)

- J'espère que nous aurons le plaisir de vous revoir bientôt.
मुझे आशा है तुमसे फिर जल्दी मुलाक़ात होगी।
mujhe âshâ hè tumse phir jaldî mulâqât hogî.
(à-moi espoir est àvec-vous de-nouveau bientôt rencontre sera)

13. La santé (स्वास्थ्य *svâsthya*)

- Qu'est ce qui vous amène ? कैसे आना हुआ ?
kèse ânâ huâ ? (comment venir fut)

- Je ne me sens pas bien. मेरी तबियत ठीक नहीं है / ख़राब है।
merî tabiyat *th*îk nahîn hè / *kh*arâb hè.
(ma santé bien pas est / mauvais est)

- Je me sens fatigué. मुझे कमज़ोरी महसूस होती है।
mujhe kamzorî mahsûs hotî hè. (à-moi fatigue sensation est)

- J'ai de la fièvre, je suis enrhumé et je tousse.
मुझे बुख़ार आता है, मुझे जुकाम है और खाँसी चलती है।
mujhe bu*kh*âr âtâ hè, mujhe zukâm hè aur khânsî caltî hè.
(à-moi fièvre vient, à-moi rhume est. et toux marche)

- Il semble que vous ayez attrapé froid.
लगता है आपको सर्दी लग गई है। lagtâ hè âpko sardî lag gaî hè.
(semble à-vous froid s'est collé allé)

- C'est possible. Je suis sorti me promener au soleil.
हो सकता है। मैं धूप में घूमने चला गया था।
ho saktâ hè. mèn dhûp men ghûmne calâ gayâ thâ.
(être peut. je soleil dans me-promener étais parti)

- J'ai aussi mal au ventre. J'ai des nausées.
मेरे पेट में भी दर्द है। मेरा जी मिचली करता है।
mere pe*t* men bhî dard hè. merâ jî miclî kartâ hè.
(mon ventre dans aussi douleur est. mon coeur nausée fait)

- Il vous faudra faire faire des examens de sang et d'urine.
आपको ख़ून और पेशाब की जाँचें करवानी होंगी।
âpko *kh*ûn aur peshâb kî jâncen karvânî hongî.
(à-vous sang et urine de examens [tests] faire-faire seront)

- Je vous prescris ces médicaments, que vous prendrez.
ये दवाइयाँ लिख रहा हूँ, सो लीजिए। ye davâiyân likh rahâ hûn, so lîjie.
(ces médicaments [j'] écris-progr, donc prenez)

- Ou alors il vous faudra entrer à l'hôpital pour vous soigner.
या फिर आपको इलाज के लिए अस्पताल में भरती होना पड़ेगा।
yâ phir âpko ilâj ke lie aspatâl men bhartî honâ pa*r*egâ.
(ou puis à-vous traitement pour hôpital dans admis être faudra)

- Prenons rendez-vous pour le 2 à 6 heures.
दो तारीख़ को छह बजे मिलने का समय तय करते हैं।
do târî*kh* ko chah baje milne kâ samay tay karte hèn.
(deux date à six heures rencontrer de temps décidé faisons)

- En cas d'empêchement, je vous préviendrai.
अगर नहीं आ सका तो मैं आपको ख़बर कर दूँगा।
agar nahîn â sakâ to mèn âpko *kh*abar kar dûngâ.
(si pas venir pus alors je à-vous information faire donnerai)

- Je vous souhaite un bon rétablissement. आप जल्दी ठीक हो जाएँ।
âp jaldî *th*îk ho jâen. (vous vite bien deveniez)

14. Une bagarre (झगड़ा *jhagrâ*)

(La mère du propriétaire gronde sa petite-fille. Le locataire ne peut s'empêcher d'intervenir)

- Tu traînes, tu ne vois pas qu'il y a du travail ?
तू मटरगश्ती करती है, तुझे काम करना नहीं सूझता ?
tû ma*t*argashtî kartî hè, tujhe kâm karnâ nahîn sûjhtâ ?
(tu vagabondage fais, à-toi travail faire pas vient-à-l'idée)

- Quel comportement de brute ! Vous n'avez pas honte ?
क्या जंगली व्यवहार है ! आपको शर्म नहीं आती ?
kyâ janglî vyavhâr hè ! âpko sharm nahîn âtî ?
(quel sauvage comportement est à-vous honte pas vient)

- Ça te regarde ? Mêle-toi de tes affaires.
तुम्हें इससे क्या मतलब ? तुम अपना काम करो।
tumhen isse kyâ matlab ? tum apnâ kâm karo.
(à-vous de-ceci quelle signification ? vous refl travail faites)

- L'humanité, ça existe aussi. Vous n'avez pas pitié ?
इंसानियत भी कोई चीज है। आपको दया नहीं आती ?
insâniyat bhî koî cîz hè. âpko dayâ nahîn âtî ?
(humanité aussi quelque chose est. à-vous pitié pas vient)

- L'humanité, je m'en fous. C'est toi qui vas me donner des
leçons, espèce de salaud ?
इंसानियत की ऐसी की तैसी। साले, तू मुझे सबक़ सिखाएगा ?
insâniyat kî èsî kî tèsî. sâle, tû mujhe sabaq sikhâegâ ?
(humanité de je-m'en-fous. salaud, toi à-moi leçon apprendra)

- Vous n'avez pas le droit d'être malpoli.
आपको बदतमीज़ी से पेश आने का हक़ नहीं है।
âpko badtamîzî se pesh âne kâ haq nahîn hè.
(à-vous impolitesse avec se présenter de droit pas est)

- Qu'est ce que tu peux faire contre moi ? तू मेरा क्या कर लेगा ?
tû merâ kyâ kar legâ ? (tu de-moi quoi faire prendras)

- Que je l'aime ou que je la batte, en quoi ça te dérange ?
मैं इसको प्यार करूँ या पीटूँ, तुझे क्यों दर्द होता है ?
mèn isko pyâr karûn yâ pîtûn, tujhe kyon dard hotâ hè ?
(je à-elle aime ou batte, à-toi pourquoi souffrance est)

- Mesurez un peu vos paroles. Pourquoi est-ce que vous vous
mettez en colère ?
मुँह सँभालकर बात कीजिए। आपको गुस्सा क्यों आ रहा है ?
munh sanbhâlkar bât kîjie. âpko gussâ kyon â rahâ hè ?
(bouche contrôlant parole faites. à-vous colère pourquoi vient-progr)

- Vous avez envie de vous battre ou quoi ?
आपको लड़ने की मन में आ रही है क्या ?
âpko larne kî man men â rahî hè kyâ?
(à-vous lutte de [chose] esprit dans vient-progr quoi)

- Ne vous fâchez pas. Qu'est-ce que je vous ai fait ?
नाराज़ मत होइए। मैंने आपका क्या बिगाड़ा है।
nârâz mat hoie. mènne âpkâ kyâ bigârâ hè.
(fâchée pas soyez. je-erg votre quoi ai abîmé)

- Pourquoi est-ce que vous ne pouvez pas me supporter ?
आपको मुझ पर खीज क्यों आती है ? âpko mujh pâr khîj kyon âtî hè ?
(à-vous moi-sur irritation pourquoi vient)

- Je sentais qu'il y avait quelque chose de louche.
मुझे लग रहा था कि दाल में कुछ काला है।
mujhe lag rahâ thâ ki dâl men kuch kâlâ hè.
(à-moi semblait-progr que lentille dans quelque-chose noir
est)

- Je m'en doutais. Ça suffit, fous le camp d'ici.
मुझे पहले ही शक था। बहुत हो गया, चल्ते बनो यहाँ से।
mujhe pahle hî shak thâ. bahut ho gayâ, calte bano yahân se.
(à-moi avant même doute était. beaucoup fut, partant sois
d'ici)

15. Au poste de police (थाने में *thâne men*)

- Oui, je vous écoute Monsieur. Qu'y a-t-il ?
हाँ जी, बोलिए। क्या बात है ? hân jî, bolie. kyâ bât hè?
(oui monsieur, parlez. quelle chose est)

- On m'a fait les poches dans l'autobus et j'ai perdu tous mes papiers.
बस में मेरी जेब कट गई और मेरे सब काग़ज़ात चले गए।
bas men merî jeb kat gaî aur mere sab kâgzât cale gae.
(bus dans ma poche être-coupée alla et mes tous papiers
partirent)

- Est-ce qu'il n'était pas écrit "attention aux pickpockets" ?
वहाँ लिखा नहीं था "जेबकतरों से सावधान " ?
vahân likhâ nahîn thâ "jebkatron se sâvdhân"?
(là-bas écrit pas était "pickpockets de attention")

- Pourquoi n'avez-vous pas fait attention ? ध्यान क्यों नहीं रखा ?
dhyân kyon nahîn rakhâ ? (attention pourquoi pas avez-gardé)

- Avez-vous quelque chose en poche ou êtes-vous venu sans rien ?
जेब में कुछ है या ऐसे ही चले आए ? jeb men kuch hè yâ èse hî cale âe ?
(poche dans quelque-chose est ou ainsi juste marchant êtes venu)

- On m'a fait les poches, je n'ai rien !
किसी ने मेरी जेब काट ली है, मेरे पास कुछ नहीं है !
kisî ne merî jeb kât lî hè, mere pâs kuch nahîn hè !
(quelqu'un-erg ma poche couper a pris, moi près rien n'est)

- Vous êtes venu ici pour faire quoi ? आप यहाँ क्या करने आए हैं ?
âp yahân kyâ karne âe hèn ? (vous ici quoi faire êtes venu)

- Vous nous prenez pour qui ? आप हमको क्या समझते हैं ?
âp hamko kyâ samajhte hèn ? (vous à-nous quoi considérez)

- S'il faut qu'on surveille les poches de tout le monde, comment on pourra faire bouillir la marmite ?
अगर सबकी जेबों का पहरा दें तो हम पेट भरकर खा सकते हैं ?
agar sabkî jebon kâ pahrâ den to ham pet bharkar khâ sakte hèn ?
(si tous-de poches de surveillance donnions alors nous ventre remplissant manger pouvons)

- Vous prenez ma déposition ou je fais intervenir l'ambassade ?
आप मेरी रिपोर्ट लिखते हैं या मैं एम्बेसी की मारफ़त कार्यवाही करूँ ?
âp merî riport likhte hèn yâ mèn embesî kî mârfat kâryavâhî karûn ?
(vous mon rapport écrivez ou je ambassade de par-l'intermédiaire procédure fasse)

- Vous êtes un étranger ? Il fallait nous le dire tout de suite.
आप विदेशी हैं ? हमको फ़ौरन बताना चाहिए था ।
âp videshî hèn ? hamko fauran batânâ câhie thâ.
(vous étranger êtes ? à-nous tout-de-suite dire fallait)

- Nous avons cru que vous étiez d'ici. हम समझे आप यहीं के हैं ।
ham samjhe âp yahîn ke hèn.
(nous avons pensé vous ici-même de êtes)

16. L'ordre public (क़ानून और व्यवस्था *qânûn aur vyavasthâ*)

- Il y a de très mauvaises nouvelles dans les journaux.
अख़बार में बड़ी बुरी ख़बर आई है । a*kh*bâr men ba*rî* burî *kh*abar âî hè.
(journal dans très mauvaise nouvelle est venue)

- Il y a eu des émeutes à Gandhi Nagar.
गांधी नगर में दंगा-फ़साद हो गया ।
gândhî nagar men dangâ-fasâd ho gayâ.
(Gandhi Nagar dans émeute-querelle devint)

- La situation est assez difficile pour le gouvernement.
सरकार के लिए काफ़ी कठिन समस्या है
sarkâr ke lie kâfî ka*th*in samasyâ hè.
(gouvernement pour assez difficile problème est)

- Il y a eu des fusillades, quelques personnes ont été blessées.
गोलियाँ चली हैं, कुछ लोग घायल हो गए हैं ।
golîyân calî hèn, kuch log ghâyal ho gae hèn.
(balles sont marchées, quelques gens blessés sont devenus)

- Une ou deux autres sont mortes. Le couvre-feu est instauré.
एक-दो मर गए हैं । करफ़्यू लगा है । ek-do mar gae hèn. karfyû lagâ hè.
(un-deux mourir sont allés. couvre-feu est appliqué)

- En fait, le gouvernement n'arrive pas à bien gérer le pays.
बात यह है सरकार से काम सँभलता नहीं ।
bât yah hè sarkâr se kâm sanbhaltâ nahîn.
(chose ceci est gouvernement par travail est-contrôlé pas)

- Il y a un tas de problèmes : délinquance, corruption, chômage.

गुंडागर्दी, भ्रष्टाचार, बेकारी, ढेर समस्याएँ हैं।

gun*d*âgardî, bhra*sht*âcâr, bekârî, *dh*er samasyâen hèn.

(délinquance, corruption, chômage, tas problèmes sont)

- Est-ce que c'est facile de les régler ?

इनको हल करना क्या सरल है ? inko hal karnâ kyâ saral hè ?

(à-ceux-ci solution faire est-ce-que facile est)

- Tu ne vois donc pas les progrès accomplis.

जो तरक्क़ी हुई है वह तो तुम्हें दिखती नहीं।

jo taraqqî huî hè vah to tumhen dikhtî nahîn.

(relatif progrès a été celui-là *to* à-toi apparaît pas)

- Oui, les gratte-ciel, les usines, rien ne manque.

हाँ, ऊँची इमारतें, कारख़ाने, किसी की कमी नहीं है।

hân, ûncî imârten, kâr*kh*âne, kisî kî kamî nahîn hè.

(oui, hauts bâtiments, usines, rien de manque n'est)

- Peu importe qu'on n'ait pas d'eau à boire (potable) !

पीने के लिए पानी नहीं मिलता तो क्या !

pîne ke lie pânî nahîn miltâ to kyâ !

(boire pour eau pas trouve alors quoi)

- Vous les femmes, vous êtes sans cervelle. Vous n'arrêtez pas de critiquer.

तुम औरतों में दिमाग़ तो होता नहीं, आलोचना करती रहती हो।

tum aurton men dimâ*g* to hotâ nahîn, âlocnâ kartî rahtî ho.

(vous femmes dans cerveau *to* est pas, critique faisant restez)

- Je ne vous adresserai plus la parole. मैं आपसे नहीं बोलूँगी।

mèn âpse nahîn bolûngî. (je à-vous pas parlerai)

- Dites-le avec le sourire tout de même.

यह बात भी ज़रा मुस्कुराकर कहो। yah bât bhî zarâ muskurâkar kaho.

(cette chose aussi un-peu en-souriant dites)

17. A la banque (*bènk men* बैंक में)

-J'ai des traveller's chèques à encaisser. Quel est le taux actuel ?
मुझे ट्रैवलर्स चैक भुनाने हैं। आजकल क्या रेट चल रही है ?
mujhe *tr*èvlars cèk bhunâne hèn. âjkal kyâ re*t* cal rahî hè ?
(à-moi traveller chèques encaisser sont. actuellement quel taux
marche-progr)

-Je vais recevoir un virement de France.
.फ़्रांस से मेरे लिए रुपये आनेवाले हैं।
frâns se mere lie rupaye ânevâle hèn.
(France de moi pour roupies venir-*vâlâ* sont)

-Laissez nous votre adresse. Nous vous informerons.
हमारे पास अपना पता छोड़ जाइए। हम आपको सूचित करेंगे।
hamâre pâs apnâ patâ cho*r* jâie. ham âpko sûcit karenge.
(près de nous refl adresse laissant allez. nous à-vous informé feront)

-Je veux ouvrir un compte chez vous.
मैं आपके यहाँ एक खाता खुलवाना चाहता हूँ।
mèn âpke yahân ek khâtâ khulvânâ câhtâ hûn.
(je vous chez un compte faire-ouvrir veux)

-A partir de quel moment pourrais-je faire un chèque ?
चैक कब से काट सकता हूँ ? cèk kab se kâ*t* saktâ hûn ?
(chèque quand à-partir-de barrer peux)

-Il faut que l'argent soit crédité sur votre compte.
आपके खाते में रुपये तो जमा हो जाएँ।
âpke khâte men rupaye to jamâ ho jâen.
(votre compte dans roupies *to* déposées être aillent)

-Vous n'avez même pas de carnet de chèques.
आपके पास चैक-बुक भी नहीं है। âpke pâs cèk-buk bhî nahîn hè.
(près de vous carnet-de-chèques aussi pas est)

18. Râmbolâ, l'histoire légendaire de Tulsî Dâs

Le récit populaire qui suit raconte comment l'inspiration vint
au célèbre auteur du Râmâyana hindi, le Râm Charit Mânas

- Il était une fois un enfant nommé Râmbolâ.

एक बार एक रामबोला नामक बच्चा था।

ek bâr ek râmbolâ nâmak baccâ thâ.

(une fois un Râmbolâ [Râm-parla] nommé enfant était)

- Sa mère mourut et son père estimant qu'il portait malheur l'abandonna.

उसकी माँ मर गई और पिता ने उसे अशुभ मानकर त्याग दिया।

uskî mân mar gaî aur pitâ ne use ashubh mânkar tyâg diyâ.

(sa mère mourir alla et père-erg à-lui néfaste estimant abandon donna)

- Une servante le recueillit mais un serpent la piqua.

उसे एक दासी ने रखा पर उसे साँप ने डस लिया।

use ek dâsî ne rakhâ par use sânp ne das liyâ.

(à-lui une servante-erg garda mais à-elle serpent-erg piquer prit)

- L'enfant se mit à mendier. बच्चा भीख माँगने लगा।

baccâ bhîkh mângne lagâ.

(enfant aumône demander commença)

- Un saint homme prit pitié de lui. एक महात्मा को उस पर दया आई।

ek mahâtmâ ko us par dayâ âî.

(un grande-âme à lui sur pitié vint)

- Il le garda chez lui et l'instruisit.

उन्होंने उसे अपने पास रखकर पढ़ाया-लिखाया।

unhonne use apne pâs rakhkar parhâyâ-likhâyâ.

(il-erg à-lui refl près gardant fit-lire fit-écrire)

- Râmbolâ devint savant et se maria.

रामबोला विद्वान बन गया और उसने शादी कर ली।

râmbolâ vidvân ban gayâ aur usne shâdî kar lî.

(Râmbolâ savant devenir alla et il-erg mariage faire prit)

- Il aimait beaucoup sa femme.

वह अपनी पत्नी को बहुत प्यार करता था

vah apnî patnî ko bahut pyâr kartâ thâ.

(il sa femme à beaucoup aimait)

- Mais celle-ci ne put comprendre le prix de cet amour.

पर वह उस प्यार की क्रीमत नहीं समझ सकी।

par vah us pyâr kî qîmat nahîn samajh sakî.

(mais elle cet amour de prix pas comprendre put)

- Un jour elle lui lança sarcastiquement :

एक दिन उसने उसे ताना मारा: ek din usne use tânâ mârâ :

(un jour elle-erg à-lui sarcasme frappa)

- Si tu avais autant d'amour pour Râma, tu trouverais le salut.

इतना प्रेम तुम राम से करते तो तुम्हारा उद्धार हो जाता।

itnâ prem tum râm se karte to tumhârâ uddhâr ho jâtâ.

(autant amour tu Râma avec ferais alors ton salut adviendrait)

- Il se plongea corps et âme dans la dévotion de Râma.

वह तन-मन से राम की भक्ति में लग गया।

vah tan-man se râm kî bhaktî men lag gayâ.

(il corps-esprit avec Râma de dévotion dans s'appliquer alla)

- Il écrivit l'épopée *Râm Charit Mânas* sur la vie de Râma.

उसने राम के जीवन पर "राम चरित मानस" महाकाव्य लिखा।

usne râm ke jîvan par "râm carit mânas" mahâkâvya likhâ.

(il-erg Râma de vie sur "Râm exploits lac" épopée écrivit)

- Et il devint célèbre sous le nom de Tulsî Dâs.

और वह तुल्सीदास के नाम से प्रसिद्ध हो गया।

aur vah tulsîdâs ke nâm se prasiddh ho gayâ.

(et il Tulsî Dâs de nom par célèbre devint)

इति *iti*, "fin"

LEXIQUE

LEXIQUE FRANÇAIS-HINDI

Les mots sont présentés avec leurs dérivés les plus directs sous la même entrée. Les catégories grammaticales ne sont indiquées qu'en cas d'ambiguïté, quand elles ne correspondent pas à celle du français en entrée, le genre des noms hindi étant toujours indiqué ainsi que la transitivité ou l'intransitivité du verbe (à l'exception des verbes करना *karnâ* "faire" et होना *honâ* "être"). Les constructions sont notées chaque fois qu'elles diffèrent de celles du français, illustrées par de courtes expressions. Pour les verbes et locutions verbo-nominales, bien que les constructions et l'alternative active (+*karnâ*) et passive (+*honâ*) soient indiquées le plus souvent, reportez-vous aux rubriques correspondantes dans la section grammaire (M.5.9-10), ainsi, en général, que pour les mots grammaticaux, dont le paradigme complet des formes n'est pas donné (pronoms notamment). Les différents sens du mot sont distingués le plus souvent possible par des synonymes (entre parenthèses) ou par les dérivés et les constructions.

A

à : को *ko*

abandonner : छोड़ना *chornâ* v.t.

abîmer : बिगाड़ना *bigârnâ* v.t., ख़राब करना *kharâb karnâ* ; s'- / être

abîmé : बिगड़ना *bigarnâ* v.i., ख़राब होना *kharâb honâ*

abord (d'-) : पहले *pahle* (adv.)

accepter : मानना *mânnâ* v.t. ; मंज़ूर / स्वीकार करना *manzûr / svîkâr karnâ*

accident : एक्सिडेंट *eksid*ent m., दुर्घटना *durghatnâ* f. ; X a eu un - : X का एक्सिडेंट हो गया X *kâ eksid*ent *ho gayâ* v.i.

accord : सहमति *sahmati* f. ; d'- : ठीक है *thîk hè* ; X est d'- avec Y : X Y से सहमत है X Y *se sahmat hè*

accueil : सत्कार *satkâr* m., स्वागत *svâgat* m. ; accueillir / recevoir qqn. : किसी का स्वागत करना *kisî kâ svâgat karnâ*

achat : ख़रीदारी *kharîdârî* f. ; acheter : ख़रीदना *kharîdnâ* v.t.

acquitter (payer) : अदा करना *adâ* inv. *karnâ*

acteur : अभिनेता *abhinetâ* m. ; actrice : अभिनेत्री *abhinetrî* f.

action : काम *kâm* m. ; कर्म *karm* m. ; bonne - : पुण्य *punya* m.

adieux : विदाई *vidâî* f.

administration : शासन *shâsan* m.

adresse : पता *patâ* m.

adulte (majeur) : वयस्क *vayask*, बालिग़ *bâlig* ; (mûr) प्रौढ़ *praurh*

aéroport : हवाई-अड्डा *havâî-addâ* m.

affaire : मामला *mâmlâ* m. ; - civile : दीवानी *dîvânî* ; - criminelle : फ़ौजदारी *faujdârî* ; (objets) : voir bagages

affection : स्नेह *sneh* m. ; affectueusement : सप्रेम *saprem*, सस्नेह *sasneh*

affoler (s') : घबराना *ghabrânâ* v.i. ; -ment : घबराहट *ghabrâhat* f.

affranchir (lettre) : (लिफ़ाफ़े पर) टिकट लगाना *(lifâfe par) tikat* m. *lagânâ* v.t. (litt. coller un timbre sur l'enveloppe)

âge : आयु *âyu* f., उम्र *umr* f. ; (époque) : युग *yug* m.

agiter, remuer : हिलाना *hilânâ* v.t. ; s'-, bouger : हिलना *hilnâ* v.i. ; agité : विचलित *vicalit*

agréable : सुहावना *suhâvnâ*

agriculture : कृषि *krishi* f. ; खेती-बाड़ी *khetî-bârî* f ; agriculteur : कृषक *krishak* m. ; खेतिहर *khetihar* m.

aide : मदद *madad* f., सहायता *sahâyatâ* f. ; aider qqn. : किसी की मदद करना *kisî kî madad karnâ*

ainsi : इस तरह / प्रकार से *is tarah / prakâr se* ; ऐसे *èse* (adv.)

air : हवा *havâ* f. ; aéré : हवादार *havâdâr*

alcool : शराब *sharâb* f.

aller : जाना *jânâ* v.i. ; allons-y : चलो *calo*, चलिये *caliye*

allonger : लिटाना *litânâ* v.t. ; s'- : लेटना *letnâ* v.i.

allumer : जलाना *jalânâ* v.t. ; allumettes : माचिस *mâcis* f. ; boîte d'- : माचिस की डिबिया *mâcis kî dibiyâ* f.

alphabétisation : साक्षरता *sâkshartâ* f.

amande : बादाम *bâdâm* m.

amende : जुर्माना *jurmânâ* m.

ambassade : दूतावास *dûtâvâs* m. ; ambassadeur : राजदूत *râjdût* m.

ambiance : माहौल *mâhaul* m., वातावरण *vâtâvaran* m.

ambroisie, nectar : अमृत *amrit* m.

âme : आत्मा *âtmâ* f. ; grande âme : महात्मा *mahâtmâ* m.

amener, apporter : ले आना *le ânâ* v.i.

ami : दोस्त *dost* m., मित्र *mitr* m. ; -e (entre filles) : सहेली *sahelî* f.

amour : प्यार *pyâr* m., प्रेम *prem* m. ; - propre : अहंकार *ahankâr* m. ; aimer qqn. : किसी से प्यार/प्रेम करना *kisî se pyâr/prem karnâ* ; X aime Y : X को Y से प्यार/प्रेम है *X ko Y se pyâr/prem hè*

amulette : तावीज़ *tâvîz* m.

an, année : वर्ष *varsh* m., साल *sâl* m.

animal : जानवर *jânvar* m., पशु *pashu* m.

anis : सौंफ *saunph* f.

anneau (d'oreille) : बाली *bâlî* f. ; autres noms : voir culture 2.4.

anniversaire : जन्मदिन *janmadin* m., सालगिरह *sâlgirah* f.

apercevoir, voir : दिखना *dikhnâ* v.i., दिखाई देना *dikhâî denâ*, नजर आना *nazar ânâ* v.i. ; X aperçût qqn. : X को कोई दिखा/दिखाई दिया/नजर आया *X ko koî dikhâ/dikhâî diyâ/nazar âyâ*

appeler : बुलाना *bulânâ* v.t. ; (à haute voix) पुकारना *pukârnâ* v.t.

applaudir : तालियाँ बजाना *tâliyân* f. *bajânâ* v.t.

appliquer : लगाना *lagânâ* v.t. ; (mettre en acte) : लागू करना *lâgû karnâ*

apporter : लाना / ले आना *lânâ / le ânâ* v.t. (sans ergatif -ने *ne*)

apprendre : सीखना *sîkhnâ* v.t. ; (à qqn.) सिखाना *sikhânâ* v.t.

après : (adv.) बाद में *bâd men* ; (prép.) के बाद *ke bâd* (postp.)

arbre : पेड़ *per* m., वृक्ष *vriksh* m.

architecture : वास्तु-कला *vâstu-kalâ* f., शिल्प-कला *shilp-kalâ* f.

argent : (métal) चाँदी *cândî* f. ; (monnaie) पैसा *pèsâ* m., रुपया *rupayâ* m.

armée : फ़ौज *fauj* f., सेना *senâ* f. ; arme : हथियार *hathiyâr* m. ; armé (adj.) : हथियारबंद *hathiyârband*

armoire : आलमारी *âlmârî* f.

arrangements : इंतज़ाम *intazâm* m., व्यवस्था *vyavasthâ* f. ;
arranger, organiser qqch. : किसी चीज़ का इंतज़ाम / की व्यवस्था करना
kisî cîz kâ intazâm / kî vyavasthâ karnâ
arrêter : रोकना *roknâ* v.t. ; s'- : रुकना *ruknâ* v.i. ; ठहरना th*aharnâ*
v.i.
arrière (en) : पीछे *pîche* ; arriéré : पिछड़ा *pichrâ*
arriver : पहुँचना *pahuncnâ* v.i.
art : कला *kalâ* f. ; artiste : कलाकार *kalâkâr* m.
article : (écrit) लेख *lekh* m. ; (objet) चीज़ *cîz* f.
artisan : कारीगर *kârîgar* m. ; artisanat : ग्रामीण उद्योग *grâmîn udyog*
asafoetida : हींग *hîng* f.
ascèse, ascétisme, pénitence : तपस्या *tapasyâ* f. ; ardeur
ascétique : तप *tap* m.
assassinat : हत्या *hatyâ* f. ; assassiner qqn. : किसी की हत्या करना *kisî*
kî hatyâ karnâ ; assassin : हत्यारा *hatyârâ* m.
assemblée législative : विधान-सभा *vidhân-sabhâ* f.
asseoir (s'-) : बैठना *bèthnâ* v.i., (+H) तशरीफ़ रखना *tashrîf* f.
rakhnâ v.t.
assez : काफ़ी *kâfî*
assiette : तश्तरी *tashtarî* f., प्लेट *plet* f.
association : संघ *sangh* m., यूनियन *yûniyan* f.
astre, planète : ग्रह *grah* m.
astrologie : ज्योतिष *jyotish* m. ; astrologue : ज्योतिषी *jyotishî* m.
atelier : कारख़ाना *kârkhânâ* m.
attacher : बाँधना *bândhnâ* v.t. ; être - : बँधना *bandhnâ* v.i.
attachement (profane) : मोह *moh* m. ; आसक्ति *âsakti* f.
attaque : आक्रमण *âkraman* m., हमला *hamlâ* m.
attente : इंतज़ार *intazâr* m., प्रतीक्षा *pratîkshâ* f. ; attendre qqn. :
किसी का इंतज़ार / की प्रतीक्षा करना *kisî kâ intazâr / kî pratîkshâ karnâ*
attention : ध्यान *dhyân* m. ; faire - à qqch. : किसी बात का ध्यान
रखना *kisî bât kâ dhyân rakhnâ* v.t. ; attentivement : ध्यान से
dhyân se, ध्यानपूर्वक *dhyânpûrvak* ; attention ! : ख़बरदार !
kh*abardâr* !
attitude : रवैया *ravèyâ* m., रुख़ *rukh* m.
attraper : voir saisir
attribut qualifiant (avec) : सगुण *sagun* ; (sans) : निर्गुण *nirgun*

au-dessous (adv.) : नीचे *nîce* ; - de : के नीचे *ke nîce* postp.

au-dessus (adv.) : ऊपर *ûpar* ; - de : के ऊपर *ke ûpar* postp.

augmenter : बढ़ना *barhnâ* v.i. ; बढ़ाना *barhânâ* v.t.

augure, présage : शकुन *shakun* m. ; bon - : शुभ-शकुन *shubh-shakun* m. ; mauvais - : अपशकुन *apshakun* m.

aujourd'hui : आज *âj*

aussi (également) : भी *bhî* ; (autant) जितना *jitnâ* adj. ; उतना *utnâ* adj.

autobus : बस *bas* f. ; arrêt d'- : बस का अड्डा *bas kâ addâ* m., बस-स्टेंड *bas-stend* m.

automne : पतझड़ *patjhar* m.

autour (adv.) : आसपास *âspâs*, ईर्दगिर्द *irdgird* ; - de : के आसपास / ईर्दगिर्द *ke âspâs / irdgird* (postp.)

autre : और *aur*, दूसरा *dûsrâ*

avance (en -, à l'-) : जल्दी *jaldî*, शीघ्र *shîghra* ; पहले से *pahle se*

avancer (s'-) : आगे बढ़ना *âge barhnâ* v.i.

avant (adv.) : पहले *pahle* adv. ; (prep.) : से पहले *se pahle* postp.

avantage : फ़ायदा *fâydâ* m., लाभ *lâbh* m.

avec : से *se* ; - qqn. : किसी के साथ *kisî ke sâth*

aveugle : अंधा *andhâ*

avion : वायुयान *vâyuyân* m., हवाई-जहाज़ *havâî-jahâz* m.

avis : voir conseil

B

bagage, affaire (s) : सामान *sâmân* m.s. ; faire ses - : सामान जमाना / बाँधना *sâmân jamânâ / bândhnâ* v.t.

bagarre : झगड़ा *jhagrâ* m., लड़ाई *larâî* f. ; se bagarrer contre qqn. : किसी से झगड़ा / लड़ाई करना *kisî se jhagrâ / larâî karnâ* ; किसी से झगड़ना / लड़ना *kisî se jhagarnâ / larnâ* v.i.

bague : अँगूठी *angûthî* f.

bain : स्नान *snân* m. ; se baigner : नहाना *nahânâ* v.i., (rituel) स्नान करना *snân karnâ*

balle : गेंद *gend* f. ; (arme) गोली *golî* f. ; tirer - : गोली चलाना *golî calânâ* v.t.

banane : केला *kelâ* m.

barbe : दाढ़ी *dârhî* f. ; barbier : नाई *nâî* m.

bas : नीचा *nîcâ* adj. ; en - : नीचे *nîce* adv. ; baisser : झुकाना *jhukânâ* v.t., नीचा / नीचे करना *nîcâ / nîce karnâ*

base : आधार *âdhâr* m.

basilic : तुल्सी *tulsî* f.

bateau : जहाज़ *jahâz* m. ; petit -, barque : नाव *nâv* f.

bâtiment : बिल्डिंग *bilding* f., इमारत *imârat* f.

battre : पीटना *pîtnâ* v.t., मारना *mârnâ* v.t. ; se - contre qqn. : किसी से मार-पीट करना *kisî se mâr-pît* f. *karnâ* ; être - : पिटना *pitnâ* v.i.

beau-père : ससुर *sasur* m. ; belle-mère : सास *sâs* f.

beaucoup : ख़ूब *khûb*, बहुत *bahut*

beauté : ख़ूबसूरती *khûbsûrtî* f., सुंदरता *sundartâ* f. ; beau : ख़ूबसूरत *khûbsûrat*, सुंदर *sundar*

bénédiction : आशिष *âshish* f., आशीर्वाद *âshîrvâd* m.

besoin : आवश्यकता *âvashyaktâ* f., ज़रूरत *zarûrat* f. ; X a - de qqch. : X को किसी चीज़ की ज़रूरत है X *ko kisî cîz kî zarûrat hè*

bétel : पान *pân* m.

beurre : मक्खन *makkhan* m. ; - clarifié : घी *ghî* m.

bibliothèque : पुस्तकालय *pustakâlay* m., लाइब्रेरी *lâibrerî* f.

bicyclette : साइकिल *sâikil* f.

bien : अच्छा *acchâ* adj./ adv. ; ठीक *thîk* ; - personnel : संपत्ति *sampatti* f.

bien que : हालाँकि / यद्यपि *hâlânki / yadyapi*

bientôt : जल्दी *jaldî*, शीघ्र *shîghra*

bienvenue : स्वागत *svâgat* m. ; vous êtes - : आपका स्वागत है *âpkâ svâgat hè*

bijoux : गहना *gahnâ* m., ज़ेवर *zevar* m. ; bijoutier : सुनार *sunâr* m.

billet : टिकट *tikat* m. ; - de banque : नोट *not* m.

blanc : सफ़ेद *safed*

blanchisseur : धोबी *dhobî* m.

blessure : घाव *ghâv* m. ; blessé : घायल *ghâyal*

bleu : नीला *nîlâ*

bœuf : बैल *bèl* m. ; char à - : बैलगाड़ी *bèlgârî* f.

boire : पीना *pînâ* v.t.

bois (matière) : लकड़ी *lakrî* f. ; (forêt) जंगल *jangal* m., वन *van* m.

boîte : डिब्बा *dibbâ* m.

bon : अच्छा *acchâ*, बढ़िया *barhiyâ* (inv.)

bond : छलंग *chalâng* f. ; faire un -, bondir : छलंग लगाना *chalâng lagânâ* v.t.

bonheur : सुख *sukh* m. ; सौभाग्य *saubhâgya* m., आनन्द *ânand* m., ख़ुशी *khushî* f., प्रसन्नता *prasannatâ* f. ; - conjugal : सुहाग *suhâg* m.

bonjour : नमस्कार *namaskâr* m., नमस्ते *namaste* f. : dire - à qqn. : किसी से नमस्ते करना *kisî se namaste karnâ*

bord, rive : किनारा *kinârâ* m., तट *tat* m.

bouche : मुँह *munh* m.

boucle d'oreille : बुन्दा *bundâ* m.

bouillir : उबलना *ubalnâ* v.i. ; faire - : उबालना *ubâlnâ* v.t.

bouteille : बोतल *botal* f. ; (petite -) शीशी *shîshî* f.

boutique, magasin : दुकान *dukân* f.

bracelet : चूड़ी *cûrî* f. ; noms spécifiques : voir culture 2.4.

briller : चमकना *camaknâ* v.i.

bruit : शोर *shor* m. ; faire du - : शोर करना / मचाना *shor karnâ / macânâ* v.t.

brûler : जलाना *jalânâ* v.t. ; se - / être brûlé : जलना *jalnâ* v.i.

bûcher funéraire : चिता *citâ* f.

bureau : आफ़िस *âfis* m., कार्यालय *kâryâlay* m., दफ़्तर *daftar* m.

C

c'est-à-dire : मतलब *matlab*, यानी *yânî*

cacahuète : मूँगफली *mûngphalî* f.

cacher : छिपाना *chipânâ* v.t. ; se - / être caché : छिपना *chipnâ* v.i.

cadavre : लाश *lâsh* f., शव *shav* m.

cadeau : उपहार *uphâr* m., भेंट *bhent* f.

calendrier : केलेंडर *kelendar* m. ; - lunaire : पंचांग *pancâng* m.

calme (adj.) : शांत *shânt* ; (n.) : चैन *cèn* m., शांति *shânti* f. ; calmement : चैन से *cèn se*, शांतिपूर्वक *shântipûrvak*

calot : टोपी *topî* f. ; - blanc : गांधी टोपी *gândhî topî* f.

campagne : देहात *dehât* m.

camphre : कपूर *kapûr* m.

cannelle : दालचीनी *dâlcînî* f.

capitale : राजधानी *râjdhânî* f.

caractère (conduite) : चरित्र *caritra* m. ; (naturel) : स्वभाव *svabhâv* m.

carafe : जग *jag* m.

cardamome : इलयची *ilâycî* f.

carrefour : चौराहा *caurâhâ* m.

carte : नक्शा *naqshâ* m. ; कार्ड *cârd* m. ; - à jouer : ताश *tâsh* m.

casser : तोड़ना *tornâ* v.t. ; फोड़ना *phornâ* v.t. ; भंग करना *bhang karnâ* ; se - : टूटना *tûtnâ* v.i.

caste : जाति *jâti* f. ; mis hors - : जाति-बहिष्कृत *jâti-bahishkrit* adj./ m. ; mise hors - : जाति-बहिष्कार *jâti-bahishkâr* m.

cause : कारण *kâran* m., वजह *vajah* f. ; à - de : के कारण / की वजह से *ke kâran / kî vajah se* ; के मारे *ke mâre*

ce, celui-ci (m./ f.) : यह *yah* (p. ये *ye*) ; celui-là (m./ f.) : वह *vah* (p. वे *ve*)

célèbre : प्रसिद्ध *prasiddh*, मशहूर *mashhûr*, विख्यात *vikhyât*, नामी *nâmî* ; célébrité, renommé : प्रसिद्धि *prasiddhi* f., ख्याति *khyâti* f.

célébrer : मनाना *manânâ* v.t.

cendre : राख *râkh* ; - sacrée : भस्मी *bhasmî* f.

centre : केन्द्र *kendra* m. ; central (adj.) : केन्द्रीय *kendrîya*

céréale : अनाज *anâj* m. ; अन्न *ann* m.

certain (indéfini) : कुछ *kuch* adj. et pr.

certain (sûr) : निश्चित *nishcit* adj., पक्का *pakkâ* adj. ;

certainement : अवश्य *avashya*, जरूर *zarûr*

cerveau : दिमाग *dimâg* m., मस्तिष्क *mastishk* m.

chaise : कुर्सी *kursî* f.

chaleur : गर्मी *garmî* f. ; - humide उमस *umas* f.

chambre : कमरा *kamrâ* m. ; - basse du parlement : लोक-सभा *lok-sabhâ* f. ; - haute : राज्यसभा *râjya-sabhâ* f. ; - haute régionale : विधान-परिषद *vidhân-parishad* f.

chameau, dromadaire : ऊँट *ûnt* m.

champ : खेत *khet* m.

changer, être changé : बदलना *badalnâ* v.t./ v.i.

chant, chanson : गाना *gânâ* m., गीत *gît* m. ; - de dévotion : भजन *bhajan* m. ; कीर्तन *kîrtan* m. ; - de film : फ़िल्मी गाना *filmî gânâ*

chanter : गाना *gânâ* v.t.

chanteur : गायक *gâyak* m. ; chanteuse : गायिका *gâyikâ* f.

chanvre indien : भाँग *bhâng* f.

chapiteau (végétal) : मंडप *mandap* m. (voir culture 1.4.)

chaque : हर *har* ; chacun : प्रत्येक / हरेक *pratyek / harek*
charrette : ठेला th*elâ* m. ; (carriole) : ताँगा *tângâ* m.
chasse : शिकार *shikâr* m. ; (pour)chasser qqn. : किसी का शिकार करना *kisî kâ shikâr karnâ*
château : महल *mahal* m. ; - fort : क़िला *qilâ* m.
chat, chatte : बिल्ली *billî* f.
chaud : गर्म *garm* ; chauffer (v.t.) : गर्म करना *garm karnâ* v.t. ; (v.i.) : गर्म होना *garm honâ* v.i.
chaussure : जूता *jûtâ* m.
chef : मुखिया *mukhiyâ* m. ; (dirigeant) नेता *netâ* m./ लीडर *lîdar* m. ; - de caste : पंच *panc* m. : de village : सरपंच *sarpanc* m.
chemin : मार्ग *mârg* m., रास्ता *râstâ* m., राह *râh* f. ; - de fer : रेल *rel* f.
chemise : क़मीज़ *qamîz* f.
chèque : चैक *cèk* m. ; encaisser - : चैक भुनाना *cèk bhunânâ* v.t. ; faire un - : चैक काटना *cèk kâtnâ* v.t.
cher (coûteux) : महँगा *mahangâ* ; (aimé) प्रिय *priya*
chercher : खोजना *khojnâ* v.t., ढूँढ़ना *dhûnrhnâ* v.t.
cheval : घोड़ा *ghorâ* m. ; jument : घोड़ी *ghorî* f. ; voiture à - : ताँगा *tângâ* m.
cheveu : बाल *bâl* m.
chez : के यहाँ *ke yahân* ; के पास *ke pâs*
chien : कुत्ता *kuttâ* m.
choix : पसंद *pasand* f. ; choisir : चुनना *cunnâ* v.t., पसन्द करना *pasand karnâ*
chômage : बेकारी *bekârî* f., बेरोज़गारी *berozgârî* f. ; au - : बेकार *bekâr*, बेरोज़गार *berozgâr*
chose : (objet) चीज़ *cîz* f. ; (parole) बात *bât* f.
chou-fleur : गोभी *gobhî* m.
chrétien : ईसाई *îsâî* m.
ciel : आकाश *âkâsh* m., आसमान *âsmân* m.
cigarette : सिगरेट *sigret* f. ; fumer - : - पीना - *pînâ* v.t.
cinéma : सिनेमा *sinemâ* m., चलचित्र *calcitr* m.
citron : नीबू *nîbû* / नींबू *nîmbû* m. ; - pressé : शिकंजी *shikanjî* f.
civière : अर्थी *arthî* f.
civilisation : सभ्यता *sabhyatâ* f. ; civilisé : सभ्य *sabhya*

classe : क्लास *klâs* f., कक्षा *kakshâ* f. ; (catégorie) श्रेणी *shrenî* f., वर्ग *varg* m.

clé : चाबी *câbî* f. ; fermer à - : ताला लगाना *tâlâ* m. *lagânâ* v.t.

client : ग्राहक *grâhak* m. ; (- de brahmane) यजमान *yajmân* m.

climat : आबोहवा *âbohavâ* f., जलवायु *jalvâyu* m.

cloche : घंटा *ghantâ* m. ; clochette : घंटी *ghantî* f.

clou : कील *kîl* f. ; - de girofle : लौंग *laung* m.

coalition : गठबंधन *gathbandhan* m.

coeur : दिल *dil* m., हृदय *hriday* m. ; cordial : हार्दिक *hârdik*

coiffer, se - : बाल बनाना *bâl* m.p. *banânâ* v.t.

colère : क्रोध *krodh* m., गुस्सा *gussâ* m. ; X se mit en - contre Y : X को Y पर गुस्सा आ गया X *ko* Y *par gussâ â gayâ* v.i.

colle : गोंद *gond* m. ; coller : चिपकाना *cipkânâ* v.t., लगाना *lagânâ* v.t.

collier : नेकलेस *nekles* m., हार *hâr* m. ; - de fleurs : माला *mâlâ* f.

combien : कितना *kitnâ* (adj.)

comité : समिति *samiti* f. ; - municipal : नगर-पालिका *nagar-pâlikâ* f.

comme (exclamatif) : कितना *kitnâ* adj. ; (comparatif) के जैसा *ke jèsâ* adj. ; के जैसे / की तरह (से) *ke jèse* / *kî tarah (se)*

commencement, début : आरंभ *ârambh* m., शुरूआत *shurûât* f. ; au - : पहले *pahle*, शुरू में *shurû men*

commencer (v.t.) : आरंभ / शुरू करना *ârambh* / *shurû karnâ* ; (v.i.) : आरंभ / शुरू होना *ârambh* / *shurû honâ*

comment : कैसे *kèse* (adv.) ; कैसा *kèsâ* (adj.)

commerçant : दुकानदार *dukândâr* m. ; व्यापारी *vyâpârî* m.

communisme : साम्यवाद *sâmyavâd* m. ; communiste : साम्यवादी *sâmyavâdî*

compassion : करुणा *karunâ* f. ; दया *dayâ* f.

complètement : पूरी तरह (से) *pûrî tarah (se)*, बिल्कुल *bilkul*

comportement : बर्ताव *bartâv* m., व्यवहार *vyâvhâr* m. ; se comporter bien avec qqn. : किसी के साथ अच्छा व्यवहार करना / अच्छी तरह से पेश आना *kisî ke sâth acchâ vyavhâr karnâ* / *acchî tarah se pesh ânâ* v.i.

comprendre : समझना *samajhnâ* v.i. / v.t.

compte : खाता *khâtâ* m. ; (calcul) हिसाब *hisâb* m. ; compter : गिनना *ginnâ* v.t. ; - sur qqn. : किसी के भरोसे होना *kisî ke bharose honâ*

condiment (aux légumes et aux fruits) : अचार *acâr* m.

condition (situation, état) : अवस्था *avasthâ* f., दशा *dashâ* f., स्थिति *sthiti* f., हालत *hâlat* f. ; à une - : एक शर्त पर *ek sharı* f. *par*

conduire (véhicule) : चलाना *calânâ* v.t.

confiance : भरोसा *bharosâ* m., यक़ीन *yaqîn* m., विश्वास *vishvâs* m. ; faire - à X : X पर विश्वास करना X *par vishvâs karnâ* ; X a - en Y : X को Y पर विश्वास है X *ko Y par vishvâs hè*

confort : आराम *ârâm* m. ; सुविधा *suvidhâ* f. : confortable : आरामदायक *ârâmdâyak*, सुविधाजनक *suvidhâjanak*

confusion (désordre) : गड़बड़ *garbar* f. ; कुछ गड़बड़ है *kuch garbar hè* : il y a du louche

connaissance (individu) : जान-पहचान *jân-pahcán* f. ; (savoir) जानकारी *jânkârî* f. ; ज्ञान *gyân* m. ; faire - avec qqn. : किसी से जान-पहचान करना *kisî se jân-pahcân karnâ* ; connaître : जानना *jânnâ* v.t.

conscience : होश *hosh* m. ; perdre - : बेहोश होना *behosh honâ* ; X reprit - : X को होश आ गया X *ko hosh â gayâ* v.i., X होश में आ गया X *hosh men â gayâ.* v.i.

conseil : राय *rây* f., सलाह *salâh* f. ; conseiller : राय देना *rây denâ* v.t. ; (comité) : परिषद *parishad* f., समिति *samiti* f. ; - du village : ग्राम-पंचायत *grâm-pancâyat* f.

considérer (X comme -) : X को - मानना X *ko - mânnâ* v.t., समझना *samajhnâ* v.t./ v.i.

constellation : नक्षत्र *nakshatra* m.

constitution : संविधान *sanvidhân* m.

content : ख़ुश *khush*, प्रसन्न *prasann* ; être - : ख़ुश होना *khush honâ* ; X est - : X को ख़ुशी है X *ko khushî* f. *hè*

contraire (opposé) : उल्टा *ultâ*, विपरीत *viprît* ; au - : उल्टे *ulte* ; contrairement à : के विपरीत *ke viparît*

contre : के ख़िलाफ़ / विरुद्ध *ke khilâf / viruddh*

contrôler : क़ाबू में करना *qâbû men karnâ*, सँभालना *sanbhâlnâ* v.t.

conversation : बातचीत *bâtcît* f., वार्तालाप *vârtâlâp* m.

cordon : रस्सी *rassî* f. ; - sacré du deux fois né : यज्ञोपवीत / जनेऊ *yagyopavît / janeû* m.

cordonnier : चमार *camâr* m., मोची *mocî* m.

coriandre : धनिया *dhaniyâ* m.

corporation : निगम *nigam* m. ; - municipale : नगर-निगम *nagar-nigam* m.

corps : बदन *badan* m., शरीर *sharîr* m. ; काया *kâyâ* f.

corruption : भ्रष्टाचार *bhrashtâcâr* m., रिश्वतख़ोरी *rishvatkhorî* f. ; corrompu : भ्रष्ट *bhrasht*, रिश्वतख़ोर *rishvatkhor*

cortège, procession : सवारी *savârî* f. ; (mariage) बारात *bârât* f.

côté (n.) : पक्ष *paksh* m. ; बग़ल *bagal* f. ; à - de : की बग़ल में *kî bagal men* ; ce - ci : इधर *idhar* ; ce - là : उधर *udhar*

coton : रूई *rûî* f. ; en - : सूती *sûtî*

coucher (se) : सोना *sonâ* v.i. ; couchette : सोने की सीट *sone kî sît* f.

coudre : सीना *sînâ* v.t.

couler : बहना *bahnâ* v.i.

couleur : रंग *rang* m. ; वर्ण *varna* m.

couper : काटना *kâtnâ* v.t. ; être coupé : कटना *katnâ* v.i.

cour : आँगन *ângan* m. ; (justice) अदालत *adâlat* f., न्यायालय *nyâyâlay* m. ; - suprême : सर्वोच्च न्यायालय *sarvocca nyâyâlay* m. ; haute - : उच्च न्यायालय *ucca nyâyâlay* m. ; - royale : दरबार *darbâr* m.

courage : साहस *sâhas* m., हिम्मत *himmat* f. ; X a le - de faire ceci : X में यह करने का साहस है X *men yah karne kâ sâhas hè* ; courageux : साहसी *sâhsî*, हिम्मतवाला *himmatvâlâ*

courant : धारा *dhârâ* f. ; (être au - ; voir savoir)

courir : दौड़ना *daurnâ* v.i. ; भागना *bhâgnâ* v.i.

courrier : डाक *dâk* f.

cousin : (fils de l'oncle paternel) चचेरा भाई *cacerâ bhâî* m. ; (fils de l'oncle maternel) ममेरा भाई *mamerâ bhâî* m. ; cousine : (fille de l'oncle paternel) चचेरी बहन *cacerî bahan* f. ; (fille de l'oncle maternel) ममेरी बहन *mamerî bahan* f.

couteau : चाकू *câqû* m. ; छुरी *churî* f.

coûter : combien coûte ce livre ? यह किताब कितने पैसे की है / आती है ? *yah kitâb kitne pèse kî hè / âtî hè ?* ; इस किताब के कितने पैसे लगते हैं ? *is kitâb ke kitne pèse lagte hèn ?*

coutume : रस्म *rasm* f., रीति-रिवाज *rîti-rivâj* m., प्रथा *prathâ* f.

couture : सिलाई *silâî* f. ; couturier : दर्जी *darzî* m.

couvercle : ढक्कन dh*akkan* m.

couvrir : ढकना dh*aknâ* v.t. ; (revêtir) : ओढ़ना *o*rhn*â* v.t.

couverture (en laine) : कम्बल *kambal* m.

cracher : थूकना *th*ûkn*â* v.i. (+ ergatif)

crémation : दाह *dâh* m. ; terrain de - : श्मशान *shmashân* m.

cri : चीख *cîkh* f. ; crier : चिल्लाना *cillânâ* v.i. ; चीखना *cîkhnâ* v.i.

crime : अपराध *aprâdh* m., जुर्म *jurm* m. ; criminel : अपराधी *aprâdhî* m., मुजरिम *mujrim* m.

critique : आलोचना *âlocnâ* f. ; (négatif) निन्दा *nindâ* f. ; critiquer X : X की आलोचना / निन्दा करना X *kî âlocnâ / nindâ karnâ*

croix : क्रॉस *krâs* m. ; - gammée : स्वस्तिक *svastik* m.

croyance : आस्था *âsthâ* f., विश्वास *vishvâs* m. ; - populaire : लोकविश्वास *lokvishvâs* m.

cru : कच्चा *kaccâ*

cruche : सुराही *surâhî* f.

cuillère : चम्मच *cammac* m.

cuire (v.t.) : पकाना *pakânâ* v.t. ; (v.i.) पकना *paknâ* v.i.

cuisine : रसोईघर *rasoîghar* m. ; cuisinier : रसोइया *rasoiyâ* m. ; enceinte de la - : चौका *caukâ* m.

culte : पूजा *pûjâ* f. ; rendre un - à qqn. : किसी की पूजा करना *kisî kî pûjâ karnâ* ; ministre du - : पुजारी *pujârî* m.

cultivateur : voir agriculteur ; (paysan) : किसान *kisân* m.

cultiver : खेती करना *khetî* f. *karnâ*

culture : संस्कृति *sanskriti* f.

cumin : जीरा *zîrâ* m.

curcuma : हल्दी *haldî* f.

cyclo-pousse : रिक्शा *rikshâ* m.

D

dame : महिला *mahilâ* f.

danger : ख़तरा *khatrâ* m. ; dangereux : ख़तरनाक *khatarnâk*

dans : में *men* ; के अंदर / भीतर *ke andar / bhîtar*

danse : नाच *nâc* m., नृत्य *nritya* m. ; - folkloriques : लोक-नृत्य *lok-nritya* m. ; danser : नाचना *nâcnâ* v.i., नृत्य करना *nritya karnâ* ; danseur : नर्तक *nartak* m. ; -euse : नर्तकी *nartakî* f.

date : तारीख़ *târîkh* f., दिनांक *dinânk* m. ; (lunaire) : तिथि *tithi* f.

davantage : और *aur*, ज़्यादा *zyâdâ* (inv.)

de (lien) : का / के / की *kâ / ke / kî* ; (origine) : से *se*

debout : खड़ा *kharâ* (adj.) ; être - : खड़ा होना *kharâ honâ*

décès, décéder, défunt : voir mort, mourir

déchirer : फाड़ना *phârnâ* v.t. ; se -, être déchiré : फटना *phatnâ* v.i.

décision : फ़ैसला *fèslâ* m., निर्णय *nirnay* m.

décider : तय / निश्चित / पक्का करना *tay / nishcit / pakkâ* adj. *karnâ* ; - de... : ...का फ़ैसला करना *...kâ fèslâ karnâ*

déclaration : घोषणा *ghoshnâ* f., ऐलान *èlân* m.

décoration : सजावट *sajâvat* f. ; décorer : सजाना *sajânâ* v.t.

dedans : अंदर / भीतर *andar / bhîtar*

déesse : देवी *devî* f.

défense : बचाव *bacâv* m., रक्षा *rakshâ* f. ; défendre qqn. : किसी को बचाना *kisî ko bacânâ* v.t. ; किसी की रक्षा करना *kisî kî rakshâ karnâ*

dehors : बाहर *bâhar*

déjeuner (v.) : दोपहर का खाना खाना *dopahar kâ khânâ khânâ* v.t. ; petit - : नाश्ता *nâshtâ* m. ; prendre le petit - : नाश्ता करना *nâshtâ karnâ*

délivrance, salut : मुक्ति *mukti* f., मोक्ष *moksha* m. ; उद्धार *uddhâr* m. ; छुटकारा *chutkârâ* m.

demain : कल *kal* ; après - : परसों *parson*

demander : - qqch. à qqn. : किसी से कुछ माँगना *kisî se kuch mângnâ* v.t. ; - (interroger) qqn. : किसी से (सवाल) पूछना *kisî se (savâl) pûchnâ* v.t. ; - à qqn. de faire qqch. : किसी से कुछ करने को कहना *kisî se kuch karne ko kahnâ* v.t.

demi (moitié) : आधा *âdhâ* ; un et - : डेढ़ *derh* ; deux et - : ढाई *dhâî*

démocratie : प्रजातंत्र *prajâtantra* m., लोकतंत्र *loktantra* m.

dent : दाँत *dânt* m. ; se brosser les - : मंजन करना *manjan* m. *karnâ*

départ : प्रस्थान *prasthân* m., रवानगी *ravângî* f.

dépêcher (se) : जल्दी करना *jaldî karnâ*

dépense : ख़र्च *kharc* m., ख़र्चा *kharcâ* m. ; dépenser : ख़र्च करना *kharc karnâ* depuis : से *se* ; - que : जब से...तब से *jab se...tab se*

déranger : कष्ट / तकलीफ़ देना *kasht* m. / *taklîf* f. *denâ* v.t.

dernier : अंतिम *antim*, आख़िरी *âkhirî* ; (précédent) पिछला *pichlâ*

derrière : पीछे *pîche* (adv.) ; के पीछे *ke pîche* (postp.)

descendre : उतरना *utarnâ* v.i. ; उतारना *utârnâ* v.t.

désert : रेगिस्तान *registân* m., मरुस्थल *marusthal* m.

déshonneur : बेइज़्ज़ती *beizzatî* f., अपमान *apmân* m. ; déshonorer X : X की बेइज़्ज़ती / का अपमान करना X *kî beizzatî / kâ apmân karnâ*

désir : voir envie, volonté

dessus : ऊपर *ûpar* ; au - de : के ऊपर *ke ûpar*

destin : क़िस्मत *qismat* f., तक़्दीर *taqdîr* f., भाग्य *bhâgya* m. ; destinée : नियति *niyati* f. ; भाग्य *bhâgya* m.

détachement : अनासक्ति *anâsakti* f. ; वैराग्य *vèrâgya* m.

dette : ऋण *rin* m., क़र्ज़ा *qarzâ* m. ; endetté : ऋणी *rinî*, क़र्ज़दार *qarzdâr*

deuil : शोक *shok* m., सोग *sog* m. ; porter le - : सोग रखना *sog rakhnâ* v.t.

deux fois né : द्विज *dvij* m.

devant (adv.) : आगे *âge*, (en face) सामने *sâmne* ; (prép.) : के आगे / सामने *ke âge / sâmne* (postp.)

développement : तरक़्क़ी *taraqqî* f., प्रगति *pragati* f., विकास *vikâs* m.

devenir : बनना *bannâ* v.i. ; होना *honâ* v.i., हो जाना *ho jânâ* v.i.

devoir (n.) : कर्तव्य *kartavya* m., फ़र्ज़ *farz* m. ; remplir son - : अपने कर्तव्य का पालन करना *apne kartavya kâ pâlan karnâ*, अपना फ़र्ज़ अदा करना *apnâ farz adâ* inv. *karnâ*

devoir (v.) : X doit partir : X को जाना चाहिये X *ko jânâ câhiye* ; X devra partir : X को जाना होगा / पड़ेगा X *ko jânâ hogâ /* (obligation forte) *paregâ* v.i.

dévotion : भक्ति *bhakti* f. ; dévot : भक्त *bhakt* m.

dialogue : वार्तालाप *vârtâlâp* m., बातचीत *bâtcît* f.

diamant : हीरा *hîrâ* m.

Dieu : ईश्वर *îshvar* m., भगवान *bhagvân* m. ; (suprême) : परमात्मा *parmâtmâ* m. ; परमेश्वर *parmeshvar* m. ; (individué) : divinité

différence : अंतर *antar* m., फ़र्क़ *farq* m. ; différent : अलग *alag*, भिन्न *bhinn*

difficile : कठिन *kathin*, मुश्किल *mushkil*

difficulté : कठिनाई *kathinâî* f., मुसीबत *musîbat* f.

digne : लायक़ *lâyaq*, योग्य *yogya* ; - de : के लायक़ / योग्य *ke lâyaq / yogya*

dimanche : इतवार *itvâr* m., रविवार *ravivâr* m.

dîner : शाम का खाना खाना *shâm* f. *kâ khânâ khânâ* v.t.

dire (à) : (से) कहना (*se*) *kahnâ* v.t., (+H) फ़रमाना *farmânâ* v.t. ; (expliquer à) (को) बताना (*ko*) *batânâ* v.t. ; - à X - de faire qqch. : X से कुछ करने को कहना X *se kuch karne ko kahnâ*

direct : सीधा *sîdhâ* ; directement : सीधे *sîdhe*

direction : दिशा *dishâ* f. ; ओर / तरफ़ *or / taraf* f.

directive : निर्देशन *nirdeshan* m.

dirigeant, leader : नेता *netâ* m., लीडर *lîdar* m.

disciple : शिष्य *shishya* m.

discours : भाषण *bhâshan* m.

discussion : बहस *bahas* f. ; discuter avec qqn. : किसी से बहस करना *kisî se bahas karnâ*

distance : दूरी *dûrî* f.

distribuer : बाँटना *bântnâ* v.t. ; être distribué : बँटना *bantnâ* v.i. ; distribution : वितरण *vitaran* m.

district : जिला *zilâ* m.

divers : अलग-अलग *alag-alag*, भिन्न-भिन्न *bhinn-bhinn*, विभिन्न *vibhinn*

divertissement : मनोरंजन *manoranjan* m. ; divertir qqn. : किसी का मन बहलाना *kisî kâ man bahlânâ* v.t. ; किसी का मनोरंजन करना *kisî kâ manoranjan karnâ*

divinité : देवता *devtâ* m. ; - locale : लोकदेवता *lok-devtâ* m. ; - ancestrale : पितर *pitar* m. ; divin : दैविक *dèvik* ; दिव्य *divya*

diviser : बाँटना *bântnâ* v.t. ; (math.) भाग देना *bhâg* m. *denâ* v.t. ;

division : विभाजन *vibhâjan* m., बँटवारा *bantvârâ* m

divorce : विवाह-विच्छेद *vivâh-vicched* m., तलाक़ *talâq* m.

doigt : अंगुली *angulî* f., उँगली *unglî* f.

don : दान *dân* m. ; - de la fille : कन्यादान *kanyâdân* m.

donc : तो *to* ; सो *so* ; अतः *atah* ; इसलिए *islie*

donner : देना *denâ* v.t., प्रदान करना *pradân karnâ*

dont : जिसका *jiskâ*

doré : सुनहरा *sunahrâ*

dorénavant : अब से *ab se*, आगे से *âge se*

dormir : सोना *sonâ* v.i. ; s'en - : सो जाना *so jânâ* v.i.

dot : दहेज़ *dahez* m.

doucement : आहिस्ता-आहिस्ता *âhistâ-âhistâ*, धीरे-धीरे *dhîre-dhîre*, धीरे से *dhîre se*, धीरे *dhîre*

douceur : कोमलता *komaltâ* f. ; doux : कोमल *komal*, नरम *naram*, मुलायम *mulâyam* ; (voix) मधुर *madhur*

douleur : voir souffrance, mal

doute : शक *shak* m., संदेह *sandeh* m. ; douter : शक करना *shak karnâ* ; X a - sur Y : X को Y पर शक है *X ko Y par shak hè*

douzaine : दर्जन *darjan* m.

drap : चद्दर *caddar* f., चादर *câdar* f.

drapeau : झंडा *jhandâ* m.

droit (adj.) : सीधा *sîdhâ* ; tout - : सीधे *sîdhe* ; (à droite) दायाँ *dâyân*

droit (n.) : अधिकार *adhikâr* m., हक़ *haq* m. ; (loi) क़ानून *qânûn* m. ; X a le - de parler : X को बोलने का अधिकार है *X ko bolne kâ adhikâr hè*

dur : कठोर *kathor*, कड़ा *karâ*, सख़्त *sakht*

E

eau : जल *jal* m., पानी *pânî* m. ; - potable : पीने का पानी *pîne kâ pânî*

échec : असफलता *asaphaltâ* f. ; échouer : असफल होना *asaphal honâ* ; (jeu d'échecs) शतरंज *shatranj* m.

éclair : बिजली *bijlî* f.

éclipse : ग्रहण *grahan* m.

école : पाठशाला *pâthshâlâ* f., स्कूल *skûl* f., विद्यालय *vidyâlay* m.

écouter : सुनना *sunnâ* v.t. ; - qqn. : किसी की बात सुनना *kisî kî bât sunnâ*

écraser : कुचलना *kucalnâ* v.t. ; (broyer) कूटना *kûtnâ* v.t., पीसना *pîsnâ* v.t. ; être écrasé / broyé : कुटना *kutnâ* v.i., पिसना *pisnâ* v.i.

écrire : लिखना *likhnâ* v.t. ; écriture : लिखावट *likhâvat* f., लिपि *lipi* f.

écrivain : लेखक *lekhak* m.

éducation : शिक्षा *shikshâ* f.

effacer : मिटाना *mitânâ* v.t. ; s'effacer : मिटना *mitná* v.t.

effet, influence : असर *asar* m., प्रभाव *prabhâv* m.

effigie : पुतला *putlâ* m.

effort : कोशिश *koshish* f., प्रयत्न *prayatn* m., प्रयास *prayâs* m.

égalité : समानता *samântâ* f., बराबरी *barâbarî* f.

église : गिर्जाघर *girjâghar* m., चर्च *carc* f.

élection : चुनाव *cunâv* m. ; élire : चुनना *cunnâ* v.t., निर्वाचित करना *nirvâcit karnâ*

électricité : बिजली *bijlî* f. ; électrification : विद्युतीकरण *vidyutîkaran* m.

éléphant : हाथी *hâthî* m.

élève : छात्र *châtr* m. ; (fille) : छात्रा *châtrâ* f.

embêter : तंग /परेशान करना *tang /pareshân karnâ*

embrasser : चूमना *cûmnâ* v.t. ; - qqn. : किसी का चुंबन लेना *kisî kâ cumban* m. *lenâ* v.t.

émission : प्रसारण *prasâran* m.

empêcher : रोकना *roknâ* v.t.

empereur : सम्राट *samrât* m., (musulman) बादशाह *bâdshâh* m.

empire : साम्राज्य *sâmrâjya* m.

emploi (usage) : इस्तेमाल *istemâl* m., प्रयोग *prayog* m. ; (travail) नौकरी *naukrî* f.

employé : कर्मचारी *karmcârî* m. ; (serviteur) नौकर *naukar* m.

emporter, emmener : ले जाना *le jânâ* v.i.

en : में *men* postp.

encens (poudre) : धूप *dhûp* m. ; (bâton) : अगरबत्ती *agarbattî* f.

encore : (temps) अब भी *ab bhî*, अभी तक *abhî tak* ; (plus) और *aur*

encourager : प्रोत्साहन / बढ़ावा देना *prautsâhan* m./ *barhâvâ* m. *denâ* v.t.

enfant : बच्चा *baccâ* m., बालक *bâlak* m. ; enfance बचपन *bacpan* m.

enfer : नर्क *nark* m.

enfin : अंत में *ant men*, आख़िर *âkhir*

enfuir (s'-) : भागना *bhagnâ* v.i.

ennemi : दुश्मन *dushman* m., वैरी *vèrî* m., शत्रु *shatru* m.

ennui (souci) : दिक्क़त *diqqat* f., परेशानी *pareshânî* f. ; ennuyer, embêter : परेशान करना *pareshân karnâ* ; s'ennuyer : ऊबना *ûbnâ* v.i. ; X s'ennuie : X बोर होता है / ऊब जाता है X *bor hotâ hè* / *ûb jâtâ hè* ; X का मन नहीं लगता X *kâ man nahîn lagtâ* v.i.

enseignant : अध्यापक *adhyâpak* m. ; enseigner : पढ़ाना *parhânâ*
v.t. ; enseignement : पढ़ाई *parhâî* f. ; अध्यापन *adhyâpan* m. ; -
primaire : प्राथमिक *prâthamik,* secondaire : माध्यमिक *mâdhyamik*
ensemble : एक साथ *ek sâth,* साथ-साथ *sâth-sâth*
entendre : सुनना *sunnâ* v.t. ; सुनाई देना *sunâî denâ* ; X a entendu
du bruit : X को आवाज़ सुनाई दी X *ko âvâz sunâî dî*
enterrer : गाड़ना *gârnâ* v.t. ; दफ़नाना *dafnânâ* v.t.
entier : पूरा *pûrâ,* सारा *sârâ* ; entièrement : पूरी तरह *pûrî tarah*
entrer : अंदर / भीतर आना *andar / bhîtar ânâ* v.i., घुसना *ghusnâ* v.i. ;
प्रवेश करना *pravesh* m. *karnâ*
enveloppe : लिफ़ाफ़ा *lifâfâ* m.
envie : इच्छा *icchâ* f., मर्ज़ी *marzî* f. ; avoir - : इच्छा करना *icchâ*
karnâ ; X a - de dormir : X की सोने की इच्छा / मर्ज़ी है X *kî sone kî*
icchâ / marzî hè ; X a - de se promener : X को घूमने की मन में आ
रही है X *ko ghûmne kî man men â rahî hè*
environ : क़रीब / लगभग *qarîb / lagbhag* (adv.) ; के क़रीब *qarîb*
postp.
envoyer : भेजना *bhejnâ* v.t.
épais : मोटा *motâ*
épice : मसाला *masâlâ* m. ; épicé : मसालेदार *masâledâr*
époque : ज़माना *zamânâ* m., युग *yug* m. ; (- sombre) : कलियुग
kaliyug
époux : पति *pati* m. ; épouse : पत्नी *patnî* f.
éprouver : voir ressentir
ermitage : आश्रम *âshram* m.
escalier : ज़ीना *zînâ* m. ; marches d'- : सीढ़ियाँ *sîrhiyân* f.
escroc : ठग *thag* m.
espoir : आशा *âshâ* f., उम्मीद *ummîd* f. ; X espère qqch. de Y : X
Y से किसी चीज़ की आशा करता है X Y *se kisî cîz kî âshâ kartâ hè* ; X
espère que... : X को आशा है कि... X *ko âshâ hè ki. .*
esprit : मन *man* m.
essayer (de faire qqch.) : (कुछ करने की) कोशिश करना (*kuch karne*
kî) koshish karnâ
essence : पेट्रोल *petrol* ; (fleurs) : सत *sat* m. ; (parfum) इत्र *itr* m.
essuyer : पोंछना *ponchnâ* v.t.
est : पूर्व *pûrv* m.

est-ce que : क्या *kyâ*

et : और *aur*, तथा *tathâ*, व *va*

et cetera : आदि *âdi*, वगैरह *vagèrah*

étage : मंज़िल *manzil* f.

état (administratif) : राज्य *râjya* m., प्रांत *prânt* m.

été : गर्मी *garmî* f.

éteindre : बुझाना *bujhânâ* v.t. ; s'éteindre : बुझना *bujhnâ* v.i.

éternuement : छींक *chînk* f. ; éternuer : छींकना *chîꞥknâ* v.i.(+erg)

étoile : तारा *târâ* m., सितारा *sîtârâ* m.

étranger : (pays) विदेश *videsh* m. ; विदेशी *videshî* adj./ m.

être : (v.) होना *honâ* v.i. ; (n.) जीव *jîv* m., प्राणी *prânî* m.

étroit : तंग *tang*, सँकरा *sankrâ*

étude(s) : पढ़ाई *parhâî* f., अध्ययन *adhyayan* m. ; étudier : पढ़ना *parhnâ* v.t./ v.i. ; - qqch. : किसी चीज़ का अध्ययन / की पढ़ाई करना *kisî cîz kâ adhyayan / kî parhâî karnâ*

étudiant (e) : विद्यार्थी *vidyârthî* m.

eunuque : हिजड़ा *hijrâ* m.

éviter (sujet) : टालना *tâlnâ* v.t. ; (obstacle, qqn./ qqch) (से) दूर / बचकर रहना *(se) dûr / backar rahnâ* v.i.

examen : इम्तहान *imtahân* m., परीक्षा *parîkshâ* f. ; passer - : परीक्षा देना *parîkshâ denâ* v.t. ; faire passer - : परीक्षा लेना *parîkshâ lenâ* v.t.

exception : अपवाद *apvâd* m., à l'- de, sauf : के अलावा / सिवा *ke alâvâ / sivâ*, को छोड़कर *ko chorkar*

exemple : उदाहरण *udâharan* m., मिसाल *misâl* f. ; par - : उदाहरण के लिए *udâharan ke lie*, मिसाल के तौर पर *misâl ke taur par*, मसलन *maslan*

expérience : अनुभव *anubhav* m.

expliquer : बताना *batânâ* v.t., समझाना *samjhânâ* v.t.

extérieur : voir dehors ; à l'- de : voir hors de

F

face (en) : सामने *sâmne* ; en - de : के सामने *ke sâmne*

fâché : नाराज़ *nârâz* adj. ; se fâcher contre qqn. : किसी से / पर नाराज़ होना *kisî se / par nârâz honâ*

facile : आसान *âsân*, सरल *saral* ; facilité : आसानी *âsânî* f., सरलता *saraltâ* f.

façon, manière : ढंग *dhang* m., तरीक़ा *tarîqâ* m., तरह *tarah* f.

facteur (postier) : डाकिया *dâkiyâ* m.

faible : कमजोर *kamzor*, निर्बल *nirbal* ; faiblesse : कमजोरी *kamzorî* f., निर्बलता *nirbaltâ* f.

faim : भूख *bhûkh* f. ; X a - : X को भूख (लगी) है X *ko bhûkh (lagî) hè* v.i.

faire : करना *karnâ* v.t.

falloir : (चाहिये *câhiye* inv.) ; il faut que X parte : X को जाना चाहिये X *ko jânâ câhiye* ; il faut un livre à X : X को एक किताब चाहिये X *ko ek kitâb câhiye*

famille : परिवार *parivâr* m. ; - étendue : संयुक्त-परिवार *sanyukt-parivâr* m. ; familiale : पारिवारिक *pârivârik*

fardeau, charge : बोझ *bojh* m., भार *bhâr* m.

farine : आटा *âtâ* m.

faste (propice) : शुभ *shubh* ; néfaste : अशुभ *ashubh*

fatigue : थकान *thakân* f. ; X est fatigué : X को थकान हो गई है X *ko thakân ho gaî hè* ; se fatiguer / être fatigué : थकना *thaknâ* v.i.

faute, erreur : ग़ल्ती *galtî* f., भूल *bhûl* f.

faux : ग़लत *galat*, झूठ *jhûth*

fédération : संघ *sangh* m., यूनियन *yûniyan* f.

félicitations : बधाई *badhâî* f., मुबारकवाद *mubârakvâd* m. ; féliciter : बधाई / मुबारकवाद देना *badhâî / mubârakvâd denâ* v.t.

femme : औरत *aurat* f., नारी *nârî* f., स्त्री *strî* f. ; महिला *mahilâ* f.

fenêtre : खिड़की *khirkî* f.

fer (matière) : लोहा *lohâ* m. ; - à repasser : इस्तरी *istrî* f. ; repasser qqch. : किसी चीज पर इस्तरी करना *kisî cîz par istrî karnâ*

ferme : दृढ़ *drirh*, मजबूत *mazbût* ; fermeté : दृढ़ता *drirhtâ* f.

fermé : बंद *band* ; fermer : बंद करना *band karnâ*

festin : दावत *dâvat* f. ; भोज *bhoj* m. ; - communautaire : जातिभोज *jâtibhoj* m. ; (repas funéraire) मृत्युभोज *mrityubhoj* m.

fête : उत्सव *utsav* m. ; त्योहार *tyohâr* m. ; fêter : मनाना *manânâ* v.t.

feu : आग *âg* f., (sacré) अग्नि *agni* f.

feuille : (papier) पन्ना *pannâ* m. ; (arbre) पत्ता *pattâ* m.

fiançailles : सगाई *sagâî* f.

fierté : गर्व *garv* m. ; X est fier de Y : X को Y पर गर्व है X *ko Y par garv hè*

fièvre : बुख़ार *bukhâr* m. ; X eut de la - : X को बुख़ार आया / चढ़ा / हो गया X *ko bukhâr âyâ / carhâ / ho gayâ* v.i. ; la - de X n'a pas baissé : X का बुख़ार नहीं उतरा X *kâ bukhâr nahîn utrâ* v.i.

fil : (couture) धागा *dhâgâ* m. ; - de fer : तार *târ* m

filet : जाल *jâl* m. ; जाली *jâlî* f.

fille : लड़की *larkî* f. ; बेटी *betî* f., पुत्री *putrî* f.

film : फ़िल्म *film* f., चलचित्र *calcitr* m.

fils : बेटा *betâ* m., पुत्र *putr* m.

fin : अंत *ant* m. ; finalement : अंत में *ant men*, आख़िर *âkhir*

finir : ख़त्म / समाप्त करना *khatm / samâpt karnâ*, पूरा करना *pûrâ* adj. *karnâ*

fleur : फूल *phûl* m., पुष्प *pushp* m. ; fleurir : खिलना *khilnâ* v.i.

foire : मेला *melâ* m.

fois : बार *bâr* f. ; cette - : इस बार *is bâr*

folie : पागलपन *pâgalpan* m. ; fou, folle : पागल *pâgal*

fondre : पिघलना *pighalnâ* v.i.

force, énergie : ज़ोर *zor* m., बल *bal* m., ताक़त *tâqat* f., शक्ति *shakti* f. ; fort (adj.) : ताक़तवर *tâqatvar*, शक्तिशाली *shaktishâlî*, सबल *sabal* ; (adv.) : ज़ोर से *zor se*

forêt : जंगल *jangal* m., वन *van* m.

forme : आकार *âkâr* m. ; रूप *rûp* m.

fort (n.) : क़िला *qilâ* m. ; forteresse : गढ़ *garh* m.

foudre : बिजली *bijlî* f.

foule : भीड़ *bhîr* f.s.

fourchette : कांटा *kântâ* m.

fraîcheur : ठंडक *thandak* f., ताज़गी *tâzgî* f. ; frais : ताज़ा *tâzâ*

frapper : पीटना *pîtnâ* v.t. ; मारना *mârnâ* v.t.

frère : भाई *bhâî* m., भैया *bhèyâ* m. ; demi-frère : सौतेला भाई *sautelâ bhâî* m. ; - de sang : सगा भाई *sagâ bhâî* m.

frisson : सिहरन *siharan* f. ; X a des - : X को सिहरन हो रही है X *ko siharan ho rahî hè*

froid : ठंडा *thandâ* adj. ; ठंड *thand* f., सर्दी *sardî* f. ; X a - : X को सर्दी लग रही है X *ko sardî lag rahî hè* v.i.

fromage : चीज़ *cîz* m. ; - blanc : पनीर *panîr* m.

front : ललाट *lalât* m., माथा *mâthâ* m. ; (bataille) मोर्चा *morcâ* m.

fruit : फल *phal* m.

fuir (s'en -): भागना *bhâgnâ* v.i. ; faire -: भगाना *bhagânâ* v.i.

fumée: धुआँ *dhuân* m. ; fumer (tabac, cigarette, etc.): धूम्रपान करना *dhûmrapân* m. *karnâ*, सिगरेट पीना *sigret* f.*pînâ* v.t.

funérailles: अंत्येष्टि *antye*shtî f., दाह *dâh* m.

fusil: बंदूक *bandûk* f.

G

gagner: (argent) कमाना *kamânâ* v.t. ; (jeu, lutte etc.) जीतना *jîtnâ* v.t./ v.i.

galette, pain: चपाती *capâtî* f. ; रोटी *rotî* f.

Gange: गंगा ga*n*gâ f.

garçon: लड़का *larkâ* m.

garder: रखना *rakhnâ* v.t.

gare: रेल्वे-स्टेशन *relve-steshan* m.

gâteau: मिठाई *mithâî* f.

gauche: बायाँ *bâyân* adj. ; à gauche: बायीं तरफ़ *bâyîn taraf*

gens: लोग *log* m.p.

gentil: भला *bhalâ*, सज्जन *sajjan*

gingembre: अदरक *adrak* f.

glace: बर्फ़ *barf* f. ; (crème glacée): आईसक्रीम *âîskrîm* f. ; (miroir): आईना *âînâ* m., शीशा *shîshâ* m.

glisser: फिसलना *phisalnâ* v.i.

gobelet métallique: कटोरी *katorî* f. ; grand -: कटोरा *katorâ* m.

gorge: गला *galâ* m.

goût: (choix) पसंद *pasand* f., रुचि *ruci* f. ; (saveur) स्वाद *svâd* m.

goûter: चखना *cakhnâ* v.t.

gouvernement: सरकार *sarkâr* f. ; gouverner: शासन करना *shâsan* m. *karnâ*

grâce: कृपा *kripâ* f., मेहरबानी *meharbânî* f. ; - à X: X की कृपा / मेहरबानी से X *kî kripâ / meharbânî se*

grand: बड़ा *barâ* ; महान *mahân*

gratuit: नि:शुल्क *nishshulk*, मुफ्त *muft*

grelot: घुँघरू *ghunghrû* m.

griller: सेंकना *senknâ* v.t.

gronder (bruit): गरजना *garajnâ* v.i. ; (réprimander): डाँटना *dântnâ* v.t., फटकारना *phatkârnâ* v.t.

gros : मोटा *motâ*

groupe : दल *dal* m. ; झुंड *jhund* m.

guérir (v.i.) : ठीक हो जाना th*î*k *ho jânâ* v.i. ; guérisseur : ओझा *ojhâ* m.

guerre : लड़ाई *larâî* f., युद्ध *yuddh* m. ; - mondiale : विश्व-युद्ध *vishva-yuddh* m.

guirlande : माला *mâlâ* f. ; (des mariés) : वरमाला *varmâlâ* f.

H

habiller (s'-) : कपड़े पहनाना (पहनना) *kapre* m.p. *pahnânâ* v.t. (*pahannâ* v.t.) ; (se) déshabiller : कपड़े उतारना *kapre utârnâ* v.t.

habitation : निवास-स्थान *nivâs-sthân* m. ; habiter : रहना *rahnâ* v.i., निवास करना *nivâs* m. *karnâ*

habitude : आदत *âdat* f. ; habitué : आदी *âdî*

haut : उच्च *ucca*, ऊँचा *ûncâ* ; en - : ऊपर *ûpar*

hauteur : ऊँचाई *ûncâî* f.

hebdomadaire : साप्ताहिक *sâptâhik* adj.

henné : मेहँदी *mehandî* f.

herbe : घास *ghâs* f.

héros : नायक *nâyak* m., हीरो *hîro* m. ; héroïne : नायिका *nâyikâ* f., हीरोइन *hîroin* f.

hésitation : संकोच *sankoc* m., हिचकिचाहट *hickicâhat* f.

hésiter : हिचकिचाना *hickicânâ* v.i., संकोच करना *sankoc karnâ*

heure (durée) : घंटा *ghantâ* m. ; à une - : एक बजे *ek baje* ; - propice : शुभ-मुहूर्त *shubh-muhûrt* m.

heureux : सुखी *sukhî* ; heureusement : सौभाग्य से *saubhâgya se* ; X fut - de... : ...से X को ख़ुशी हुई *...se* X *ko khushî huî*

hibou : उल्लू *ullû* m.

hier : कल *kal* ; avant - : परसों *parson*

hindou : हिंदू *hindû* m. ; hindouisme : हिंदू-धर्म *hindû-dharm* m.

histoire : इतिहास *itihâs* m. ; (récit) कहानी *kahânî* f. ; क़िस्सा *qissâ* m. ; - populaire, folklore : लोक कथा *lok kathâ* f.

hiver : सर्दी *sardî* f.

homme : आदमी *âdmî* m., मनुष्य *manushya* m., (non femme) पुरुष *purush* m.

honnête : ईमानदार *îmândâr,* नेक *nek* ; honnêteté : ईमानदारी *îmândârî* f., नेकी *nekî* f. ; malhonnête : बेईमान *beîmân* ; malhonnêteté : बेईमानी *beîmânî* f.

honneur : इज़्ज़त *izzat* f., आदर *âdar* m., सम्मान *sammân* m.

honorer qqn. : किसी का सम्मान करना *kisî kâ sammân karnâ*

honoraires : फ़ीस *fîs* f. ; (donnés à un *pandit*) दक्षिणा *dakshinâ* f.

honte : लज्जा *lajjâ* f., शर्म *sharm* f. ; X a - : X को शर्म आ रही है X *ko sharm â rahî hè* v.i. ; qui a - : लज्जित *lajjit,* शर्मिंदा *sharmindâ* (inv.) ; qui fait - : लज्जाजनक *lajjâjanak,* शर्मनाक *sharmnâk*

hôpital : अस्पताल *aspatâl* m., चिकित्सालय *cikitsâlay* m., औषधालय *aushadhâlay* m.

horloge : घड़ी *gharî* f.

horoscope : कुंडली *kundalî* f. ; जन्म-पत्रिका *janm-patrikâ* f.

hors de : के बाहर *ke bâhar*

hôtel : होटल *hotal* m. ; (pour pèlerins) धर्मशाला *dharmshâlâ* f.

huile : तेल *tel* m.

humidité : सीलन *sîlan* f.

I

ici : यहाँ *yahân* ; - même : यहीं *yahîn* ; par - : इधर *idhar*

idée : ख़याल *khayâl* m., विचार *vicâr* m. ; सुझाव *sujhâv* m.

idiot, imbécile : बुद्धू *buddhû,* बेवक़ूफ़ *bevqûf,* मूर्ख *mûrkh*

il (elle) : वह *vah* ; ils (elles) : वे *ve*

illuminations : रोशनी *roshnî* f.

image : तस्वीर *tasvîr* f. ; (fig.) : छवि / छबि *chavi / chabi* f.

immanence : सर्वव्यापकता *sarv-vyâpaktâ* f.

immédiatement : एकदम *ekdam,* तुरंत *turant,* फ़ौरन *fauran*

imperméable : बरसाती *barsâtî* f.

impoli : अशिष्ट *ashisht,* गुस्ताख़ *gustâkh* ; (inculte) असभ्य *asabhya* ; (rustre) गँवार *ganvâr*

importance : महत्त्व *mahattva* m. ; important : महत्त्वपूर्ण *mahattvapûrna*

impossible : असंभव / नामुमकिन *asambhav / nâmumkin*

incarnation : अवतार *avtâr* m.

Inde : भारत *bhârat* m., हिंदुस्तान *hindustân* m.

indépendance : आज़ादी *âzâdî* f., स्वतंत्रता *svatantratâ* f., स्वाधीनता *svâdhîntâ* f. ; **indépendant** : आज़ाद *âzâd*, स्वतंत्र *svatantra*

indien : भारतीय / हिंदुस्तानी *bhâratîya / hindustânî* adj. / m.

individu : व्यक्ति *vyakti* m.

industrie : उद्योग *udyog* m. ; **petite -** : लघु उद्योग *laghu udyog* m.

information : ख़बर *khabar* f., सूचना *sûcnâ* f., समाचार *samâcâr* m. ; **informer** : ख़बर देना *khabar denâ* v.t., सूचित करना *sûcit karnâ*

ingrat : अकृतज्ञ *akritagya*

injure : गाली *gâlî* f. ; **recevoir des -** : गाली खाना *gâlî khânâ* v.t. ; **injurier** : गाली देना *gâlî denâ* v.t.

innocent : निर्दोष *nirdosh* ; मासूम *mâsûm*

inondation, crue : बाढ़ *bârh* f.

insecte, ver : कीड़ा *kîrâ* m.

instruction : शिक्षण *shikshan* m.

insulte (déshonneur) : बेइज़्ज़ती *beizzatî* f., अपमान *apmân* m. ; **insulter (déshonorer) qqn.** : किसी की बेइज़्ज़ती / का अपमान करना *kisî kî beizzatî / kâ apmân karnâ*

intelligence : अक़्ल *aql* f., बुद्धि *buddhi* f.

intelligent : अक़्लमंद *aqlmand*, बुद्धिमान *buddhimân*

intention : इरादा *irâdâ* m., मंशा *manshâ* f. ; **j'ai l'- d'y aller** : मेरा वहाँ जाने का इरादा है *merâ vahân jâne kâ irâdâ hè*

interdiction : मनाई *manâî* f., निषेध *nishedh* m.

interdire (de) : (को / के लिये) मना करना *(ko / ke liye) manâ* (inv.) *karnâ* ; **être interdit (de)** : (की) मनाई होना *(kî) manâî honâ* ; मना होना *manâ honâ* ; **il est - de parler** : बोलना मना है *bolnâ manâ hè*

intérêt (finance) : व्याज *vyâj* m. ; **(avantage)** हित *hit* m.

intérêt : दिलचस्पी *dilcaspî* f., रुचि *ruci* f. ; **intéressant** : दिलचस्प *dilcasp*, रुचिकर *rucikar* ; **X s'intéresse à ceci** : X की / को इसमें दिलचस्पी / रुचि है *X kî / ko is men dilcaspî / ruci hè*

intérieur (à l'-) : अंदर / भीतर *andar / bhîtar* (adv.) ; **à l'- de** : के अंदर / भीतर *ke andar / bhîtar* (postp.)

intermédiaire (par l'- de) : के माध्यम से *ke mâdhyam se*, की मार्फ़त *kî mârfat*

intouchable : अछूत *achût* ; **(peuple de dieu)** हरिजन *harijan* m.

invitation : निमंत्रण *nimantran* m., बुलवा *bulâvâ* m

invité : अतिथि *atithi* m., मेहमान *mehmân* m.

inviter : निमंत्रण देना *nimantran denâ* v.t., बुलाना *bulânâ* v.t.

irrigation : सिंचाई *sincâî* f. ; irriguer : सींचना *sîncná* v.t.

ivoire : हाथीदाँत *hâthîdânt* m.

J

jamais : कभी...नही *kabhî...nahîn*

jardin : बगीचा *bagîcâ* m., बाग़ *bâg* m.

jardinier : बाग़वान *bâgvân* m., माली *mâlî* m.

jarre : कुंभ *kumbh* m. ; कलश *kalash* m.

jaune : पीला *pîlâ*

je : मैं *mèn*

jeter, lancer : फेंकना *phenknâ* v.t. ; se - sur qqch. : किसी चीज़ पर टूट पड़ना *kisî cîz par tût parnâ* v.i.

jeu, sport : खेल *khel* m. ; jouer : (film / théâtre) अभिनय करना *abhinay* m. *karnâ* ; (musique) बजाना *bajânâ* v.t. ; (sports) खेलना *khelnâ* v.i. ; joueur : खिलाड़ी *khilârî* m.

jeudi : गुरुवार *guruvâr* m., बृहस्पतिवार *brihaspativâr* m.

jeune : युवा *yuvâ* adj.inv., जवान *javân* ; - homme : युवक *yuvak* m. ; - fille : युवती *yuvatî* f.

jeûne : उपवास *upvâs* m., व्रत *vrat* m. ; jeûner : व्रत करना / रखना *vrat karnâ / rakhnâ* v.t.

joie : आनन्द *ânand* m., मज़ा *mazâ* m., ख़ुशी *khushî* f., प्रसन्नता *prasannatâ* f. ; X a éprouvé de la - : X को मज़ा आया X *ko mazâ âyâ* v.i. ; X को ख़ुशी / प्रसन्नता हुई X *ko khushî / prasannatâ huî*

jour : दिन *din* m., रोज़ *roz* m. ; tous les - : रोज़ *roz.* ; - de la semaine : वार *vâr* m. ; - de la pleine lune : पूर्णिमा *pûrnimâ* f. ; - de la nouvelle lune : अमावस्या *amâvasyâ* f.

journal : अख़बार *akhbâr* m., समाचारपत्र *samâcârpatr* m. ; journaliste : पत्रकार *patrakâr* m. ; journalisme : पत्रकारिता *patrakâritâ* f.

juge : न्यायाधीश *nyâyâdhîsh* m.

juif : यहूदी *yahûdî* m.

jupe (longue et plissée) : लहंगा *lahangâ* m.

jurer : क़सम / सौगंध खाना *qasam* f./ *saugandh* f. *khânâ* v.t.

jus : रस *ras* m.

jusqu'à : तक *tak* postp.

juste (correct) : उचित *ucit*, ठीक th*î*k, सही *sahî*

justice : इनसाफ़ *insâf* m., न्याय *nyây* m. ; in - : अन्याय *anyây* m. ;
rendre - : न्याय करना *nyây karnâ*

khôl : सुरमा *surmâ* m. ; काजल *kâjal* m.

L

là (bas) : वहाँ *vahân* ; - même : वहीं *vahîn* ; par - : उधर *udhar* ; -
où : जहाँ *jahân*, जिधर *jidhar*

lac, étang : तालाब *tâlâb* m., झील *jhîl* f.

laid : बदसूरत *badsûrat*, भद्दा *bhaddâ*

laine : ऊन *ûn* f. ; en - : ऊनी *ûnî*

laïc : धर्मनिरपेक्ष *dharmnirpek*sh

laisser : छोड़ना *cho*rnâ v.t.

lait : दूध *dûdh* m.

lampe (à l'huile) : दिया *diyâ* m., दीपक *dîpak* m.

langue : (langage) भाषा *bhâshâ* f., ज़बान *zabân* f. ; (anat.) ज़बान
zabân f., जीभ *jîbh* f.

large : चौड़ा *caurâ* ; largeur : चौड़ाई *caurâî* f.

larme : आँसू *ânsû* m. ; verser des - : आँसू बहाना *ânsû bahânâ* v.t.

laurier sauce : तेजपत्ता *tezpattâ* m.

laver : धोना *dhonâ* v.t. ; être lavé : धुलना *dhulnâ* v.i. ; se - : नहाना
nahânâ v.i.

leçon : पाठ *pâth* m., सबक़ *sabaq* m.

léger : हल्का *halkâ*

légume : सब्ज़ी *sabzî* f. ; - vert : तरकारी *tarkârî* f.

lentille (s) : दाल *dâl* f.

lequel (interrogatif) : कौनसा *kaunsâ*

lettre : चिट्ठी *citthî* f., ख़त kh*at* m., पत्र *patr* m. ; - recommandée :
रजिस्ट्री *rajistrî* f.

leur : इनका *inkâ* / उनका *unkâ* adj. ; इनको *inko* / उनको *unko* pr.

lever (soulever) : उठाना *uthânâ* v.t. ; se - : उठना *uthnâ* v.i. ;
(astre) उगना *ugnâ* v.i.

liberté : आज़ादी *âzâdî* f., libre : आज़ाद *âzâd* ; मुक्त *mukt* ; (vide,
disponible) ख़ाली *khâlî* ; libérer : छुड़ाना *churânâ* v.t., आज़ाद / मुक्त
करना *âzâd / mukt karnâ*

lien : संबंध *sambandh* m., रिश्ता *rishtâ* m. ; lier : जोड़ना *jornâ* v.t.

lieu : जगह *jagah* f., स्थान *sthân* m. ; (sacré) तीर्थ-स्थान *tîrth-sthân* m. ; au - de : की जगह *kî jagah*, के स्थान पर *ke sthân par*, के बजाय *ke bajây*

limite : सीमा *sîmâ* f., हद *had* f.

lion : शेर *sher* m., सिंह *sinh / singh* m.

lire : पढ़ना *parhnâ* v.t.

lit : खाट *khât* f., चारपाई *cârpâî* f., पलंग *palang* m. ; बिस्तर *bistar* m.

littérature : साहित्य *sâhitya* m. ; - folklorique : लोक-साहित्य *lok-sâhitya* m.

livre : किताब *kitâb* f., पुस्तक *pustak* f.

locataire : किरायेदार *kirâyedâr* m.

loin : दूर *dûr* ; - de : से दूर *se dûr* ; de - : दूर से *dûr se*

long : लंबा *lambâ* ; longueur : लंबाई *lambâî* f.

lorsque : जब *jab*

lotus : कमल *kamal* m.

louange : तारीफ़ *târîf* f., प्रशंसा *prashansâ* f. ; faire - de qqn. : किसी की तारीफ़ / प्रशंसा करना *kisî kî târîf / prashansâ karnâ*

lourd : भारी *bhârî*, वजनी *vaznî*

loyer : किराया *kirâyâ* m. ; louer (donner / prendre en location) : किराये देना / लेना *kirâye denâ* v.t./ *lenâ* v.t.

lumière : रोशनी *roshnî* f., प्रकाश *prakâsh* m.

lundi : सोमवार *somvâr* m.

lune : चंद्रमा *candramâ* m., चाँद *când* m. ; clair de - : चाँदनी *cândnî* f.

lunettes : ऐनक *ènak* f., चश्मा *cashmâ* m.

M

madame : श्रीमती *shrîmatî* ; mademoiselle : कुमारी *kumârî*, सुश्री *sushrî*

maigre, mince : दुबला *dublâ*, पतला *patlâ*

main : हाथ *hâth* m.

maintenant : अब *ab*

maire : मेयर *meyar* m.

mais : पर *par*, मगर *magar*, लेकिन *lekin*

maison : मकान *makân* m. ; घर *ghar* m. ; - des parents (des époux) ; ससुराल *sasurâl* f., (de l'épouse) : पीहर / मैका *pîhar* m./ *mèkâ* m.

maître : गुरु *guru* m. ; मालिक *mâlik* m., स्वामी *svâmî* m. ;
(enseign.) अध्यापक *adhyâpak* m. ; maîtresse : मालकिन *mâlkin* f. ;
(enseign.) अध्यापिका *adhyâpikâ* f. ; (concubine) रखैल *rakhèl* f.

majorité : बहुमत *bahumat* m. ; बहुसंख्या *bahu-sankhyâ* f.

mal, douleur : दर्द *dard* m. ; (difficulté) : तकलीफ़ *taklîf* f., कष्ट
kasht m. ; X a mal : X को दर्द हो रहा है X *ko dard ho rahâ hè* ; X
est en difficulté, souffre : X को तकलीफ़ हो रही है X *ko taklîf ho
rahî hè*

maladie : बीमारी *bîmârî* f., रोग *rog* m. ; X a une - : X को कुछ बीमारी
है X *ko kuch bîmârî hè* ; malade : बीमार *bîmâr*, (patient) मरीज़
marîz ; être / tomber - : बीमार होना / पड़ना *bîmâr honâ / parnâ* v.i.

malédiction : शाप *shâp* m. ; maudire : शाप देना *shâp denâ* v.t.

malgré : के बावजूद *ke bâvjûd*

malheur : दुख *dukh* m., दुर्भाग्य *durbhâgya* m. ; malheureux : दुखी
dukhî ; malheureusement : दुर्भाग्य से *durbhâgya se*

manger : खाना खाना *khânâ* m. *khânâ* v.t., भोजन करना *bhojan* m.
karnâ

mangue : आम *âm* m. ; poudre de - vertes séchées : अमचूर *amcûr* m.

manifestation : प्रदर्शन *pradarshan* m., जुलूस *julûs* m.

manque : कमी *kamî* f., अभाव *abhâv* m. ; manquer : कमी / अभाव
होना *kamî / abhâv honâ* ; X manque d'argent : X को पैसे की कमी
है X *ko pèse kî kamî hè* ; il en manque : इसमें (किसी चीज़ की) कमी
है *ismen (kisî cîz kî) kamî hè* ; tu me manques : मुझे तुम्हारी याद
आती है *mujhe tumhârî yâd âtî hè*

maquillage : सिंगार *singâr* m., शृंगार *shringâr* m.

marbre : संगमरमर *sangmarmar* m.

marchand : दुकानदार *dukândâr* m., व्यापारी *vyâpârî* m.

marché : बाज़ार *bâzâr* m. ; - de gros : मंडी *mandî* f. ; bon - : सस्ता
sastâ

marcher : चलना *calnâ* v.i. ; - à pied : पैदल चलना *pèdal calnâ* v.i.

mardi : मंगलवार *mangalvâr* m.

mari : पति *pati* m. ; (péjoratif) ख़सम *khasam* m.

mariage : शादी *shâdî* f., विवाह *vivâh* m. ; - d'amour : प्रेम-विवाह
prem-vivâh ; - arrangé : आयोजित विवाह *âyojit vivâh* ; - inter-
castes : अंतर्जातीय-विवाह *antarjâtîya-vivâh* m. ; marier : शादी /
विवाह करना *shâdî / vivâh karnâ* ; il mariera X à Y : वह X की शादी /

का विवाह Y से करेगा *vah X kî shâdî / kâ vivâh Y se karegâ* ; X se mariera avec Y : X की शादी Y से होगी *X kî shâdî Y se hogî*
marié : दूल्हा *dûlhâ* m. ; mariée : दुल्हन *dulhan* f. ; विवाहित / शादीशुदा *vivâhit / shâdîshudâ* adj. inv.

matin : सबेरा *saberâ* m., सुबह *subah* f.

mauvais : ख़राब *kharâb*, बुरा *burâ*

mécanicien : मिस्त्री *mistrî* m.

méchant : दुष्ट *dusht*, शैतान *shètân*

médecin, docteur : डाक्टर *dâctar* m. ; - ayurvedique : वैद्य *vèdya* m.

médicament : दवा *davâ* f., दवाई *davâî* f., औषधि *aushadhi* f.

meilleur : (le -) (सब) से अच्छा *(sab) se acchâ*

mélanger : मिलाना *milânâ* v.t.

membre : सदस्य *sadasya* m.

même (à tel point) : तक *tak* ; (juste) ही *hî* ; - pas : भी / तक...नहीं *bhî / tak...nahîn* ; (pr. refl. emphatique) : moi / toi...même : अपने-आप / ख़ुद / स्वयं *apne-âp / khud / syayam*

mémoire : याद *yâd* f., स्मृति *smriti* f. ; याददाश्त *yâddâsht* f.

menace : धमकी *dhamkî* f. ; menacer : धमकी देना *dhamkî denâ* v.t.

mendiant : भिखारी *bhikhârî* m. ; mendicité : भीख *bhîkh* f.

mendier : भीख माँगना *bhîkh mângnâ* v.t.

mensonge : झूठ *jhûth* m. ; menteur : झूठा *jhûthâ* ; mentir : झूठ बोलना *jhûth bolnâ* v.i.

mensuel : मासिक *mâsik* ; bi - : पाक्षिक *pâkshik*

mer : समुद्र *samudra* m., सागर *sâgar* m

merci : धन्यवाद *dhanyavâd* m., शुक्रिया *shukriyâ* m. ; remercier qqn. : किसी को धन्यवाद देना *kisî ko dhanyavâd denâ* v.t., किसी का शुक्रिया अदा करना *kisî kâ shukriyâ adâ* inv. *karnâ*

mercredi : बुधवार *budhvâr* m.

mère : माँ *mân* f., माता *mâtâ* f., अम्मा *ammâ* f. ; belle-mère (deuxième épouse du père) : सौतेली माँ *sautelî mân* f.

message : संदेश *sandesh* m., पैगाम *pègâm* m.

mesurer : नापना *nâpnâ* v.t., मापना *mâpnâ* v.t.

méthode (manière) : ढंग *dhang* m., तरीक़ा *tariqâ* m. ; (style) शैली *shèlî* f.

métier : व्यवसाय *vyavasây* m., धंधा *dhandhâ* m., पेशा *peshâ* m.

mettre : रखना *rakhnâ* v.t. ; se - à (faire) : (करने) लगना (*karne*) *lagnâ* v.i.

midi, après midi : दोपहर *dophar* f.

milieu : (au -) बीच में *bîc men* ; au - de : के बीच में *ke bîc men*

militant : कार्यकर्ता *kâryakartâ* m.

mille : हज़ार *hazâr* ; cent mille : लाख *lâkh*

miniature (peinture) : लघुचित्र *laghucitr* m.

ministre : मंत्री *mantrî* m., मिनिस्टर *ministar* m. ; premier - : प्रधान-मंत्री *pradhân-mantrî* ; - en chef : मुख्य-मंत्री *mukhya-mantrî*

minorité : अल्पमत *alpmat* m., अल्पसंख्या *alpsankhyâ* f.

minuit : आधीरात *âdhîrât* f.

miroir : आईना *âînâ* m., शीशा *shîshâ* m.

mode musical, mélodie : राग *râg* m.

mois : महीना *mahînâ* m. ; (lunaire) मास *mâs* m.

moment : समय *samay* m. ; pour le - : फ़िलहाल *filhâl* ; - propice : शुभ-मुहूर्त *shubh-muhûrt* m.

mon : मेरा *merâ* adj.

monastère : मठ *math* m.

monde : दुनिया *duniyâ* f., संसार *sansâr* m., विश्व *vishva* m.

monnaie : सिक्का *sikkâ* m. ; petite - : छुट्टे पैसे *chutte pèse* m.p., रेज़गारी *rezgârî* f.

monothéisme : एकेश्वरवाद *ekeshvarvâd* m. : monothéiste : एकेश्वरवादी *ekeshvarvâdî*

monsieur : श्री *shrî*, साहब *sâhab* ; (+H) श्रीमान *shrîmân* ; (++H) श्रीयुत *shrîyut*, महोदय *mahoday*

montagne : पहाड़ *pahâr* m., पर्वत *parvat* m.

monter (grimper) : चढ़ना *carhnâ* v.i.

montre : घड़ी *gharî* f.

montrer : दिखाना *dikhânâ* v.t. ; (indiquer) बताना *batânâ* v.t.

monument : स्मारक *smârak* m.

moquer (se - de qqn.) : किसी का मज़ाक़ / की हँसी उड़ाना *kisî kâ mazâq* m./ *kî hansî* f. *urânâ* v.t.

morceau : टुकड़ा *tukrâ* m.

mordre : काटना *kâtnâ* v.t. ; (serpent) डसना *dasnâ* v.t.

mort (la) : मृत्यु *mrityu* f., मौत *maut* f., देहान्त *dehânt* m., स्वर्गवास *svargvâs* m. ; mort (défunt) : मृत-प्राणी *mrit-prânî* m. ; mourir :

मरना *marnâ* v.i., गुजरना *guzarnâ* v.i, चल बसना *cal basnâ* v.i. ; X
est mort : X का देहान्त हो गया X *kâ dehânt ho gayâ* v.i.

mot : शब्द *shabd* m.

mouche : मक्खी *makkhî* f.

mouchoir : रुमाल *rumâl* m.

moudre : पीसना *pîsnâ* v.t. ; être moulu : पिसना *pisnâ* v.i.

mouiller : भिगोना *bhigonâ* v.t., गीला करना *gîlâ* adj. *karnâ* ; être
mouillé, se - : भीगना *bhîgnâ* v.i., गीला होना *gîlâ honâ*

moustique : मच्छर *macchar* m. ; moustiquaire : मच्छरदानी
macchardânî f.

moutarde : राई *râî* f. ; सरसों *sarson* f.

moyen : तरीक़ा *tariqâ* m., उपाय *upây* m. ; साधन *sâdhan* m.

mur : दीवार *dîvâr* f.

musée : अजायबघर *ajâyabghar* m., म्यूज़ियम *myûziyam* m., संग्रहालय
sangrahâlay m.

musique : संगीत *sangît* m. ; - classique / vocale / instrumentale /
populaire : शास्त्रीय / मौखिक / वाद्य / लोक संगीत *shâstrîya / maukhik /
vâdya / lok sangît* ; musicien : संगीतज्ञ *sangîtagya* m.

musulman : मुसल्मान *musalmân* m.

N

n'importe ... (indéfini) : ... भी *bhî* ; - qui : कोई भी *koî bhî* ; - où :
कहीं भी *kahîn bhî* ; - quoi : कुछ भी *kuch bhî*

nager : तैरना *tèrnâ* v.i.

naissance : जन्म *janm* m. ; naître : जन्म लेना *janm lenâ* v.t., पैदा
होना *pèdâ* adj. inv. *honâ*

nation : राष्ट्र *râshtra* m. ; national : राष्ट्रीय *râshtrîya* ;
international : अंतर्राष्ट्रीय *antarrâshtrîya*

nature : प्रकृति *prakriti* f. ; (caractère) स्वभाव *svabhâv* m. ;
naturel (adj.) : प्राकृतिक *prâkritik* ; स्वाभाविक *svâbhâvik* ;
naturopathie : प्राकृतिक चिकित्सा *prâkritik cikitsâ* f.

nausée : उबकाई *ubkâî* f., मितली *mitlî* f. ; X a des - : X को उबकाई /
मितली आ रही है X *ko ubkâî / mitlî â rahî hè* ; X का जी मिचली कर रहा
है X *kâ jî miclî kar rahâ hè*

ne...pas : नहीं *nahîn* , मत *mat* , न *na*

256

nécessaire : जरूरी *zarûrî*, आवश्यक *âvashyak* ; nécessité : जरूरत *zarûrat* f., आवश्यकता *âvashyaktâ* f. ; nécessairement : जरूर *zarûr*, अवश्य *âvashya*

nectar (ambroisie) : अमृत *amrit* m. ; (suc) रस *ras* m.

neige : बर्फ़ *barf* f. ; neiger बर्फ़ गिरना / पड़ना *barf girnâ / parnâ* v.i.

nettoyage : सफ़ाई *safâî* f. ; nettoyer : साफ़ करना *sâf karnâ* ; - qqch : किसी चीज़ की सफ़ाई करना *kisî cîz kî safâî karnâ*

neuf : नया *nayâ* ; (chiffre) नौ *nau*

nez : नाक *nâk* f.

ni...ni : न...न *na...na*

niveau : स्तर *star* m.

noir : काला *kâlâ*

noix (de coco) : नारियल *nâriyal* m. ; - d'arec : सुपारी *supârî* f. ; - muscade : जायफल *jâyphal* m., (écorce) : जावित्री *jâvitrî* f.

nom : नाम *nâm* m. ; prénom, surnom : नाम *nâm*, उपनाम *upnâm* ; (pré) nommer नाम रखना *nâm rakhnâ* v.t. ; (recruter) नियुक्त करना *niyukt karnâ*

non : नहीं *nahîn*

nord : उत्तर *uttar* m.

normal : स्वाभाविक *svâbhâvik*

note (musique) : स्वर *svar* m. ; (examen) अंक *ank* m., नंबर *nambar* m. ; X eut de bonnes notes en hindi : X को हिंदी में अच्छे अंक मिले X *ko hindî men acche ank mile*

notre : हमारा *hamârâ* adj.

nous : हम *ham* pr. ; à - : हमें / हमको *hamen / hamko*

nouveau (de) : वापस *vâpas*, नये सिरे से *naye sire se*, फिर से *phir se*

nouveau : नया *nayâ*, नव *nav*

nouvelle : (information) ख़बर *khabar* f., समाचार *samâcâr* m. ; (littérature) कहानी *kahânî* f.

noyer : डुबोना *dubonâ* v.t. ; se - : डूबना *dûbnâ* v.i.

nuage : बादल *bâdal* m.

nuit : रात *rât* f.

nulle part : कहीं नहीं *kahîn nahîn*

O

obéir : आज्ञा / कहना मानना *âgyâ* f./ *kahnâ* m. *mânnâ* v.t.

obéissant : आज्ञाकारी *âgyâkârî*

obscurité : अँधेरा *andherâ* m., अंधकार *andhakâr* m. ; obscur : अँधेरा *andherâ* adj.

observer : ध्यान से देखना *dhyân se dekhnâ* v.t. ; - X : X पर निगरानी रखना X *par nigrânî* f. *rakhnâ* v.t.

obstacle : अड़ंगा *arangâ* m., अड़चन *arcan* f., बाधा *bâdhâ* f., रुकावट *rukâvat* f.

obtenir : पाना *pânâ* v.t., प्राप्त करना *prâpt karnâ* ; मिलना *milnâ* v.i. ; X a obtenu qqch. : X को कोई चीज़ मिली है X *ko koî cîz milî hè* ; X ने कुछ प्राप्त किया है X *ne kuch prâpt kiyâ hè*

occasion : मौक़ा *mauqâ* m., अवसर *avsar* m.

occuper (un lieu) : किसी स्थान पर क़ब्ज़ा करना / जमाना *kisî sthân par qabzâ karnâ / jamânâ* v.t. ; occupé (être - à...) : ...में व्यस्त होना ...*men vyast* adj. *honâ* ; s'occuper de qqn. : किसी की सेवा / देखभाल करना *kisî kî sevâ* f./ *dekhbhâl* f. *karnâ*

océan : voir mer

odeur : गंध *gandh* f., बू *bû* f., महक *mahak* f. ; mauvaise - : बदबू *badbû* f., दुर्गंध *durgandh* f. ; bonne - : voir parfum

œil : आँख *ânkh* f. ; mauvais - : नज़र *nazar* f.

œuf : अंडा *andâ* m.

offrande : भेंट *bhent* f. ; (aux divinités) चढ़ावा *carhâvâ* m. ; nourriture offerte à une divinité : प्रसाद *prasâd* m. ; offrir : भेंट करना *bhent karnâ* ; (aux divinités) चढ़ाना *carhânâ* v.t.

oignon : प्याज़ *pyâz* m.

oiseau : चिड़िया *ciriyâ* f. ; पक्षी *pakshî* m.

opinion : राय *rây* f., सलाह *salâh* f., मत *mat* m.

opposition : ख़िलाफ़त *khilâfat* f., विरोध *virodh* m. ; opposant : विरोधी *virodhî*

or : (métal) सोना *sonâ* m.

orange : नारंगी *nârangî* f., संतरा *santrâ* m.

ordinaire : मामूली *mâmûlî*, साधारण *sâdhâran*, सामान्य *sâmânya*

ordre : आज्ञा *âgyâ* f., आदेश *âdesh* m., हुक्म *hukm* m.

oreille : कान *kân* m.

oreiller : तकिया *takiyâ* m.

os : हड्डी *haddî* f. ; (du défunt) : अस्थियाँ *asthiyân* f.p.

ou : अथवा *athvâ*, या *yâ*

où (interr.) : कहाँ *kahân* ; (rel.) : जहाँ *jahân*
oublier : भूलना *bhûlnâ* v.t. (pas d'erg.)
ouest : पश्चिम *pashcim* m.
oui : हाँ *hân* ; जी हाँ *jî hân*
ouvrir : खोलना *kholnâ* v.t. ; s'- : खुलना *khulnâ* v.i.

P

page : पन्ना *pannâ* m., पृष्ठ *prishth* m.
paire : जोड़ा *jorâ* m.
paix : चैन *cèn* m., शांति *shânti* f.
palais : महल *mahal* m.
panier : टोकरी *tokrî* f.
panne : (en -) ख़राब *kharâb* adj.
pantalon : पतलून *patlûn* f., पैंट *pènt* f.
papier : काग़ज़ *kâgaz* m. ; papiers : काग़ज़ात *kâgzât* m.p.
par : के द्वारा *ke dvârâ* postp. ; से *se* postp.
paradis : स्वर्ग *svarg* m.
paraître : लगना *lagnâ* v.i., जान पड़ना *jân parnâ* v.i. ; X ne me paraît
pas bien : मुझको X ठीक नहीं लगता *mujhko X thîk nahîn lagtâ* ; X
paraît occupé ; X व्यस्त मालूम होता है X *vyast mâlûm hotâ hè*
parapluie : छतरी *chatrî* f., छाता *châtâ* m.
parce que : क्योंकि *kyonki*
pardon : क्षमा *kshamâ* f., माफ़ी *mâfî* f. ; demander - à qqn. : किसी
से क्षमा / माफ़ी माँगना *kisî se kshamâ / mâfî mângnâ* v.t. ; pardonner,
excuser : क्षमा / माफ़ करना *kshamâ / mâf karnâ*
pareil, semblable : एक सा *ek sâ*, एक जैसा *ek jèsâ*, समान *samân*
parent : रिश्तेदार *rishtedâr* m., नातेदार *nâtedâr* m. ; (parents) माता-
पिता *mâtâ-pitâ* m.p., माँ-बाप *mân-bâp* m.p. ; - par alliance : समधी
samdhî m. ; समधन *samdhan* f. ; parenté : नाता *nâtâ* m., रिश्ता
rishtâ m., संबंध *sambandh* m., रिश्तेदारी *rishtedârî* f.
parfois : कभी-कभी *kabhî-kabhî*
parfum : सेंट *sent* m. ; ख़ुशबू *khushbû* f., सुगंध *sugandh* f. ; X sent
le - de... : X को...की ख़ुशबू आ रही है X *ko...kî khushbû â rahî hè*
Parlement : संसद *sansad* f. ; parlementaire : संसदीय *sansadîya*
parler (à) : (से) बोलना *(se) bolnâ* v.i./ v.t. ; (से) बात / बातचीत करना
(se) bât f./ *bâtcît* f. *karnâ*

part (à) : अलग से *alag se* ; de la - de : की ओर / तरफ़ से *kî or / taraf se* ; d'une - : एक ओर / तरफ़ *ek or / taraf* f.

part : भाग *bhâg* m., हिस्सा *hissâ* m.

partage, partager : voir division, distribution, distribuer

parti : पार्टी *pârtî* f. ; दल *dal* m.

participer à qqch. : किसी चीज़ में भाग / हिस्सा लेना *kisî cîz men bhâg* m./ *hissâ* m. *lenâ* v.t.

particulier, -ement, particularité : voir spécial, -ement, spécialité

partir : चल जाना *calâ jânâ* v.i., रवाना होना *ravânâ* inv. *honâ*

partout : चारों ओर / तरफ़ *câron or / taraj* ; सब जगह *sab jagah*

pas : क़दम *qadam* m. ; sept pas (mariage) : सप्तपदी *saptapadî* f.

passager : voir voyageur

passant : राहगीर *râhgîr* m.

passer (par) : (से) गुज़रना / निकलना *(se) guzarnâ / nikalnâ* v.i. ; (le temps v.t.) : गुज़ारना *guzârnâ* v.t., बिताना *bitânâ* v.t. ; काटना *kâtnâ* v.t. ; (v.i.) : गुज़रना / निकलना / बीतना *guzarnâ / nikalnâ / bîtnâ* v.i.

patience : धीरज *dhîraj* m., धैर्य *dhèrya* m. ; सब्र *sabr* f. ; सहनशक्ति *sahanshakti* f. ; X a de la - : X में धैर्य है X *men dhèrya hè*

pâtissier : हल्वाई *halvâî* m. ; pâtisserie : मिठाई *mithâî* f.

pauvreté : ग़रीबी *garîbî* f., निर्धनता *nirdhantâ* f. ; pauvre : ग़रीब *garîb*, निर्धन *nirdhan* ; (fig.) बेचारा *becârâ*

payer : चुकाना *cukânâ* v.t. ; देना *denâ* v.t.

pays : देश *desh* m., वतन *vatan* m.

paysage : voir vue

paysan : किसान *kisân* m.

peau : चमड़ी *camrî* f. ; (animal) खाल *khâl* f., चमड़ा *camrâ* m. ; (fruit) छिलका *chilkâ* m.

peinture : (art) चित्र-कला *citr-kalâ* f. ; (tableau) चित्र *citr* m. ; - sur le sol : अल्पना / माँडना *alpnâ* f./ *mândnâ* m.

pèlerinage : तीर्थयात्रा *tîrthyâtrâ* f., यात्रा *yâtrâ* f. ; pèlerin : तीर्थयात्री *tîrthyâtrî* m., यात्री *yâtrî* m.

pendant : के दौरान *ke daurân* ; - (x temps) : तक / भर *tak / bhar*

pénétrer : घुसना *ghusnâ* v.i.

pensée : ख़याल *khayâl* m., विचार *vicâr* m. ; penser à qqn. : किसी के बारे में सोचना *kisî ke bâre men socnâ* v.t., किसी को याद करना *kisî ko yâd karnâ* perdre : खोना *khonâ* v.t.

père : बाप *bâp* m., (+ H) : पिता *pitâ* m.

perle : मोती *motî* f.

permission : आज्ञा *âgyâ* f., इजाज़त *ijâzat* f. ; permettre : आज्ञा / इजाज़त देना *âgyâ / ijâzat denâ* v.t.

personne (individu) : व्यक्ति *vyakti* m. ; (indéfini) - ne : कोई...नहीं *koî...nahîn*

peser (v.t.) : तोलना *tolnâ* v.t. ; (v.i.) : combien tu pèses ? तुम्हारा वज़न कितना है ? *tumhârâ vazan kitnâ hè* ?

petit : छोटा *chotâ* ; (tout -) : नन्हा *nanhâ* ; - à - : धीरे-धीरे *dhîre-dhîre*

peu, moins : कम *kam*, थोड़ा *thorâ* ; un - : ज़रा-सा *zarâ* inv. *sâ*

peuple : जनता *jantâ* f.s.

peur : डर *dar* m., भय *bhay* m. ; avoir - / craindre : डरना *darnâ* v.i. ; X a - : X को डर है / लग रहा है X *ko dar hè / lag rahâ hè* v.i.

peut-être : शायद *shâyad*, संभवत: *sambhavtah*

philosophie : दर्शन *darshan* m., दर्शनशास्त्र *darshan shâstra* m.

photographier : तस्वीर / फ़ोटो खींचना / लेना *tasvîr* f. / *foto* f. *khîncnâ / lenâ* v.t.

pièce : (maison) कमरा *kamrâ* m. ; (monnaie) सिक्का *sikkâ* m.

pied : पाँव *pânv* m., पैर *pèr* m. ; (sacré) चरण *caran* m. ; à - : पैदल *pèdal*

pierre : पत्थर *patthar* m. ; pierres précieuses : जवाहिरात *javâhirât* m.p., रत्न *ratn* m.

piétiner : रौंदना *raundnâ* v.t.

piment : मिर्च *mirc* f. ; - rouge : लाल मिर्च *lâl mirc* f.

piqûre : इंजेक्शन *injekshan* m., सुई *suî* f. ; faire une - à qqn. : किसी के सुई लगाना *kisî ke suî lagânâ* v.t.

pitié : दया *dayâ* f., रहम *raham* m. ; X a - de Y : X को Y पर दया आ रही है X *ko Y par dayâ â rahî hè* v.i. ; sans - : निर्दय *nirday*, बेरहम *beraham*

plage : समुद्र-तट *samudra-tat* m.

plainte : शिकायत *shikâyat* f. ; se plaindre (à X) de... : (X से)...की शिकायत करना (X *se*) ...*kî shikâyat karnâ*

plaire : पसंद होना / आना *pasand honâ / ânâ* v.i., अच्छा लगना *acchâ lagnâ* v.i. ; ceci a plu à X : X को यह पसंद आया / अच्छा लगा X *ko yah pasand âyâ / acchâ lagâ* v.i.

plaisanterie : मज़ाक़ *mazâq* m., हँसी *hansî* f., दिल्लगी *dillagî* f. ;
plaisanter avec qqn. : किसी से मज़ाक़ करना *kisî se mazâq karnâ*
plante : पौधा *paudhâ* m.
plateau (repas) : थाली *thâlî* f. ; ट्रे *tre* f.
pleurer : रोना *ronâ* v.i. ; faire - : रुलाना *rulânâ* v.t.
plier : तह करना *tah* f. *karnâ*, समेटना *sametnâ* v.t. ; (enrouler)
लपेटना *lapetnâ* v.t.
plonger : être - (dans) : (में) तल्लीन / लीन होना (*men*) *tallîn* / *lîn*
honâ
pluie : बरसात *barsât* f., बारिश *bârish* f., वर्षा *varshâ* f. ; pleuvoir :
बारिश / बरसात होना *bârish* / *barsât honâ*, पानी बरसना *pânî barasnâ* v.i.
plus : अधिक *adhik*, ज़्यादा *zyâdâ* inv. ; le - : (सब) से (*sab*) *se* ; -
tard : बाद में *bâd men* ; - loin : आगे जाकर *âge jâkar*
plusieurs : कई *kaî*, अनेक *anek*
poche : जेब *jeb* f.
poète : कवि *kavi* m. ; poème : कविता *kavitâ* f.
poids, charge : बोझ *bojh* m., भार *bhâr* m., वज़न *vazan* m.
point : बिंदु *bindu* m. ; - rouge sur le front : बिंदी *bindî* f.
point de vue : दृष्टिकोण *drishtikon* m., नज़रिया *nazariyâ* m.
poisson : मछली *machlî* f.
poivre : कालीमिर्च *kâlîmirc* f.
poli : नम्र *namr* ; सभ्य *sabhya* ; politesse : नम्रता *namratâ* f., तमीज़
tamîz f. ; शिष्टाचार *shishtâcâr* m.
police : पुलिस *pulis* f. ; agent de - : सिपाही *sipâhî* m. ; poste de - :
थाना *thânâ* m.
politique (n.) : राजनीति *râjnîti* f. ; (adj.) राजनैतिक *râjnètik*
polythéisme : बहुदेववाद *bahudevvâd* m. ; polythéiste : बहुदेववादी
bahudevvâdî
pomme : सेब *seb* f. ; - de terre : आलू *âlû* m.
pont : पुल *pul* m.
population : आबादी *âbâdî* f., जनसंख्या *jansankhyâ* f.
porte : दरवाज़ा *darvâzâ* m.
porter : (habits) पहनना *pahannâ* v.t. ; (charge) उठाना *uthânâ* v.t.
porteur : कुली *qulî* m.
possible : मुमकिन / संभव *mumkin* / *sambhav*

poste : (bureau) डाकख़ाना / पोस्ट-ऑफ़िस *dâkkhânâ* m. / *post-âfis* m. ; (position) पद *pad* m.

pot : घड़ा *gharâ* m. ; (sacré) कलश *kalash* m. ; - en terre : मटका *matkâ* m. ; potier : कुम्हार *kumhâr* m.

pot de vin : रिश्वत / घूस *rishvat* f. / *ghûs* f. ; recevoir - : रिश्वत खाना *rishvat khânâ* v.t.

poulet : मुर्गा *murgâ* m. ; poule : मुर्गी *murgî* f.

pour : के लिए *ke lie* ; - que : ताकि *tâki*

pour cent : प्रतिशत *pratishat* m.

pourquoi : क्यों *kyon* ; c'est - : इसलिए *islie* / इसीलिए *isîlie*

pourri : सड़ा *sarâ*

pourtant, cependant : फिर भी *phir bhî*

pousser (bousculer) : धक्का देना / लगाना *dhakkâ* m. *denâ* / *lagânâ* v.t.

poussière : धूल *dhûl* f.

pouvoir : सकना *saknâ* v.i. ; (moyens, compétence) बस *bas* m. ; (force) ताक़त *tâqat* f. ; (politique) सत्ता *sattâ* f.

précieux : क़ीमती *qîmtî*, मूल्यवान *mûlyavân*

préférer : ज़्यादा पसंद करना *zyâdâ pasand karnâ* ; X préfère ceci : X को यह ज़्यादा पसंद है / पसंद आ रहा है / अच्छा लग रहा है X *ko yah zyâdâ pasand hè* / *pasand â rahâ hè* / *acchâ lag rahâ hè* v.i.

prélude : आलाप *âlâp* m.

premier : पहला *pahlâ* adj. ; premièrement : एक तो *ek to*

prendre : लेना *lenâ* v.t. ; (- pour) : voir considérer

préparer : बनाना *banânâ* v.t., तैयार करना *tèyâr karnâ* ; préparatifs : तैयारी *tèyârî* f.

présenter : पेश करना *pesh karnâ* ; se - : अपना परिचय देना *apnâ paricay denâ* v.t. ; - X à Y : X का Y से परिचय / X की Y से मुलाक़ात कराना X *kâ* Y *se paricay* m. / X *kî* Y *se mulâqât* f. *karânâ* v.t.

président : सभापति *sabhâpati* m. ; - de la République : राष्ट्रपति *râshtrapati* m.

presque : क़रीब-क़रीब / लगभग *qarîb-qarîb* / *lagbhag*

pressé : X était - : X जल्दी में था X *jaldî men thâ* ; X को जल्दी थी X *ko jaldî* f. *thî*

prêter : उधार देना *udhâr* m. *denâ* v.t.

prétexte : बहाना *bahânâ* m. ; prétexter : बहाना बनाना *bahânâ banânâ* v.t.

prêtre : पंडित *pandit* m., पुरोहित *purohit* m., (temple) : पुजारी *pujârî* m. ; (église) पादरी *pâdrî* m.

preuve : सबूत *sabût* m., प्रमाण *pramân* m.

prière : प्रार्थना *prârthanâ* f., विनती *vintî* f. ; prier qqn. : किसी से प्रार्थना करना *kisî se prârthanâ karnâ*

printemps : वसंत *vasant* m., बहार *bahâr* m.

prison : जेल *jel* f., क़ैदख़ाना *qèdkhânâ* m.

prix : क़ीमत *qîmat* f., दाम *dâm* m., मूल्य *mûlya* m. ; (au kilo, litre, etc.) भाव *bhâv* m.

problème : समस्या *samasyâ* f. ; résoudre - : समस्या हल करना *samasyâ hal karnâ*

procès : मुक़द्दमा *muqaddmâ* m. ; वाद *vâd* m.

prochain, suivant : अगला *aglâ* adj.

production : उत्पादन *utpâdan* m., पैदावार *pèdâvâr* f.

profession : voir métier

profit : फ़ायदा *fâydâ* m., मुनाफ़ा *munâfâ* m., लाभ *lâbh* m. ; profiter (de) : (से) लाभ उठाना (*se*) *lâbh uthânâ*. v.t.

profond : गहरा *gahrâ* ; profondeur : गहराई *gahrâî* f.

programme : कार्यक्रम *kâryakram* m., प्रोग्राम *progrâm* m.

progrès : उन्नति *unnati* f., तरक़्क़ी *taraqqî* f., प्रगति *pragati* f. ; faire des - : उन्नति करना *unnati karnâ*

promenade : सैर *sèr* f. ; faire une - : सैर करना *sèr karnâ* ; promener (se) : घूमना *ghûmnâ* v.i.

promesse : प्रतिज्ञा *pratigyâ* f., वचन *vacan* m., वादा *vâdâ* m. ; promettre à qqn. : किसी से वादा करना *kisî se vâdâ karnâ*

propre, clair : साफ़ *sâf* ; propreté : सफ़ाई *safâî* f.

propriétaire : मालिक *mâlik* m

prospère : फला-फूला *phalâ-phûlâ*, समृद्ध *samriddh*

protection : बचाव *bacâv* m., रक्षा *rakshâ* f., हिफ़ाज़त *hifâzat* f. ; protéger, sauver : बचाना *bacânâ* v.t. ; - qqn. : किसी की रक्षा / हिफ़ाज़त करना *kisî kî rakshâ / hifâzat karnâ*

prouver : साबित / सिद्ध करना *sâbit / siddh karnâ*

proverbe : मुहावरा *muhâvarâ* m. ; (dicton) कहावत *kahâvat* f.

prudent : सचेत *sacet*, सतर्क *satark*, सावधान *sâvdhân*

puis, ensuite : फिर *phir*

puisque : चूंकि *cûnki*

puits : कुआँ *kuân* m.

punition : दंड *dand* m., सज़ा *sazâ* f. ; punir : सज़ा देना *sazâ denâ* v.t.

pur : शुद्ध *shuddh* ; निर्मल *nirmal* ; (sacré) पवित्र *pavitr* ; pureté : पवित्रता *pavitratâ* f.

Q

quand (interr.) : कब *kab* ; (rel.) जब *jab*

quant à : तो *to*

quart : (un -) चौथाई *cauthâî* ; trois - : पौन *paun* ; et - : सवा *savâ*

quartier : मोहल्ला *mohallâ* m., बस्ती *bastî* f.

que (interr.) : क्या *kyâ* ; (rel.) जो *jo* ; (conj.) कि *ki*

quel (interr.) : क्या *kyâ* ; कैसा *kèsâ* adj.

quelqu'un : कोई *koî* (O. किसी *kisî*) ; quelques : कुछ *kuch*

quelque part : कहीं *kahîn*

question : प्रश्न *prashn* m., सवाल *savâl* m.

queue : (animal) दुम *dum* f., पूँछ *pûnch* f. ; faire la - : लाइन लगाना *lâin* f. *lagânâ* v.t.

qui (interr.) : कौन *kaun* (O. किस *kis*) ; (rel.) जो *jo* (O. जिस *jis*)

quinzaine (du mois) : पक्ष / पखवाड़ा *paksh* / *pakhvârâ* m. ; - sombre : कृष्ण पक्ष /बदी *krishna paksh* m./ *badî* ; - claire : शुक्ल पक्ष / सुदी *shukla paksh* m./ *sudî*

quitter : छोड़ना *chornâ* v.t.

quoi : क्या *kyâ*

quoique : हालाँकि /यद्यपि *hâlânki* /*yadyapi*

quotidien : दैनिक *dènik*

R

raconter : सुनाना *sunânâ* v.t.

radio : रेडियो *rediyo* m.

raie (dans les cheveux) : माँग *mâng* f.

raison (cause) : कारण *kâran* m., वजह *vajah* f. ; X a - : X की बात सही है X *kî bât sahî hè*

raisonnable (approprié) : वाजिब *vâjib* adj., उचित *ucit* adj.

ramener, rapporter : वापस लाना *vâpas lânâ* v.i.

ranger : जमाना *jamânâ* v.t., ठीक से रखना *thîk se rakhnâ*

rapide : तेज़ *tez* ; rapidement : जल्दी / जन्दी से *jaldî* / *jaldî se*, तेज़ी से *tezî se*

rapport : रपट *rapat* f. ; voir lien aussi

raser : दाढ़ी बनाना *dârhî* f. *banânâ* v.t., शेव करना *shev* f. *karnâ*

rassembler : इक्ट्ठा / एकत्रित / जमा करना *ikatthâ* / *ekatrit* / *jamâ* inv. *karnâ*

rassurer : आश्वासन देना *âshvâsan* m *denâ* v.t., आश्वस्त करना *âshvast karnâ*

rat, souris : चूहा *cûhâ* m. ; चुहिया *cuhiyâ* f.

rater : (manquer) चूकना *cûknâ* v.i. ; (échouer à) (में) फ़्रेल होना (*men*) *fel honâ*

réalité : वास्तविकता *vâstaviktâ* f., réel : वास्तविक *vâstavik*; voir aussi vrai, vérité

recevoir : प्राप्त करना / होना *prâpt karnâ* / *honâ* ; मिलना *milnâ* v.i., X recevra qqch. : X को कुछ मिलेगा X *ko kuch milegâ* ; - qqn. : किसी का स्वागत करना *kisî kâ svâgat karnâ*

recherche : खोज *khoj* f., तलाश *talâsh* f. ; (étude) शोध *shodh* m. ; être à la - de qqn. : किसी की खोज / तलाश में होना *kisî kî khoj* / *talâsh men honâ*

récolte : फ़सल *fasal* f.

récompense : इनाम *inâm* m., पुरस्कार *purâskâr* m.

reconnaissance : आभार *âbhâr* m., एहसान *ehsân* m., कृतज्ञता *kritagyatâ* f. ; reconnaissant : आभारी *âbhârî*, एहसानमंद *ehsânmand*, कृतज्ञ *kritagya*; (être -) X est - envers Y : X Y का आभारी है X Y *kâ âbhârî hè* ; ingrat : अकृतज्ञ *akritagya*

reconnaître : (légitimer) मान्यता देना *mânyatâ* f. *denâ* v.t. ; (identifier) पहचानना *pahcânnâ* v.t.

reculer : पीछे हटना *piche hatnâ* v.i.

réduire, diminuer (v.t.) : घटाना *ghatânâ* v.t., कम करना *kam karnâ* ; (v.i.) : कम होना / हो जाना *kam honâ* / *ho jânâ*

réfléchir : सोचना *socnâ* v.t., विचार करना *vicâr* m. *karnâ*

refuser (de) : (से) इनकार / मना करना (*se*) *inkâr* m./ *manâ* inv. *karnâ*

regard : दृष्टि *drishti* f., नजर *nazar* f., निगाह *nigâh* f.

regarder : देखना *dekhnâ* v.t.

règle (règlement) : नियम _niyam_ m. ; avoir ses - : महीने से होना _mahîne se honâ_ ; (fin) निपटारा _niptârâ_ m. ; régler (résoudre) : ठीक / हल करना _thîk / hal karnâ_ ; (finir) निपटाना _niptânâ_ v.t.
règne : राज्य _râjya_ m. ; régner : राज्य करना _râjya karnâ_
regret : अफ़सोस _afsos_ m., दुख _dukh_ m. ; X a des - : X को दुख है X _ko dukh hè_ ; regretter : अफ़सोस करना _afsos karnâ_
relation : voir lien, parenté
religion : धर्म _dharm_ m. ; religieux : धार्मिक _dhârmik_
remplir : भरना _bharnâ_ v.t./ v.i. ; rempli, plein : भरा _bharâ_
remuer : voir agiter
rencontre : भेंट _bhent_ f., मुलाक़ात _mulâqât_ f.
rencontrer qqn. : किसी से मिलना _kisî se milnâ_ v.i. ; X rencontra qqn. (par hasard) : X को कोई मिला X _ko koî milâ_ v.i.
rendez-vous : मिलने का समय _milne kâ samay_
rendre : लौटाना _lautânâ_ v.t., वापस करना _vâpas karnâ_
renonçant, ascète : संन्यासी _sannyâsî_ m., साधु _sâdhu_ m. ; renoncer : छोड़ना _chornâ_ v.t., त्यागना _tyâgnâ_ v.t. ; renoncement : त्याग _tyâg_ m.
renseignement : पूछताछ _pûchtâch_ f. ; se renseigner : जानकारी लेना _jânkârî_ f. _lenâ_ v.t. ; (- sur) : (का) पता करना / लगाना (_kâ_) _patâ karnâ / lagânâ_ v.t., मालूम करना _mâlûm karnâ_
renverser (se) : उलटना _ulatnâ_ v.t.
répandre : फैलाना _phèlânâ_ v.t. ; se - : फैलना _phèlnâ_ v.i.
réparation : मरम्मत _marammat_ f. ; réparer X : X ठीक करना X _thîk karnâ_, X की मरम्मत करना X _kî marammat karnâ_
repas : खाना _khânâ_ m., भोजन _bhojan_ m. ; prendre le - : खाना खाना _khânâ khânâ_ v.t., भोजन करना _bhojan karnâ_ ; servir le - : खाना लगाना _khânâ lagânâ_ v.t., भोजन परोसना _bhojan parosnâ_ v.t.
répéter : दोहराना _dohrânâ_ v.t.
réponse : उत्तर _uttar_ m., जवाब _javâb_ m. ; répondre qqch. à qqn. : किसी को किसी बात का उत्तर देना _kisî ko kisî bât kâ uttar denâ_ v.t.
repos : आराम _ârâm_ m. ; विश्राम _vishrâm_ m. ; reposer (se) : आराम करना _ârâm karnâ_
république : गणतंत्र _gantantra_ m.
réservation : रिज़र्वेशन _rizarveshan_ m., आरक्षण _ârakshan_ m.
résoudre : हल करना _hal karnâ_

respect : इज़्ज़त *izzat* f., आदर *âdar* m., सम्मान *sammân* m. ;
respecter qqn. : किसी की इज़्ज़त / का आदर करना *kisî kî izzat / kâ âdar karnâ*

responsable : जिम्मेदार *zimmedâr* ; responsabilité : जिम्मेदारी *zimmedârî* f., उत्तरदायित्व *uttardâyitva* m.

ressentir : महसूस करना / होना *mahsûs karnâ / honâ* ; X ressent qqch. : X को कुछ महसूस हो रहा है X *ko kuch mahsûs ho rahâ hè*

restaurant : ढाबा d*hâbâ* m., भोजनालय *bhojnâlay* m., रेस्टोरेंट *restaurent* m.

rester : रहना *rahnâ* v.i. ; ठहरना t*haharnâ* v.i.

résultat : नतीजा *natîjâ* m., परिणाम *parinâm* m., फल *phal* m.

retard : देर *der* f. ; X est en - : X को देर हो गई / X लेट हो गया X *ko der ho gaî / X let ho gayâ* v.i. ; retarder qqn. : किसी को लेट करना *kisî ko let karnâ*

retourner (revenir) : वापस आना *vâpas ânâ* v.i., लौटना *lautnâ* v.i. ; se - : पलटना *palatnâ* v.t.

réussite : कामयाबी *kâmyâbî* f., सफलता *saphaltâ* f. ; réussi : कामयाब *kâmyâb*, सफल *saphal* ; réussir (dans) qqch. : किसी काम में सफल होना *kisî kâm men saphal honâ*

rêve : सपना *sapnâ* m. ; X fit un - : X को एक सपना आया X *ko ek sapnâ âyâ* v.i. ; rêver : सपना देखना *sapnâ dekhnâ* v.t.

réveiller : जगाना *jagânâ* v.t. ; se - : जागना *jâgnâ* v.i.

réveil (éveil) : जागृति *jâgriti* f., जागरण *jâgran* m. ; (veille religieuse) : जागरण *jâgran* m., रतजगा *ratjagâ* m.

revenant, fantôme : भूत *bhût* m. ; प्रेत *pret* m.

revue (magazine) : पत्रिका *patrikâ* f.

rhume : ज़ुकाम *zukâm* m., (- de cerveau) नज़ला *nazlâ* m. ; X a un - / X est enrhumé : X को ज़ुकाम है X *ko zukâm hè*

riche : अमीर *amîr*, धनी *dhanî*, धनवान *dhanvân*, पैसेवाला *pèsevâlâ* ; richesse : धन *dhan* m., संपत्ति *sampatti* f.

rideau : परदा *pardâ* m.

rien... ne : कुछ...नहीं *kuch...nahîn* ; - du tout : कुछ भी नहीं *kuch bhî nahîn*

rire : हँसी *hansî* f. ; हँसना *hansnâ* v.i.

risque : ख़तरा *khatrâ* m. ; prendre le - : ख़तरा मोल लेना *khatrâ mol lenâ* v.t.

rites sacrificiels du feu : यज्ञ *yagya* m. ; हवन *havan* m.

rivière : नदी *nadî* f.

riz : चावल *câval* m., भात *bhât* m.

robinet (d'eau) : (पानी का) नल (*pânî kâ*) *nal* m.

roi : राजा *râjâ* m. ; reine : रानी *rânî* f. ; royaume : राज / राज्य *râj* / *râjya* m.

rôle : भूमिका *bhûmikâ* f. ; jouer le - de qqn. : किसी की भूमिका अदा करना *kisî kî bhûmikâ adâ* inv. *karnâ*

roman : उपन्यास *upanyâs* m.

rond : गोल *gol* ; - point : गोलचक्कर *golcakkar* m.

rose : (fleur) गुलाब *gulâb* m. ; (adj.) गुलाबी *gulâbî*

rouge : लाल *lâl*

roupie : रुपया *rupayâ* m.

route : रास्ता *râstâ* m., मार्ग *mârg* m. ; réseau routier : सड़कों का जाल *sarkon kâ jâl* m.

rubis : लाल *lâl* m.

rue : सड़क *sarak* f.

ruelle : गली *galî* f.

rythme : (musique) लय *lay* f. ; ताल *tâl* f. ; voir aussi vitesse

S

s'il vous plaît : महरबानी / कृपा करके *maharbânî* f./ *kripâ* f. *karke*, कृपया *kripayâ*

sac : (coton, plastique) : थैला *thèlâ* m., झोला *jholâ* m. ; बैग *bèg* m.

sacré : पवित्र *pavitr*

sacrements et rites familiaux : संस्कार *sanskâr* m.

sacrifice : क़ुर्बानी *qurbânî* f., बलि *bali* f., बलिदान *balidân* m. ; (rites religieux) यज्ञ *yagya* m., हवन *havan* m.

safran : केसर *kesar* f.

sage : ऋषि *rishi* m. ; (avisé) समझदार *samajhdâr* ; सयाना *sayânâ*

saisir, attraper : पकड़ना *pakarnâ* v.t.

saison : ऋतु *ritu* f., मौसम *mausam* m.

salaire : तनख़ाह *tankhâh* f., वेतन *vetan* m.

sale : गंदा *gandâ*, मैला *mèlâ*

salle : कमरा *kamrâ* m. ; - de bain : गुसल्ख़ाना *gusalkhânâ* m.

salon : बैठक *bèthak* f.

salutation : नमस्ते *namaste* f., नमस्कार *namaskâr* m., प्रणाम
pranâm m., सलाम *salâm* m. ; saluer : नमस्ते करना *namaste karnâ*
samedi : शनिवार *shanivâr* m.
sang : ख़ून *khûn* m., लहू *lahû* m.
sans : के बग़ैर / बिना *ke bagèr / binâ*
santal : चंदन *candan* m.
santé : तंदुरस्ती *tandurastî* f., स्वास्थ्य *svâsthya* m. ; état de - : तबियत
tabiyat f.
sauce : चटनी *catnî* f. ; - dans les légumes : रसा *rasâ* m.
sauf, excepté : के अलावा / सिवा *ke alâvâ / sivâ*, को छोड़कर *ko
chorkar*
sauter : कूदना *kûdnâ* v.i., उछलना *uchalnâ* v.i. ; saut, voir bond
saveur : स्वाद *svâd* m. ; savoureux : स्वादिष्ट *svâdisht*
savoir : ज्ञान *gyân* m., विद्या *vidyâ* f. ; जानना *jânnâ* v.t. ; X savait
(était au courant de) qqch. : X को कुछ बात पता / मालूम थी X *ko
kuch bât patâ / mâlûm thî* ; X sait nager : X को तैरना आता है X *ko
tèrnâ âtâ hè* v.i.
savon : साबुन *sâbun* m.
scène : दृश्य *drishya* m. ; (théâtre) मंच *manc* m.
sculpture : शिल्प-कला *shilp-kalâ* f. ; (statue) मूर्ति-कला *mûrti-kalâ* f.
sec : सूखा *sûkhâ* ; sécher : सूखना *sûkhnâ* v.i. सुखाना *sukhânâ* v.t.,
sécheresse : सूखा *sûkhâ* m. ; il y a eu - : सूखा पड़ गया *sûkhâ par
gayâ* v.i. innocent
secours : बचाव *bacâv* m. ; सहारा *sahârâ* m. ; au - ! : बचाओ-बचाओ !
bacâo-bacâo !
secret, mystère : राज़ *râz* m., रहस्य *rahasya* m., भेद *bhed* m.
secte : संप्रदाय *sampradây* m.
sel : नमक *namak* m. ; salé : नमकीन *namkîn*
selon : के अनुसार / मुताबिक़ *ke anusâr / mutâbiq*, के हिसाब से *ke
hisâb se*
semaine : सप्ताह *saptâh* m., हफ़्ता *haftâ* m.
sembler : लगना *lagnâ* v.i., il semble à X que : X को ऐसा लगता है
कि X *ko èsâ lagtâ hè ki* ; voir aussi paraître
semence : बीज *bîj* m. ; semer : बोना *bonâ* v.t.
sentiment : भाव *bhâv* m., भावना *bhâvnâ* f.
sentir (une odeur) : सूँघना *sûnghnâ* v.t. ; (éprouver) महसूस करना /
होना *mahsûs karnâ / honâ*, voir ressentir

séparation : अलगाव *algâv* m., विभाजन *vibhâjan* m. ; (de l'être aimé) विरह *virah* m. ; se séparer : अलग होना *alag honâ*

serpent : साँप *sânp* m. ; - cobra : नाग *nâg* m.

serviette : (sac) बैग *bèg* m. ; - de toilette : तौलिया *tauliyâ* m.

servir : - le repas : खाना लगाना *khânâ* m. *lagânâ* v.t. ; se - de qqch. (utiliser) : कोई चीज़ काम में लेना / किसी चीज़ का इस्तेमाल करना *koî cîz kâm* m. *men lenâ* v.t./ *kisî cîz kâ istemâl karnâ*

serviteur : नौकर *naukar* m. ; servante : नौकरानी *naukrânî* f.

seulement : केवल / सिर्फ़ *keval / sirf*

si (condition) : अगर / यदि *agar / yadi* ; (tellement) इतना *itnâ*

signature : दस्तख़त *dastakhat* m.p., हस्ताक्षर *hastâkshar* m.p. ; signer : दस्तख़त करना *dastakhat karnâ* v.t.

signe : इशारा *ishârâ* m., संकेत *sanket* m. ; चिन्ह *cinh* m. ; signaler / faire - : इशारा / संकेत करना *ishârâ / sanket karnâ*

signification, sens : अर्थ *arth* m., मतलब *matlab* m.

silence : ख़ामोशी *khâmoshî* f., चुप्पी *cuppî* f., मौन *maun* m. ; silencieux : ख़ामोश *khâmosh*, चुप *cup*, मौन *maun*

simple : साधारण *sâdhâran*, सादा *sâdâ* ; (au cœur pur) भोला *bholâ*, सीधा-सादा *sîdhâ-sâdâ*

sinon : नहीं तो / वरना *nahîn to / varnâ*

socialisme : समाजवाद *samâjvâd* m. ; socialiste : समाजवादी *samâjvâdî*

société : समाज *samâj* m. ; social : सामाजिक *sâmâjik*

sœur : बहन *bahan* f. ; - aînée : दीदी *dîdî* f. ; demi - : सौतेली बहन *sautelî bahan* f.

soie : रेशम *resham* m., सिल्क *silk* m. ; en - : रेशमी *reshmî*

soif : प्यास *pyâs* f. ; (désir) तृष्णा *trishnâ* f. ; X a - : X को प्यास (लगी) है X *ko pyâs (lagî) hè* v.i. ; assoiffé : प्यासा *pyâsâ*

soin (traitement) : इलाज *ilâj* m., उपचार *upcâr* m. ; prendre - de qqn. : किसी का ध्यान रखना *kisî kâ dhyân* m. *rakhnâ* v.t. ; soigner qqn. : किसी का इलाज करना *kisî kâ ilâj karnâ*

soir : शाम *shâm* f., संध्या *sandhyâ* f.

sol : ज़मीन *zamîn* f. ; (plancher) : फ़र्श *farsh* m.

soleil : (astre) सूरज *sûraj* m., सूर्य *sûrya* m., रवि *ravi* m. ; (lumière) धूप *dhûp* f.

solide : पक्का *pakkâ*, मज़बूत *mazbût*

solitude : अकेलापन *akelâpan* m., तनहाई *tanhâî* f. ; seul : अकेला *akelâ*, तनहा *tanhâ* adj.inv.

solution : समाधान *samâdhân* m., हल *hal* m. ; (liquide) घोल *ghol* m.

sommeil : नींद *nînd* f. ; X a - : X को नींद आ रही है X *ko nînd â rahî hè* v.i. ; faire un somme : नींद निकालना *nind nikâlnâ* v.t.

somnoler : ऊँघना *ûnghnâ* v.i.

son (bruit) : आवाज़ *âvâz* f.

son (possessif) : इसका *iskâ* / उसका *uskâ* adj.

sonnerie : घंटी *ghantî* f. ; sonner (sujet humain) : घंटी बजाना *ghantî bajânâ* v.t., (sujet inanimé) : बजना *bajnâ* (v.i.)

sorcellerie : जादू-टोना *jâdû-tonâ* m., जंतर-मंतर *jantar-mantar* m.

sortir : (बाहर *bâhar*) निकलना *nikalnâ* v.i. ; (faire) - निकालना *nikâlnâ* v.t.

souci : चिंता *cintâ* f., फ़िक्र *fiqr* f., परेशानी *pareshânî* f. ; soucieux : चिंतित *cintit*, परेशान *pareshân*

soudain : अचानक *acânak*, सहसा *sahsâ*, एकदम *ekdam*

souffrance : दर्द *dard* m., पीड़ा *pîrâ* f. ; (malheur) दुख *dukh* m. ; (difficulté) : voir mal

souhait : इच्छा *icchâ* f., कामना *kâmnâ* f. ; souhaiter : इच्छा होना / कामना करना *icchâ honâ* / *kâmnâ karnâ*, voir espoir, espérer

soulagement : चैन *cèn* m. ; हल्कापन *halkâpan* m. ; X est soulagé : X को चैन पड़ रहा है X *ko cèn par rahâ hè* v.i. ; soulager : हल्का करना *halkâ* adj. *karnâ*

soupir : आह *âh* f. ; soupirer : आह / ठंडी साँस भरना *âh* / *thandî sâns* f. *bharnâ* v.t.

sourd : बहरा *bahrâ*

sourire : मुसकान *muskân* f. ; मुस्कुराना *muskurânâ* v.i.

sous : के नीचे *ke nîce* postp.

soutenir : सहारा देना *sahârâ denâ* v.t. ; (appuyer) - X : X का समर्थन करना X *kâ samrthan karnâ*

souvenir : याद *yâd* f., स्मृति *smriti* f. ; X se souvenait de qqch. : X को कुछ बात याद थी / याद आ रही थी X *ko kuch bât yâd thî* / *yâd â rahî thî* v.i.

souvent : अकसर *aksar*

spécial : ख़ास khâs, विशेष vishesh ; spécialité : ख़ासियत khâsiyat
f., विशेषता visheshtâ f. ; spécialement : ख़ास तौर से khâs taur se,
विशेष रूप से vishesh rûp se ; spécialiste : विशेषज्ञ visheshagya m.

spectacle : तमाशा tamâshâ m., शो sho m.

spectateur : दर्शक darshak m.

splendeur : चमक-दमक camak-damak f., रौनक़ raunaq f.

stable : स्थायी sthâyî ; stabilité : स्थायित्व sthâyitva m.

statue : मूर्ति mûrti m., प्रतिमा pratimâ f. ; trinité : त्रिमूर्ति trimûrti m.

stylo : क़ल्म qalam f. ; पैन pèn m.

subir : भुगतना bhugatnâ v.t., सहना sahnâ v.t., झेलना jhelnâ v.t.

succès : voir réussite

sucre : चीनी cînî f. ; canne à - : गन्ना gannâ m. ; sucré : मीठा
mîthâ ; sucreries : मिठाई mithâî f.

sud : दक्षिण dakshin m.

suggestion : सुझाव sujhâv m. ; suggérer : सुझाना sujhânâ v.t.,
सुझाव देना sujhâv denâ v.t.

suicide : आत्महत्या âtm-hatyâ f. ; se suicider : आत्महत्या करना âtm-
hatyâ karnâ

sujet : विषय vishay m. ; au - de : के बारे में ke bâre men

superstition : अंधविश्वास andhvishvâs m.

supplier : गिड़गिड़ाना girgirânâ v.i.

supporter : voir tolérer, subir, soutenir

supposition : अंदाज़ andâz m., अनुमान anumân m. ; supposer,
deviner : अनुमान लगाना anumân lagânâ v.t.

supprimer : रद्द करना radd karnâ ; हटाना hatânâ v.t. ; (effacer)
मिटाना mitânâ v.t.

sur : पर par, के ऊपर ke ûpar

sûr : निश्चित nishcit adj., पक्का pakkâ adj. ; bien - / sûrement :
ज़रूर zarûr, अवश्य avashya

surprise : अचरज acaraj m., आश्चर्य âshcarya m., हैरानी hèrânî f. ;
surpris : चकित cakit, हैरान hèrân ; surprendre : चकित करना cakit
karnâ

surtout : ख़ास तौर पर / से khâs taur par se, विशेष रूप से vishesh rûp
se

surveillance : निगरानी *nigrânî* f., देखभाल *dekhbhâl* f. ; surveiller qqn. : किसी का ध्यान रखना *kisî kâ dhyân* m. *rakhnâ* v.t. ; (observer) किसी पर निगरानी रखना *kisî par nigrânî rakhnâ* v.t.

suspendre : लटकाना *latkânâ* v.t. ; (ajourner) स्थगित करना *sthagit karnâ*

sympathie : सहानुभूति *sahânubhûti* f., हमदर्दी *hamdardî* f. ; sympathique : सहानुभूतिपूर्ण *sahânubhûtipûrn*, हमदर्द *hamdard*

système : प्रथा *prathâ* f. ; प्रणाली *pranâlî* f.

T

tabac : तंबाकू *tambâkû* m.

table : मेज़ *mez* f. ; nappe de - : मेज़पोश *mezposh* m.

tache : दाग़ *dag* m., धब्बा *dhabbâ* m.

taille : नाप *nâp* m., माप *mâp* m. ; (mi-corps) कमर *kamar* f. ; (hauteur) कद *kad* m.

tambour : ढोल *dhol* m.

tantôt : कभी *kabhî* adv.

tapis : गलीचा / क़ालीन *galicâ* m./ *qâlîn* m. ; (petit -) आसन *âsan* m. ; - en coton : दरी *darî* f.

taquiner : छेड़ना *chernâ* v.t.

tard : देर से *der* f. se ; plus - : बाद में *bâd men* ; tarder : देर करना *der karnâ*, X tarda à venir : X ने आने में देर की X *ne âne men der kî*

tas : ढेर *dher* m. ; - de : ढेर सारा *dher sârâ*

tasse : प्याला *pyâlâ* m., कप *kap* m.

taxi : टैक्सी *teksî* f.

tel : (adj.) ऐसा *esâ* ; जैसा...वैसा *jesâ...vesâ*, tel père tel fils : जैसा बाप वैसा बेटा *jesâ bâp vesâ betâ* ; tellement / tant : इतना *itnâ* adj.

télégramme : तार *târ* m.

téléphone : टेलीफ़ोन *telîfon* m. ; téléphoner : फ़ोन करना *fon* m. *karnâ*

télévision : टेलीविज़न *telîvizan* m. ; दूरदर्शन *dûrdarshan* m.

témoignage : गवाही *gavâhî* f. ; témoigner : गवाही देना *gavâhî denâ* v.t. ; témoin : गवाह *gavâh* m., साक्षी *sâkshî* m.

température : तापक्रम *tâpkram* m., तापमान *tâpmân* m.

temple : मंदिर *mandir* m.

temps : वक्त *vaqt* m., समय *samay* m. ; de - en - : कभी-कभी *kabhî-kabhî*, समय-समय पर *samay-samay par* ; entre - : इस बीच *is bîc* ; - libre : फ़ुर्सत *fursat* f. ; X n'a pas le - : X को फ़ुर्सत नहीं मिलती X *ko fursat nahîn miltî* v.i. ; X के पास समय नहीं है X *ke pâs samay nahîn hè*

tenir : पकड़ना *pakarnâ* v.t. ; tiens : अच्छा *acchâ* !, यह लो *yah lo* !

tension : तनाव *tanâv* m.

terre (matière) : मिट्टी *mittî* f. ; morceau de - : ढेला *dhelâ* m.

terre : भूमि *bhûmî* f., धरती *dhartî* f., पृथ्वी *prithvî* f. ; (terrain) : ज़मीन *zamîn* f. ; par - : ज़मीन पर *zamîn par*

test : जाँच *jânc* f. ; tester qqch. : किसी चीज़ की जाँच करना *kisî cîz kî jânc karnâ*

tête : सिर *sir* m., माथा *mâthâ* m. ; (cerveau) : दिमाग़ *dimâg* m.

thé : चाय *cây* f. ; théière : चायदानी *câydânî* f.

théâtre : नाटक *nâtak* m. ; - populaire : लोकनाट्य *lok-nâtya* m. ; - de rue : नुक्कड़-नाटक *nukkar-nâtak* m.

tirer : खींचना *khîncnâ* v.t. ; (balle) : गोली चलाना *golî* f. *calânâ* v.t.

timbre : टिकट *tikat* m.

tissu : कपड़ा *kaprâ* m. ; - de brocart : ज़री-पारचा *zarî-pârcâ* m.

toilette : शौचालय *shaucâlay* m., लेट्रिन *letrin* f.

toit : छत *chat* f.

tolérer : सहना *sahnâ* v.t., बर्दाश्त / सहन करना *bardâsht / sahan karnâ*

tomate : टमाटर *tamâtar* m.

tombe : क़ब्र *qabr* f. ; tombeau : मक़बरा *maqbarâ* m.

tomber : गिरना *girnâ* v.i., पड़ना *parnâ* v.i. ; faire - : गिराना *girânâ* v.t., पटकना *pataknâ* v.t.

ton (possessif) : तेरा *terâ* / तुम्हारा *tumhârâ* adj.

tôt : जल्दी *jaldî*, शीघ्र *shîghra*

toucher : छूना *chûnâ* v.t., स्पर्श करना *sparsh* m. *karnâ*

toujours : सदा *sadâ*, हमेशा *hameshâ* ; (encore) अब / अभी भी *ab / abhî bhî*

tour : चक्कर *cakkar* m. ; (circumambulation) प्रदक्षिणा *pradakshinâ* f. ; (mariage) फेरा *pherâ* m. ; faire un - : चक्कर लगाना *cakkar lagânâ* v.t.

tourisme : पर्यटन *paryatan* m. ; touriste : पर्यटक *paryatak* m.

tourner: घूमना *ghûmnâ* v.i., फिरना *phirnâ* v.i. ; se - : मुड़ना *murnâ* v.i. ; X a la tête qui tourne. : X का सिर घूम रहा है / चकरा रहा है X *kâ sir* m. *ghûm rahâ hè / cakrâ rahâ hè* v.i.

tous: (adj.) सब *sab* ; सभी *sabhî* ; tout: सब कुछ *sab kuch* ; tout entier: सारा *sârâ*

tout-à-fait: बिल्कुल *bilkul,* एकदम *ekdam*

tout à l'heure: अभी *abhî* ; tout de suite: फ़ौरन *fauran,* तुरंत *turant*

toux: खाँसी *khânsî* f. ; tousser: खाँसना *khânsnâ* v.i. (+ergatif) ; X tousse: X को खाँसी चल रही है / हो रही है X *ko khânsî cal rahî hè* v.i./ *ho rahî hè*

tradition: परंपरा *paramparâ* f. ; traditionnel: पारंपरिक *pâramparik* ; traditionaliste: परंपरावादी *paramparâvâdî,* (conservateur): रूढ़िवादी *rûrhivâdî*

train: गाड़ी *gârî* f., ट्रेन *tren* f., रेल *rel* f.

traitement, remède: voir soin

transport: परिवहन *parivahan* m., (trafic): यातायात *yâtâyât* m.

travail: काम *kâm* m. ; - dur: मेहनत *mehnat* f., परिश्रम *parishram* m. ; travailler: काम करना *kâm karnâ*

travailleur, ouvrier: मजदूर *mazdûr* m., श्रमिक *shramik* m.

traverser: पार करना *pâr karnâ*

trembler: काँपना *kânpnâ* v.i.

très: बहुत *bahut*

triste: उदास *udâs* ; (tragique) दुखद *dukhad* ; tristesse: उदासी *udâsî* f.

tromperie: छल *chal* m., धोखा *dhokhâ* m., फ़रेब *fareb* m., धोखेबाज़ी *dhokhebâzî* f. ; tromper qqn.: किसी को धोखा देना *kisî ko dhokhâ denâ* v.t., किसी के साथ धोखेबाजी करना *kisî ke sâth dhokhebâzî karnâ* ; se - : चूकना *cûknâ* v.i. ; ग़लती ' भूल करना *galtî* f./ *bhûl* f. *karnâ*

trop: अधिक *adhik,* अत्यधिक *atyadhik,* (बहुत) ज्यादा *(bahut) zyâdâ* inv.

trottoir: पटरी *patrî* f., फ़ुटपाथ *futpâth* f.

trou: छेद *ched* m. ; (dépression): गड्ढा *gaddhâ* m. ; trouer, percer: छेदना *chednâ* v.t., छेद करना *ched karnâ* trouver: पाना *pânâ* v.t. ; X trouva qqch. : X को कुछ मिला X *ko kuch milâ* v.i. ; X trouve Y belle: X को Y सुंदर लगती है X *ko* Y *sundar lagtî hè* v.i.

tu: तू *tû*, तुम *tum* (voir grammaire M.1.4)

tuer: मारना *mârnâ* v.t.

turban: पगड़ी *pagrî* f. ; - court: साफ़ा *sâfâ* m.

U

un: एक *ek* ; - et demi : डेढ़ *derh* ; - et quart : सवा *savâ* ; - par - : एक-एक करके *ek-ek karke*

union, fédération: voir association

unir (s'-): मिलना *milnâ* v.i., एक होना *ek honâ* ; unité, solidarité : एकता *ektâ* f. ; uni : एक *ek* ; संयुक्त *sanyukt*

université: यूनिवर्सिटी *yûnivarsitî* f., विश्वविद्यालय *vishvavidyâlay* m.

urine: पेशाब *peshâb* m. ; uriner: पेशाब करना *peshâb karnâ*

usine: कारख़ाना *kârkhânâ* m.

utilité: उपयोग *upyog* m. ; utile: उपयोगी *upyogî*, काम का / के / की *kâm* m. *kâ / ke / kî*; in - : बेकार *bekâr*, निरर्थक *nirarthak* ; utiliser: इस्तेमाल करना *istemâl karnâ*, काम में लेना *kâm men lenâ* v.t.

V

vacances, congé: छुट्टी *chuttî* f.

vacciner: टीका लगाना *tîkâ* m. *lagânâ* v.t.

vache: गाय *gây* f., गौ *gau* f. ; vacher ग्वाला *gvâlâ* m., (गोप *gop* m.)

vaincre: जीतना *jîtnâ* v.i./ v.t.

vaisselle: बर्तन *bartan* m. ; faire la - : बर्तन माँजना *bartan mânjnâ* v.t.

valise: अटैची *atècî* f. ; faire ses - : voir bagages (faire ses -)

végétarien: शाकाहारी *shâkâhârî* ; non - : मांसाहारी *mânsâhârî*

véhicule: वाहन *vâhan* m., सवारी *savârî* f.

vendeur: दुकानदार *dukândâr* m., बेचनेवाला *becnevâlâ* m. ; vendre: बेचना *becnâ* v.t. ; se - : बिकना *biknâ* v.i. ; vente: बिक्री *bikrî* f.

vendredi: शुक्रवार *shukravâr* m.

venir : आना *ânâ* v.i. ; faire - (qqch.) : (कुछ) मँगवाना (*kuch*) *mangvânâ* v.t.

vent : हवा *havâ* f.

ventilateur : पंखा *pankhâ* m.

ventre, estomac : पेट *pet* m.

vermillon : सिंदूर *sindûr* m. ; (poudre rouge préparée à base de curcuma) कुंकुम *kunkum* m.

verre (matière) : कांच *kânc* m., (glace, vitre) शीशा *shîshâ* m. ; (à boire) गिलास *gilâs* m.

vers : की ओर / तरफ़ *kî or / taraf*

verser : डालना *dâlnâ* v.t.

vert : हरा *harâ* ; verdure : हरियाली *hariyâlî* f.

vêtement : कपड़े *kapre* m.p., वस्त्र *vastra* m.

veuf : विधुर *vidhur* m. ; veuve : विधवा *vidhvâ* f. ; veuvage : वैधव्य *vèdhavya* m.

viande : गोश्त *gosht* m., मांस *mâns* m.

victoire : जीत *jît* f., विजय *vijay* f. ; vaincre : जीतना *jîtnâ* v.i / v.t.

vide : ख़ाली *khâlî*

vie : जान *jân* f., ज़िंदगी *zindagî* f., जीवन *jîvan* m. ; vivre : जीना *jînâ* v.i. ; vivant : ज़िन्दा *zindâ* adj.inv., जीविन *jîvit*, (vif) सजीव *sajîv*

vieillesse : बुढ़ापा *burhâpâ* m., वृद्धावस्था *vriddhâvasthâ* f. ; vieux : (âgé) बूढ़ा *bûrhâ*, वृद्ध *vriddh* ; vieillie : बुढ़िया *burhiyâ* ; (ancien) : पुराना *purânâ*, प्राचीन *prâcîn*

village : गाँव *gânv* m. ; villageois : ग्रामीण *grâmîn* m., गाँववाला *gânvvâlâ*

ville : नगर *nagar* m., शहर *shahar* m.

vin, boisson alcoolisée : शराब *sharâb* f.

violence : हिंसा *hinsâ* f. ; non - : अहिंसा *ahinsâ* f. ; violent : हिंसक *hinsak* ; (fort, vif) बहुत तेज़ *bahut tez*

visage : चेहरा *cehrâ* m., मुँह *munh* m., शक्ल *shakl* f., सूरत *sûrat* f.

visiter : देखना *dekhnâ* v.t.

vite : जल्दी *jaldî*, शीघ्र *shîghra*

vitesse : गति *gati* f., रफ़्तार *raftâr* f.

vœu : मनौती *manautî* f. ; faire un - : मनौती करना / मनाना *manautî karnâ / manânâ* v.t.

voile : परदा *pardâ* m., घूँघट *ghûnghat* m. ; se voiler : घूँघट निकालना *ghûnghat nikâlnâ* v.t.

voir : देखना *dekhnâ* v.t. ; (voir apercevoir) ; je ne vois pas (perplexité) : मुझ को नहीं दिखता / सूझता *mujh ko nahîn dikhtâ / sûjhtâ*

voisin : पड़ोसी *parosî* m. ; voisine : पड़ोसन *parosan* f. ; voisinage : पड़ोस *paros* m.

voiture : कार *kâr* f., गाड़ी *gârî* f. ; - à cheval : तांगा *tângâ* m.

voix : आवाज़ *âvâz* f. ; (électoral) मत *mat* m.

vol : चोरी *corî* f. ; (avion) उड़ान *urân* f. ; voleur : चोर *cor* m. ; voler : चोरी करना *corî karnâ*, चुराना *curânâ* v.t. ; s'en - : उड़ना *urnâ* v.i.

volontaire : स्वयं-सेवक *svayam-sevak* m.

volonté : इच्छा *icchâ* f., मर्ज़ी *marzî* f. ; कामना *kâmnâ* f.

vomissement : उल्टी *ultî* f., कै *kè* f. ; X est pris de - : X को उल्टी / कै हो रही है X *ko ultî / kè ho rahî hè* ; vomir : उल्टी / कै करना *ultî / kè karnâ*

votre : आपका *âpkâ*, तुम्हारा *tumhârâ* adj. (voir grammaire M.1.4)

vouloir : चाहना *câhnâ* v.t.

vous : आप *âp* / तुम *tum* (voir grammaire M.1.4)

voyage : यात्रा *yâtrâ* f., सफ़र *safar* m. ; voyager : सफ़र / यात्रा करना *safar / yâtrâ karnâ* ; voyageur : मुसाफ़िर *musâfir* m., यात्री *yâtrî* m.

vrai : सच्चा *saccâ*, (authentique) असली *aslî*, (réel) वास्तविक *vâstavik* ; vraiment : वाक़ई *vâqaî*, सचमुच *sacmuc*, वास्तव में *vâstav men* ; vérité : असलियत *asliyat* f., सच्चाई *saccâî* f., सत्य *satya* m.

vue : (paysage) दृश्य *drishya* m., नज़ारा *nazârâ* m. ; (œil) दृष्टि *drishti* f., नज़र *nazar* f., निगाह *nigâh* f.

W X Y Z

wagon : डिब्बा *dibbâ* m.

yaourt : दही *dahî* m. ; boisson au - : लस्सी *lassî* f.

zoo : चिड़ियाघर *ciriyâghar* m.

zoroastrien : पारसी *pârsî* m.

BIBLIOGRAPHIE

Il s'agit d'une bibliographie très élémentaire, limitée aux ouvrages en français, à l'exception du dictionnaire bilingue le meilleur aujourd'hui, en anglais. Des bibliographies détaillées se trouvent dans ces ouvrages.

sur la langue

Bakaya Akshay & Annie Montaut, *Le Hindi sans peine*, Assimil, 1994

Balbir Nicole & Jagbans K. Balbir (avec la collaboration de S. Joshi, N. Srivastava & V.R. Joshi), *Dictionnaire général français hindi*, L'Asiathèque, 1992

Boschetti Federica (en collaboration avec Monica Juneja), *Dictionnaire français-hindi*, Editions du Makar, 1994

Mc Gregor R.S,, *The Oxford Hindi-English Dictionnary*, Oxford University Press, 1993

Montaut Annie (ed.), *Les langues d'Asie du sud*, Ophrys 1997

Montaut Annie, *Voix, aspects et diathèses en hindi moderne*, Peeters, Louvain, 1991

Montaut Annie, "Le Hindi en 1947 : la question de la langue nationale, ses origines et ses conséquences", *Sahib* 5, 1997 (pp. 134-151)

sur la culture

Biardeau Madeleine, *L'Hindouisme, anthropologie d'une civilisation*, Flammarion, 1981

Boivin Michel, *Histoire de l'Inde*, Que sais-je?, PUF, 1996
Deliège Robert, *Le Systéme des castes*, Que sais-je ? PUF, 1993
Jaffrelot Christophe (ed.), *L'Inde Contemporaine de 1950 à nos jours*, Fayard, 1996
Markovits Claude (ed.), *Histoire de l'Inde moderne. 1480-1950*, Fayard, 1994
Renou Louis, *La Civilisation de l'Inde ancienne*, Flammarion, 1981
Renou Louis et Jean Filliozat, *L'Inde classique, manuel des études indiennes*, 2 tomes [tome 1 avec le concours de Pierre Meile, Anne Marie Esnoul & Liliane Silburn, Adrien Maisonneuve, 1947, tome 2 avec le concours de Paul Demiéville, Olivier Lacombe & Pierre Meile, Paris EFEO 1953]

textes littéraires mentionnés (en français ou traduction française)

Boschetti Federica & Annie Montaut (eds.), *Les Littératures de l'Inde. Anthologie de nouvelles contemporaines*, Sud, 1987
Cabon Marcel, *Namasté*, Editions de l'Océan Indien, 1981
Gorse Jean-Emmanuel, *Les Chants nuptiaux de Tulsî Dâs*, L'Asiathèque, 1982
Kabir, *Au cabaret de l'amour, Paroles de Kabir*, Traduit du hindi médiéval, préfacé et annoté par Charlotte Vaudeville, Connaissance de l'Orient, Gailimard/Unesco, 1959
Mehta Gita, *Narmada Sutra*, Belfond, 1993
Chants mystiques de Mira Bai, traduction commentée par Nicole Balbir, Les Belles Lettres, 1979
Naipaul, V.S., *Une maison pour Monsieur Biswas*, Gallimard, 1964
Naipaul V.S., *Le Masseur mystique*, Gallimard, 1965
Naipaul V.S., *L'Inde, un million de révoltes*, Plon, 1992

Sour Das, *Pastorales*, Traduction de la langue braj, avec introduction, notes et glossaire de Charlotte Vaudeville, Connaissance de l'Orient, Gallimard/Unesco, 1971

Collection Parlons ...
dirigée par Michel Malherbe

551373 - Décembre 2013
Achevé d'imprimer par

1livre.com
du rêve à la réalité !